People Powered

「ビジネス」「ブランド」「チーム」
を変革するコミュニティの原則

遠くへ行きたければ、みんなで行け

How Communities Can Supercharge
Your Business,Brand, and Teams

著 Jono Bacon
翻訳 高須正和
監訳 山形浩生
解説 関 治之

技術評論社

PEOPLE POWERED: How Communities Can Supercharge Your Business, Brand, and Teams
by Jono Bacon
ISBN: 978-1400214884,Published by HarperCollins Leadership, an imprint of HarperCollins Focus LLC.

Published by arrangement with HarperCollins Leadership, a division of HarperCollins Focus, LLC, through Tuttle-Mori Agency, Inc., Tokyo

娘エリカと息子ジャックへ

君たちからどれほど「人間味」を教わったか、想像もつかないだろう

ジョノ・ベーコンとピープル・パワードへの賛辞

コミュニティがビジネスやチームにもたらす力を利用したいのであれば、ジョノ・ベーコンよりも優れた専門家はいない。
——ナット・フリードマン　GitHub CEO

コミュニティ、企業、チームがコラボレーションするための力を開放したいなら、この本があなたの地図となり、ジョノ・ベーコンがあなたのツアーガイドとなるはずだ。
——ジェミー・スミス　バラク・オバマ政権の元副報道官

テクノロジーはコラボレーションのための障壁を取り払い、グローバルにもローカルにも、コミュニティ同士を結びつける。僕らはすべての組織や開発者たちの開発・発展を助けるツールを提供したい。ジョノ・ベーコンの本は、私たちが人間として何に心を動かされているのか、そしてどうすればより豊かでより強いテクノロジーのコミュニティをともに構築していけるのかについての洞察を提供してくれる。
——ケビン・スコット　マイクロソフト社最高技術責任者（CTO）兼上級副社長

コミュニティの力を活用することは、私たちのビジネスの成功だけでなく、民主主義のためにも非常に重要です。ピープル・パワードは、その成功にむけて明確な青写真を提供している。
——アリ・ヴェルシ　MSNBCキャスター

コミュニティはデジタルトランスフォーメーションの強力な要素であり、ピープル・パワードはその法則を提供している。
——ジュアン・オライゾーラ　スペイン　サンタンデール銀行COO

もし君がコミュニティを作るなら、否応なしにピープル・パワードを読むべきだ。
――ジェイミー・ハイネマン　人気テレビシリーズ「怪しい伝説」の司会者でありクリエイター

ジョノはビジネスにコミュニティの可能性を実装する達人だ。ピープル・パワードはコミュニティの可能性を自分たちの組織のために活用したい人のための、明確な青写真だ。
――ジム・ホワイトハースト　レッドハットCEO、『The Open Organization』著者

私の仕事では、ネットワークづくりとは子育てのように長期な関係を築くことだ。ジョノ・ベーコンはそのためのレシピを書いた。ぜひ読むべきだ。
――ジア・スキント　Yコンビネータのコミュニティ人材部長

コミュニティこそが未来のビジネス、テクノロジー、コラボレーションになりうる。ジョノ・ベーコンの経験とアプローチ、そして率直さは未来を乗りこなすために不可欠な要素だ。
――ジム・ゼムリン　Linuxファウンデーション常務取締役

顧客の力を引き出したいなら、まずピープル・パワードを読むべきだと、強くお勧めする。
――ホイットニー・バック　HelloSign COO（訳注：オンライン署名サービス）

ジョノ・ベーコンは、生産的なコミュニティを構築する技術を完成させるために何年もの歳月を費やしてきた。ピープル・パワードは、この仕事を成功させるための非常に貴重な道標だ。
――ヴィリ・イルチェフ　オーガスト・キャピタル パートナー

コミュニティはDigitalOcean（訳注：開発者向けクラウドサービス）が成功するための基盤であり、我々が顧客やオーディエンスと深い関係を築くのに役立っている。ピープル・パワードはシンプルで実用的な成功への

レシピだ。
――ベン・ウレツキー　DigitalOcean共同創設者

人々が偉大な目的のために協働すれば、だれも命令せず、報酬もなしに、山を動かすことだってできるだろう。ジョノ・ベーコンはその点で最も優れた専門家の1人であり、この本は君にその方法を教えるものだ。
――マーティン・ミッコ　HackerOne CEO（訳注：セキュリティ脆弱性報告プラットフォーム）

ピープル・パワードは、強力なコミュニティ構築の方法をビジネスに接続する。明確で一貫性があり、日々おこなう具体的なビジネスの業務にコミュニティを統合するための真に効果的なツールだ。強くお勧めする。
――ポール・サルニコウ　The Executive Centre CEO（訳注：オフィスサービス）

ピープル・パワードは人々にビジョンを共有し、インパクトのあるつながりを作るための実践的なガイドであり、パワフルなコミュニティを作るための洞察で満ちている。
――ポール・ブンジ　XPRIZEを運営するConservation X Labsの共同創設者

コミュニティづくりだけでなく、ハッピーで効果的なチームを作るためにも、すべてのビジネスマンがピープル・パワードを読むべきだ。
――ウッタム・トリパシ　Google開発者リレーションシップのためのグローバルプログラムリーダー

ピープル・パワードは成功する組織に見られるコミュニティビルディングの妙をそのまま表現している。
――クリストファー・モンディーニ　ICANN国際権利関係調整副社長

ピープル・パワードはどの組織にも必要な、コミュニティが機能するための技術と神秘を明確に説明する。
――ドライズ・バイヤート　Drupal社およびAcquia社の創業者

ジョノ・ベーコンはコミュニティ戦略について、業界を主導する専門家だ。ピープル・パワードは業界をリードするアプローチだ。さあ読もう。
――ジョゼ・モラール氏　ソフトウェア企業Atlassianの運用責任者

コミュニティの力は、オープンソース、ブロックチェーン、そしてジョノが参加している当社のコアコミュニティで日々証明されている。彼が参加しているすべての場所で、つながりを持つすべての人が利益を得ている。
――マイケル・スコック　VCであるUnderscore社の創業パートナー

ピープル・パワードは、ビジネスや製品に関連したコミュニティとは何か、そしてそれらがうまく管理されているときに期待できるインパクトについて、明確な記録を示している。あらゆるレベルの経験を持つマーケターにとって必読の書だ。
――ビリー・シナ　Marketing Envy社共同設立者兼CEO

あなたがスタートアップであろうと企業であろうと、コミュニティを構築していなければ、大きなチャンスを逃していることになる。ピープル・パワードは、すべての管理職が本棚に置く必要がある。
――マックス・ブルックリン　BOLD Capitalパートナー

コミュニティは強力だが、注意深く管理し育成せねばならない。ジョノ・ベーコンのアプローチは、慎重に練り上げられた思慮深いものでありながら、大胆でインパクトのあるものだ。彼のガイダンスにしたがうべきだ。
――ダスティ・グスタフソン　Glorious Games Groupの関係づくり責任者

インクルーシブな（すべての人のための）コミュニティを管理することは、あらゆるリーダーにとって重要な仕事だ。ジョノ・ベーコンはインクルーシブなコミュニティを構築するための第一線の経験、ニュアンス、そして率直さを備えている。ぜひ読むべきだ。
——ニシャ・ラフ　Comcastオープンソースオフィスシニアダイレクター

私は複数の企業でコミュニティを構築しながらジョノと仕事をする機会に恵まれたが、彼の専門知識はこの分野では他の追随を許さないものだった。ピープル・パワードは、私のチーム全体にとって必ず何度も読むべき本の書だ。
——ジョエル・カーンズ　Alliance for InnovationのCEO

Stack Overflow（訳注：アメリカの技術QAコミュニティ）とDiscourse（訳注：チャット機能が中心のサービス）では、単にコミュニティに利用される製品を作るのではなく、コミュニティといっしょに製品を作ったんだ。コミュニティと力を共有し、共通の目標に向かって協力していくことこそが、ピープル・パワードの目指すところだ。
——ジェフ・アトウッド　Stack OverflewとDiscourseの共同創業者

コミュニティを理解するためにはたくさんの言葉にできないニュアンスが必要だ。ピープル・パワードは、そのニュアンスを論理的かつ明確に蒸留している。ジョノは、人間の動物的な行動から、帰属意識、自分よりも大きなものとのつながりに至るまで、多くの洞察力に富んだ視点から、人間が作るネットワークを見ている。
——ジョルジオ・レグニ　Scality CEO

私たち人間を種としてユニークなものにしているのは、数百人から数百万人まで、無限に協力する能力を持っているように見えることだ。コラボレーションこそが、惑星規模の課題を解決するための種としての私たちの能力の鍵であると私は信じている。ピープル・パワードは、個人としての可能性をさらに引き出し、コラボレーションを拡大し、自分自身の影響力を高めるためのロードマップを提供している。
——リアン・ベッテンコート　Wild Earth（キャンプ用品などのオンラインショップとコミュニティ）パートナー兼CEO、Babel Ventures

翻訳者による序文:「伽藍とバザール」から「ピープル・パワード」

開源社（中国最大のオープンソースアライアンス）正式成員　高須正和

この本に書かれているのは、「お金や仕事を超えて人々を情熱的にする方法」だ。原題の「People Powered」はこの「方法」によって力づけられた人々のことを指す。

その力づけられた人々こそが、世界のイノベーションがますます加速している秘密でもあり、日本のイノベーションがいまいちパッとしない理由でもある。

そう、本書は今の日本に足りないものが何かを見事に説明している。多くのビジネスが、この本で紹介するような「ピープル・パワード」を活かせずにいるのだ。

世界のビジネスを変えつつある開発のやり方

本書はLinuxのようなオープンソース・ソフトウェアがどうやって開発されたか、のストーリーを語ることから始まる。エンジニアじゃない人にはちょっとイメージしづらいだろうが、OSやプログラミング言語、AIなど、ほとんどのソフトウェアでは「だれでも開発に参加でき、成果がシェアされる」オープンソースのものが圧倒的に優勢だ。Googleやアリババのようなテックジャイアント企業が、自らソフトウェアを公開し、世界中のエンジニアを味方につけて開発を進めている。

オープンソース開発の利点は次のひと言で表される。

「ある人が1時間かけてプロジェクトの改善に貢献し、他に10人が同じことをしたら、その人は1時間の投資で10時間分の改善を他人から得たことになる（第2章）。」

ソフトウェアを公開し共同開発することで、開発パワーは何倍にもなる。Googleやマイクロソフトが自社のソフトウェアをオープンソース化しているのはこのためだ。

本書の著者ジョノ・ベーコンは、UbuntuやKubernetesといったソフトウェアのコミュニティを運営するにあたって、世界中の開発者をボランティアとして巻き込むことに成功し大きな業績をあげている。

開発エンジニアを集めるだけじゃなくて、使ってくれる人、広めてくれる人、デザインや宣伝ビデオを作ってくれる人たちを巻き込んで、プロモーションやマーケティングの部分でもベーコンは大きな仕事をした。今、オープンソースの世界では、「Community Over Code(ソフトウェアそのものよりもそれを生み出すコミュニティが大事)」という考え方が一般的だ。

著者ベーコンの仕事はソフトウェアやエンジニアリングに限らない。彼はXPRIZEという非営利組織で、商用の宇宙旅行の実現を賞金つきプロジェクトとして開催するにあたって、さまざまな民間企業が切磋琢磨する形で進めることに成功した。

技術開発やビジネス開発にも限らない。著者はコミュニティ構築のコンサルタントとして仕事をしていて、本書にはミュージシャン同士の音楽制作や映画／ゲームのプロモーション、メディア企業、顧客満足度向上の事例も多く挙げられている。

企業のやり方とコミュニティをすり合わせることの難しさ

そんないいことづくめで世界をどんどん進化させているピープル・パワードなやりかたが、なんで日本ではパッとしてないかって？

この本ではコンサルタントとして日本や中国を含むさまざまな企業と仕事した著者の経験から、その理由が明確に説明されている。

「歴史的に見て企業は軍隊のような指揮と統制の環境だった。指揮官からトップダウンされる決定に、働き蜂が忠実にしたがう。だが、このモデルは日々通用しなくなりつつある（第5章）。」

昔ながらの企業や組織とコミュニティのやりかたは相性が悪いのだ。本書では著者のさまざまな経験から、山程の失敗事例が紹介されている。

「僕がいっしょに働いたとある会社では、これまで見た中で一番つまらないマーケティングメールを送っていた。行儀がいいだけの言葉が並び、それに意味なしコピーが書かれたコーヒーカップのストックフォトがくっついている、ありきたりで退屈なメール（第4章）。」

「ペルソナは君のチームや組織のなかで、オーディエンスがどういう人達かの意識合わせにつかうものだ。メンバーがコーンフレークにどういう種類の牛乳をかけるかみたいな無意味な細部の予想に使うようなものじゃない。むしろペルソナの要点を外している（第4章）。」

「人でもプラットフォームでもプロセスでも、くっつけたら、いろいろうまくいかない部分は出てくる（第6章）。」

会議のときだけ熱心で、実行になると知らんぷりをする担当者。コミュニティメンバーになってくれた消費者につまらない営業メールを送りたがるマーケター。細部への理解や直接のコミュニケーションをめんどうくさがりながら結果だけ求めようとするボス。いずれもこういう仕事を経験した人が「あるある」と頷きたくなるエピソードだ。さらに本書のいくつかの章は、ビジネスでコミュニティを手がけようとしてサッパリわからなくなった担当者の悲痛な訴えから始まる。そしてさまざまな失敗事例とともに、そうした失敗に陥らないための方法が紹介されている。

具体的な計画・実行のフレームワークを含めた具体的で詳細なガイドラインが、本書の最大のコンテンツだ。

なぜ本書を翻訳したか

僕は中国の深圳でオープンハードウェア周りの事業開発を仕事にしている。エンジニアや研究者に向けて新しいオープンハードウェアを、コミュニティを作りながら販売する仕事だ。IoTに興味がある人は、スイッチサイエンスという僕の会社や、Raspberry Pi、M5Stackといった代表的な取り扱い製品を聞いたことがあるだろう。コミュニティを利用してビジネスをしているだけでなく、深圳でニコ技深圳コミュニティを藤岡淳一氏と共同主催することで、仕事以外の部分でもテクノロジーについての知見をボランタリーに交換している。

この本を知ったきっかけは、自分もメンバーの1人である中国最大のオープンソース組織、「中国オープンソースアライアンス（開源社）」の年度会議でゲスト基調講演を務めたジョノ・ベーコンの講演を聞いたことだ。本書の英語版を読んで内容を知れば知るほど、僕の本業のビジネスも、ビジネス以外のこともうまくいくようになった。

そして、中国でさえ大きなイベントの基調講演に呼ばれるような人の本が、日本語版がないことを知った。中国企業はその後、オープンなコミュニティづくりに手間も金も大きくかけるようになっている。日本語版が出ることで、日本でもこうした内容が広まるとうれしい。その思いは、僕の前の翻訳書「ハードウェアハッカー　新しいモノを作る破壊と創造の冒険」のときと同じで、本書の翻訳をした最大の理由だ。

カルト的・搾取的なコミュニティと本書の違い

この本で書いてあることはどんな目的でも応用できる。ここで注意すべきは、すべてのコミュニティがいいコミュニティとは限らないということだ。

2001年9月11日に、旅客機をハイジャックしてニューヨークの世界貿易センタービルに突っ込ませたのは、まぎれもなくコミュニティの力だ。「ピープル・パワード」な人は、自爆テロだって起こしてしまう。

コミュニティ利用が日本ではパッとしないと書いたけど、マルチ商法まがいの副業サロンに課金して積極的にタダ働きや宣伝を引き受ける人、会社や学校をやめてしまう人は日本にもたくさん見られる。彼らも「ピープル・パワード」だ。なぜ、こんなことが起きてしまうのだろう。それは、本書でもコミュニティづくりの原則の一つとしてあげられる、「親近性」が、悪い方向に利用されているからだ。監訳の山形浩生さんは、この「親近性 Relatedness」という単語に強い嫌悪感を示していた。

僕がこの本を翻訳しようとしたもう一つの理由は、「だからこそ」だ。コミュニティの力を、そういうものたちだけに使わせるのはもったいないし、そういうものがコミュニティとされるのは腹が立つ。もっと日本のGDPを上げそうな組織や人々が、積極的に人々を「ピープル・パワード」させていくべきだ。

人間心理を理解した、褒めることや叱ることを含めたコミュニケーションを何度も繰り返されることで人々は「ピープル・パワード」になる。人は非合理そうに見える目的でも、毎日親密なコミュニケーションと、良し悪しのフィードバックを受けると信じ込んでしまうものだ。僕が親近性のある人、たとえば部活のマネージャーや自分の親から受けた影響はたくさんあるし、そのなかにはいいものも悪いものもある。人間に影響力を与えるうえで、親近性は大事だ。この本で紹介されるコミュニティ構築のメソッドは、論理的でかつ動物的でもある人間への深い理解のうえで、いいものにも悪いものにも作用できる（できてしまう）ように書かれている。仕事でもホビーでも、密接な集団のなかでセクハラやパワハラが起こるのはよくあることだ。

そのうえでジョノ・ベーコンはそうしたカルト的・搾取的なコミュニティ利用とはまったく別方向をむいている。僕たちが自分の受けている影響をあるていど客観的に見られるのは、複数のコミュニティに同時に参加しているからだ。カルト的な集団は必ず、「自分たち以外との関係を遮断させよう」とする。勧誘をさせてマトモな人と付き合わなくさせるとか、自分たちの副業を勧めるとともに会社をやめるよう促すとか、素人の思いつきを勧めつつ大学などのマトモな勉強をやめさせようとするなどの手段で。本書では、人間は多くのコミュニティに同時に接続できるし、そのほうがいいことがきちんと説明されている。

さらに本書では、コミュニティ内の意思決定におけるオープンさと、開かれた議論の重要性、そしてそのうえで最終的には何かを決定して前に進まないとならないことが、きちんと説明されているのは見事だ。主要メンバーとプライベートな付き合いをすること、そうしたコミュニティメンバーとの付き合い方や評価が透明でオープンであることの両方の重要性を極めて具体的に、たとえば「コミュニティに多大な貢献をしてくれた重要メンバーを会議に招待するとき、向こうは自分の仕事を止めて君のために来てくれるのだから交通費やホテルは出すべきだが、あまり豪華にするべきではない」などと書いてある本はめったにない。親密さの重要性と危険性を、著者はどちらもすごくクリアに言葉にしている。

それこそが、カルトや搾取に陥らず、かつ会議ばかりで前に進まない小田原評定やエコヒイキに陥らないコミュニティの活かし方だろう。

「伽藍とバザール」から本書へ

本書はエンジニア向けに書かれた本ではなく、コミュニティをもっと上手に活用しようと考えるすべての人に向けて書かれた本だ。一方で著者のジョノ・ベーコンや解説の関治之さん、監訳の山形さんも僕もエンジニアの経験がある。関さんの解説には、彼が代表理事を務めるCode for Japanが、オープンソースの開発手法がどう役に立つのかについての名論文「伽藍とバザール」から始まったことが書かれている。テクニカルな細かい側面は置いといて、オープンソース・ソフトウェアの開発のやりかたそのものが、ソフトウェア開発を超えてさまざまな活動やビジネスに波及して、世界を変えているのはまちがいない。

1999年に書かれた「伽藍とバザール」を無償で翻訳してネット公開して日本で紹介してくれた（しかも、続編ほか三部作ぜんぶ）のが、本書の監訳の山形浩生さんが中心になったフリー翻訳プロジェクト「プロジェクト杉田玄白」だ。僕がオープンソースに関心を持って、今まで活動しているのも「伽藍とバザール」がきっかけになっている。その意味で伽藍とバザールの原書英語版からプロジェクト杉田玄白、Code for Japan、そして本書の日本語版に至る20年以上の流れそのものが、「ピープル・パワード」であると言えるだろう。もしも読者がエンジニアで、まだ「伽藍とバザール」ほか三部作を読んでいないなら、ぜひ合わせて読んでもらいたい。リーダーシップやプロジェクトの進め方などについて、本書と共通する点は多い。
「伽藍とバザール」の中で太字で強調されているこれらの言葉は、本書と同じ目線で書かれたものだ。

- ユーザを共同開発者として扱うのは、コードの高速改良と効率よいデバッグのいちばん楽ちんな方法。
- ベータテスタをすごく大事な資源であるかのように扱えば、向こうも実際に大事な資源となることで報いてくれる。
- いいアイデアを思いつく次善の策は、ユーザーからのいいアイデアを認識することである。時にはどっちが次善かわからなかったりする。
- 開発コーディネーターが、最低でもインターネットくらい使えるメディアを持っていて、圧力なしに先導するやりかたを知っている場合には、頭数は一つよりは多いほうが絶対にいい。
- ぼくたちは、もっといいソフトがつくれることを示しただけじゃない。よろこびが資産であることを証明してもいるんだ。

伽藍とバザールもエンジニアだけを対象に書かれた文書ではないが、この引用文にもあるとおり、例はすべてソフトウェア開発のものだ。本書は、「伽藍とバザール」のチカラをエンジニア以外にも開放するための本とも言えるだろう。

日本のために:Code for Japanのようなコミュニティを増やそう。人々を力づけよう。

最終章で解説を書いてくれた関治之さんが代表理事を務めるCode for Japanは、東京都の新型コロナウイルス対策ほか、いくつもの社会問題をオープンな協力関係で解決する枠組みを作ることに成功した企業でありコミュニティだ。本書の内容を日本で根付かせるために、関さんに解説を依頼した。Code for Japanの事例を含め、日本でも「ピープル・パワード」が多くの成果を挙げていることがわかる、すばらしい解説になった。まず解説から読み始めるのもいいと思う。

多くの会社や組織（大学や役所）に本書「ピープル・パワード」の知見を使って、オープンなコミュニティづくりを推進してほしい。Code for Japanのような活動が増えることを心から願っている。

最後にまた「伽藍とバザール」から結びの言葉を引用する。これはあらゆる仕事に共通する言葉だ。Happy Hacking!

「むしろぼくは、ソフトウェア（そしてあらゆる創造的またはプロフェッショナルな仕事）についての、もっと広い教訓をここで提示してみたい。人間は仕事をするとき、それが最適な挑戦ゾーンになっていると、いちばんうれしい。かんたんすぎて退屈でもいけないし、達成不可能なほどむずかしくてもダメだ。シヤワセなプログラマは、使いこなされていないこともなく、どうしようもない目標や、ストレスだらけのプロセスの摩擦でげんなりしていない。楽しみが能率をあげる。

自分の仕事のプロセスにびくびくゲロゲロ状態で関わり合う（それがつきはなした皮肉なやりかただったとしても）というのは、それ自体が、そのプロセスの失敗を告げるものととらえるべきだ。楽しさ、ユーモア、遊び心は、まさに財産だ。ぼくがさっき、「シヤワセな集団」という表現を使ったのは、別に「シ」の頭韻のためだけじゃないし、Linuxのマスコットがぬくぬくした幼形成熟（ネオテニー）っぽいペンギンなのもただの冗談じゃあない。

オープンソースの成功のいちばんだいじな影響の一つというのは、いちばん頭のいい仕事のしかたは遊ぶことだということを教えてくれることかもしれない」

翻訳について自分の英語力に不安があり、「ハードウェアハッカー」と同じく、山形浩生さんに監訳をお願いした。翻訳に関するサポートページはこちら。

https://bit.ly/PeoplePoweredJP

原著序文

XPRIZE財団創設者　ピーター・H・ディアマンテス

不可能を可能にしようとするとき、我々はいつも、自分たちが成し遂げてしまったことに驚かされる。

ハーバード大の医学部を卒業してしばらく後、私はチャールズ・リンドバーグの自伝「翼よ、あれがパリの灯だ！」（恒文社）の中で、賞金25,000ドルのオルティーグ賞について読んだ。1919年に始まったこのコンテストは、勇敢な飛行家たちに対し、ニューヨークとパリの間をノンストップで飛ぶという、当時はほぼ不可能と思われていた偉業に挑むよう求めていた。

歴史が絶えず私たちに教えてきたように、人間の精神は逆境から目を背けず、正面から取り組む勇気を持っている。1927年にチャールズ・リンドバーグは、33時間半の英雄的な飛行により、無着陸での大西洋横断に成功してこの賞を受賞し、さらに航空技術を飛躍的に進歩させた。

私はこの話に見る賞の力に非常に感銘を受け、1996年に最初のX PRIZEを立ち上げた。これはオルティーグ賞の精神を現代にもたらすもので、大人3人を2週間で、地球の上空100キロまで2回運ぶことができる再利用可能な宇宙船を作り、飛行させることができた最初のチームに1,000万ドルの賞金を与えるというものだった。

オルティーグ賞が生まれたときと同じように、XPRIZEが発表されたときには、民間チームが有人宇宙船を作って飛ぶというのは不可能に思えた。だが8年後の2004年10月4日、宇宙飛行のための1,000万ドルの「Ansali X PRIZE」を、スケールド・コンポジット社と彼らの優勝した宇宙船「スペース・シップ・ワン」が獲得し、商業宇宙旅行の新時代を促進することとなった。

オルティーグ賞とXPRIZEは、2つの異なる時代の2つの異なるインセンティブを持った賞だが、両者には1つの明確なパターンが共通している。機会、可能性、成功を達成する執念が、幾何級数的なイノベーションと結果を生み出せる組み合わせとなったのだ。

この組み合わせは、基本的に人間をベースにしてできている。その成果は、私がその後に続く他の多くのXPRIZEで見てきた信じられないほどさまざまな分野の仕事に現れている：たとえば、世界規模の識字率向上、医療、人工知能、海洋汚染の調査、輸送、石油流出事故の処理、そしてそれ以上のものまで。

私はこの可能性をスケールアップし、イノベーションを起こす新しい時代を育むためには、コミュニティがますます重要になると信じている。私達の世界は日々、コネクティビティが高まっている。2017年には38億人がオンラインになっている。2024年までには、地上の5G、大気圏の衛星、何千もの軌道衛星を介して、地球上の80億人の人類すべてがつながるようになる。私たちみんなのポケットには、1969年に人類が月に到達したコンピュータよりも何百万倍も安く、何百万倍も強力で、何千倍も小さいコンピュータが入っているから、世界的につながった人類の影響力ははるかに胸躍るものとなっている。

この現実は、世界中の人々がコラボレーションし、情報を共有し、新しいものを構築するために、かつてないほどの条件を生み出している。イノベーションはもはや研究室の中だけで起こっているのではない。インターネット、ミートアップ、STEMのクラス、そして世界中のコミュニティで生み出されているのだ。

コネクティビティとテクノロジーの連携は、次世代のイノベーターを理解し、彼らの成長、実験、成功を支援するグローバル・コミュニティによって支えられ、次世代のイノベーターが台頭するための触媒となるだろう。この可能性を利用するため、コミュニティを理解する必要がある。コミュニティがどのように機能するのか、そして生産的で包括的な繁栄の環境をどのように作り出すのか。これはとてもややこしい話で、成功するコミュニティを構成する人、プロセス、テクノロジーの適切なバランスを実現するのは、これまである種の黒魔術めいたものと思われていた。

ジョノは、長年にわたりコミュニティ戦略のグローバルリーダーとして活躍してきた。彼は、コミュニティをどのように構築し、ビジネスに統合していくかという、数え切れないほどのニュアンスを理解することにキャリアのすべてを費やしてきた。あなたが手にしている本には、多くの企業や機関での仕事から生まれた彼の青写真とアプローチが込められている。

　私たちの持つ人間的な可能性を利用して、さらに革新し、インスピレーションを与え、指数関数的な結果をもたらすことができるコミュニティを生み出してほしい。明るい未来は1人で作るのではなく、いっしょに作るのだ。

　不可能を可能にすることに乾杯！

ピーター・H・ディアマンディス、医学博士　XPRIZE財団創設者兼エグゼクティブ・チェアマン
シンギュラリティ大学　エグゼクティブファウンダー

2018年12月

原著謝辞

ここに挙げた多くの人々のだれが欠けても、この本は実現しなかった。

まずこの出版プロジェクトを引き受けてくれたHarperCollings Leadershipの凄腕編集チームに感謝する。このチームのすばらしい編集者たち、サラ・ケンドリックをはじめ、ティム・バーガード、ジェフ・ジェームズ、ハイラム・センテーノ、シシリー・アクストン、ナタリー・ナイキスト、そしてアマンダ・バウチに感謝する。そして、僕のエージェントであるウォーターサイド・プロダクションズのマーゴット・ハッチンソン。この本の可能性を信じてくれた彼女と、スミスPRのPRチームにもたいへん感謝する。

人生の何事も、自分を取り巻く共同体が必要だ。多くの人々の仕事、家族、興味などの時間を割いて本書の元型を、いまお手元にある本の形にするため尽力してくれた。スチュアート・ラングリッジ、ケリー・パイク・ナップ、スティーブン・ウォリ、イラン・ラビノビッチ、ジェレミー・ガルシア、モルテン・ミコス、ニール・レヴァイン、そして父のジョン・ベーコンに感謝したい。

ピーター・ダイヤモンズ、ジョセフ・ゴードン-レヴィット、ジム・ホワイトハースト、アリ・ヴェルシ、マイク・シノダ、ノア・エヴァレット、ジム・ゼムリン、アレキサンダー・ヴァン・エズリンほか、僕にすばらしい洞察を分けてくれた多くの人々に感謝する。その知恵はこの本のコアメッセージを、強化してくれた。

僕の家族と友人たち、みんなの愛とサポートに永遠に感謝している。エリカとジャック・ベーコン、ジョン、ポリー、サイモン、マーティン・ベーコン、ジョー、アダム、ダニエル・ブレシア、スーとバンス・スミス、ダリーンとマーク・ルエ、ミンディ・ファイエタ、アダム・ホファート、リー・ライリー、フェデリコ・ルシフレディ、ホルヘ・カストロ、トム・ドレイパー、ガイ・マーティン、トッド・ルイス、その他、この失敬極まる愚か者がここで名前を挙げていない多くの方々に感謝を。

最後に、すばらしいjonobacon.comのメンバーに感謝したい。僕が何年にもわたって路上や自宅で出会った何千人ものみなさんにも感謝を。みなさんは僕のアイデアを形にし、僕の仕事やアプローチを改善し、学び続けることを促してくれた。全員の名前を挙げるにはあまりにも多くの人がいるけど、みんなぼくの世界で重要な役割を果たしてくれた。
ありがとう。

CONTENTS

第3章

場所を用意するだけじゃダメだ

第4章

人間はそれぞれ変人だ

第5章

驚異の冒険に出かけよう

第1章

コミュニティとは何か、なぜ君はコミュニティを作らねばならないか

早く行きたいなら1人で行け、遠くへ行きたければみんなで行け
―― アフリカのことわざ

2006年、26歳の若さだったぼくは、Canonicalというイギリスの会社に転職した。南アフリカの新進気鋭の大富豪マーク・シャトルワースが起業したこの会社は、Microsoft社のWindowsオペレーティングシステムが市場を独占しているなかで、その競争相手をつくることに注力していた。でもその競争の仕方には工夫があって、Canonicalの新しいオペレーティングシステムUbuntuは、オープンソースのコードを自由に共有する、世界的に接続されたボランティアのネットワークによって開発されたものだった。ぼくの役割は、少数のコントリビュータ（訳註：ソフトウェア開発に貢献する人）たちを国際的なムーブメントに増やしていくことだった。

新しい仕事を始めて1年も経たないうちに、ぼくはアバヨミという少年から熱心なメールを受け取った。このメールがぼくのキャリアだけでなく、その後の人生にも大きな影響を与えるとは思ってもみなかった。

アバヨミはアフリカの農村に住んでいた。ほかの多くの若者と同じように、彼のメールは支離滅裂ながら甘い夢であふれたものだった。彼はどのようにしてUbuntuを発見したのか、両親にどう説明しようとしたか、家にコンピュータがなくてコミュニティへの参加に苦労したことを

語ってくれた。彼の家族は質素な生活を送っていたが、アバヨミの両親は貧しいながら、テクノロジーに興味を持った彼を応援したいと思っていた。

アバヨミは一日ずっと村で雑用をして、精一杯お金を貯めるのだという。その後近くの町まで2時間歩き、稼いだお金を使ってインターネットカフェからUbuntuのコミュニティに参加していた。

アバヨミがインターネットに接続していられる時間は、だいたい1時間未満の短いものだった。彼はその時間でユーザーからの質問に答えたり、ドキュメントやヘルプガイドを書いたり、Ubuntuを自分の地元の言語に翻訳したりした。そして、2時間かけて歩いて家に帰る。彼は文句を言わなかったし、泣き言も漏らさなかった。それどころか、アフリカの農村部に住む、1人の子供である自分が、世界的な真の変化をもたらすプロジェクトに参加できて元気をもらったと、熱意をもって話してくれた。ぼくは彼の献身ぶりだけでなく、謙虚さにも驚かされた。

当時、2007年のイギリスにおいて、アバヨミのメールは、僕の身の回りにあったすべてのものに対する新たなカウンターだった。イギリスの人々は、地元のコミュニティ衰退を嘆いてばかりだった。「みんなもうご近所の顔すら知らない」「みんな映画やテレビゲーム、インターネットにばかり没頭しているんだ」。決まり文句を念仏のように唱える。そしてそれを何度も焼き直しては繰り返してばかりだ。

ところが僕の周りでは、アバヨミのような人々がインパクトのあるコミュニティに参加し、成功していた。これらのコミュニティは、グローバルであると同時にローカルでもあった。そうしたプロジェクトは、大量の意義をその参加者だけでなく、**それを支援した組織にも大きな意味を与えていた**。このアフリカの友人は、世界中で成長しているコミュニティという大きな機械の一部だった。

彼のメールを見てハッキリと理解できたことが2つある。

第1に、**人間は生まれながらにして社会性のある動物だ**ということだ。何十万年も前からそうだった。だがいま、何か不思議なことが起きている。テクノロジー、コネクティビティ、そして人々が材料になったこのおいしいカクテルは、世界中の何千もの人々が、個人の能力をはるかに超えた、信じられないような価値を生み出す可能性を生んでいる。そのために人々は、一丸になってよく整備された（そしてしばしばカフェインを摂取している）機械となることができる。アバヨミのUbuntuコミュニティへの情熱は、単に彼がインパクトを与えられるというだけでなく、**そのインパクトが彼のコミュニティにつながるすべての人々によって増幅されたという点が重要なのだ。**

このときからぼくのライフワークは、このカクテルが持つあらゆる細部を理解することになった。技術だけでなく、人、心理、感情的な原動力を理解したい。これらの要素がどのように組み合わされているのか。そして人々の心を動かすものは何なのか。

手っ取り早い答を求めていたのではない。ぼくが興味を持ったのは、すべてのピースがどのように連動しているのかを理解することだった。

第2にぼくは、自分のコミュニティのリーダーとしての責任が、アバヨミがあのインターネットカフェでの限られた時間の価値を最大限に発揮できるようにすることだと悟った。彼がそれを実現するためにそこまでがんばったのであれば、ぼくはアバヨミの貢献が最大限に報われるように、同じくらいがんばる必要がある。彼そして僕のコミュニティの何千人もの人たちそれぞれのために、がんばる価値は十分にある。

静かなる革命

「死にゆくコミュニティ」という念仏は、けっして「今時の若いもんは～」といった世代的なグチだけではない。

歴史的には、コミュニティは地元社会のものでしかありえなかった。コミュニティは地域や町、そして潜在的にはあらゆる街角にあった。地元のブッククラブ、編み物サークル、政治的な会合、ゲームクラブなどのさまざまなコミュニティが、教会や学校、コーヒーショップなどの場所でおこなわれていた。そうしたコミュニティに参加するのはしばしば好事家や、時にはおせっかいな世話役だった。コミュニティへの新規加入は、既存メンバーが友人を連れてきたりだとか、口コミ、店などへのポスター、ローカル新聞の無料広告で募集されていた。

これらのコミュニティは魅力的でふれあいも多く、有意義だったけれど、限界もあった。コミュニティに惹きつけられる人数は限られていて、新規募集が大成功したとしても、物理的な会場に収まる数も限られている。

場所の制約だけでなく、こうした**古いコミュニティに参加することは、新しいメンバーにとってかなりの冒険だ**。いつもの家族や友人、同僚から離れて、知らない人たちに会って話をしなきゃならない。これは多くの人にとって、特に新しい人に会うことに不安を感じている人や、自分が少数派になってしまうような集団への参加においては、なかなかハードルが高い。

たとえ勇気を出してこうした古いコミュニティの会合に顔を出しても、それが楽しいものであったり、おもしろいものであったりするという保証はない。なかには（スポーツファンが集まるような）楽しくてダイナミックな会合もあれば、息が詰まる気まずい議論をするような会合もある。これらのグループは多くの場合、言い出しっぺの性格を反映している。楽しいものは、一般的に楽しい人たちによって設立されているという具合に。

会合の最後までつきあったとしても、次のミーティングまでつながりは完全に途切れる場合がほとんどだ。会合が終わって帰宅し、翌週か翌月に同じ建物でやっと再会するまでは、ほとんどコミュニケーションがない。コミュニティというより、常連ばかりが顔を出す連続イベントにしか思えないかもしれない。

そうしたさまざまな限界のおかげで、この手の地元コミュニティでは多くの可能性が発揮されずにいた。こうした古いコミュニティは多くの場合、ニッチな人たちのためのちょっとした気晴らしでしかない。当然のことながら、これらのコミュニティのいくつかは廃れ始めた。おそらく年寄たちが「コミュニティはもうダメだ」とグチる原因の一つでもあるはずだ。ああそれに、年寄が居心地のいいように手入れされた芝生に、ガキどもが入ってこない理由もそれだ。

マイクロチップとモデムで「悪」を駆逐する

90年代はハンマーパンツ、ブリーチされたトゲトゲヘアカット、ひどいスケートボード映画などを生んだだけでなく、世界のコネクティビティが増していった時代でもあった。

インターネットは80年代から90年代前半にかけて、大学や研究キャンパスで作られた。当時のインターネットは普通の人が使うには高価で専門的すぎたけど、技術がシンプルになるにつれ、インターネットは普及していった。

人はお互いに関わり合い、つながりを持ちたいと思っている。ぼくたちはなにかの関係を築きたいと思っている。自分のアイデアや情報、創造性をだれかと共有したい。初期のコミュニティが、この原始的なオンラインの海の中で、原初の生命であるアメーバの群れのように形成され始めたのは、意外なことじゃない。

80年代、インターネット上の初期のやり取りは、CompuServeのような掲示板システムやUsenetのような分散型のディスカッションシステム上に形成され、内容は学術的なものからかなりオタク的なものを扱っていた[※1]。人々はコミュニケーションのためにテキストファイルをつくり、シェアしていたが、その中身は科学研究から技術ガイド、さまざまなアナーキーなイタズラ（裏庭で爆発物を作ったり、地元のハンバーガーショップにいたずらするようなもの）などさまざまだった[※2]。

このすべては、初期のデジタル探検家たちを魅了した。ネット接続できるだけの技術知識を持っている人（多くの場合、大学にいる）にとって、このグローバルネットワークは、国や世界の反対側にいる人々とコミュニケーションを取る方法を提供していた。手元の図書館には絶対にない情報も発見できる。それは**情報と、情報を生み出す人々に力を与えた**。

初期のインターネットの回線は、小さなテキストの塊しか交換できないほど細いものだったため、初期のコミュニティは「なるべく価値のあるテキスト」に最適化した。その1つがソフトウェアの構成要素でありレシピであるソースコードだ。

当時のソフトウェア開発はとても閉鎖的な世界だった。IBM、Apple、Microsoftなどの大企業がソフトウェアを生産し、そのソースコードをカーネル・サンダースでも嫉妬するほど慎重に秘密にしていた。みんながそういう世界を当たり前だと思っている中で、リチャード・ストールマンが「自分のプリンタに付属するソフトウェアを修正できない（なぜならソースコードが非公開だから）」ことに激怒して、「**すべての**ソフトウェアのソースコードは、人々が改善できるよう自由であるべきだ」と主張し始めた。

ストールマンはGNUコミュニティを立ち上げ、「自由／フリーなソフトウェア」という概念を提唱し、インターネット上でコードを共有し始めた※3。インターネットとフリーなソフトウェアは魔法のような組み合わせだった。当時のオンラインの人々のほとんどは技術者やプログラマで、最初にコード（単なるデジタルテキスト）をダウンロードした人々は、改良してその成果をほかのオタクたちと共有し始めた。フリーのツールだけでできた小さなライブラリができあがった。これが、Linux、Apache、Debianなどの他のコミュニティを生む最初の火花となった。

インターネットは、単に知識を消費して議論するだけではなく、みんなで何かを作り上げる場所になった。これが連鎖反応を起こした。ソフトウェアを作ったり、知識を共有したり、教材を作ったり、Webサイトを作ったり。アバヨミが後に経験するように、**コントリビュートした全員にとって、グローバルなコミュニティはさらに強力になった**んだ。グループの力はどんどん強くなっていった。

テクノロジーそのものも興味深いものだったけど、ぼくを魅了したのは、この創造の原動力となった人々とコミュニティだった。人々がデジタルでつながり、同じツールにアクセスし、関係者全員にとって「意味のある価値を生み出す中心」となるコミュニティに参加すると、何が可能になるのかがわかってきたのだ。

コミュニティのトレンドを読み解く5つの原則

こうした初期のコミュニティを細かく分析的に見てみると、5つの重要な原則が見えてくる。この5つの原則は、この本のすべてを貫くもので、コミュニティをなにかに利用しようとする企業、組織、そして個人が、信じられないほどの価値を生み出すためのベースとなるものだ。

1. グローバルに人々がつながり始めていること

地元の教会で集まっていたグループと違い、今や世界中の人びとにアクセスできる。同じ興味を持つひとがいたら、コミュニティを構築できる。安っぽいマーケッターはその人びとにSPAMを送るだけだが、僕らはそれよりも賢い。僕らは彼らとつながり、関係を作り、みんなで価値を生み出し、その価値を共有する。

2. すぐ手に入る安いツールでアクセスできること

手頃な価格ですぐに利用できるツールを使って、世界的なオーディエンスにアクセスできる。無料のWebホスティング、無料のフォーラム、無料のソーシャルメディアネットワークがあれば、コミュニティを始めることができる。ツールはコミュニティの要素の中で、そんなに大事なものじゃない。どうやってコラボレーションとシェアを織り上げるかが大事なんだ。

3. 幅広い情報と専門性の高い情報の両方がすぐ配信されること

昔ながらの地域の公民館で週1回ミーティングするのとは違い、今ではグローバルな参加者とすぐに連絡を取り合って、ニュース、情報、教育などを共有できる。これまで以上に早く頻繁にさまざまな情報を発信し、連絡を取り合い、電子的にも対面でも関係を築くことができる。

4. オンラインコラボレーションの手法が多様になっていること

テクノロジーと、テクノロジーに対する僕らの多方面での理解が進むにつれ、僕らはいっしょに仕事をするための新しくおもしろい方法を日々生み出している。昔は単に作り上げたコンテンツだけを共有していた。こんにちでは、ソフトウェアのコーディングであっても、コンテンツや教育関係でも、さまざまな方法でオンラインでいっしょに仕事をしたり、共同作業をしたりできる。ハードウェアを作ったり、本を書いたり、音楽を作ったり、アートを作ったりできるんだ。

5. 最も重要なこと:有意義な共同作業をしたいという欲求の高まり

これが刺激的なコミュニティのいちばん大事なコアだ。この本の最初のページ、最初の章に戻ってみよう。アバヨミがなぜ地元のネットカフェに何時間も歩いて通っていたか？　その仕事が彼にとって意義あるものだったからだ。彼は肉体的にはアフリカの真ん中にいるただの少年だが、デジタル的には、もっと広い大義のための運動で、世界的なプレーヤーとして、インパクトを持てた。これはアバヨミに限らない。「有意義なことをしたい」という欲求は人間の本質にあるものだ。僕らはそれをコミュニティで活用できる。

さらに大きな革命

こうした5つの原則は、近年のいくつかの印象的なコミュニティの基盤となっている。そしてSalesforce、レゴ、P&G、任天堂などの認知度の高いブランドの多くはこの基盤を利用している。

ここでいうコミュニティには、製品を使用している他の人のために情報やガイダンスを共有するために集まったユーザー、製品や組織の成功を促進するコンテンツを積極的に作成して届けるインフルエンサー、さらには、中心になる製品の派生製品やサービスを提供することで売上を上げる、つまりは（多くの場合、組織の従業員といっしょに）ビジネスのために参加してくるプロデューサーやクリエイターのグループなどが含まれる。

いずれの場合も、コミュニティを作り上げるのは、本当にそのブランドや製品を大事にする熱心なボランティアたちだ。だれも給料をもらっているわけでもないのに、ブランドの認知度を高め、コンテンツを作り、新しいユーザーを迎えるために一貫してすばらしい仕事をする。たとえばこんな仕事だ。

- Figment community（ランダムハウス）：
  アメリカの出版社ランダムハウスは、同社の出版物に関連したコンテンツをつくり、共有し、モデレートし、推薦する30万人のコミュニティを構築している※4。

- Lego Ideas（レゴ）：
  レゴグループの公式コミュニティには100万人のメンバーがいて、コンテストに参加するなどの形で新しいレゴセットのアイデアを投稿している。その多くが実際に製造・販売される※5。

- XBOX Live（Microsoft）：
  5,900万人のアクティブメンバーがお気に入りのテレビゲームを遊び、チャットや協力プレイをしている※6。

- SAP Community Network（SAP）：
  250万人の会員がSAP製品を宣伝し、サポートやプロダクトの設置に協力している※7。

- P&G：
  10代の女の子たちの（ときに尋ねにくい）質問に答えるコミュニティを立ち上げた。このグループは24カ国に拡大している※8。

- Wikipedia：
  Wikipediaの執筆者たちは285の言語で2,200万以上の記事を作成している。スミソニアン博物館はこの価値を66億ドルと評価している※9。

■ **広義のオープンソースコミュニティ：**
ほとんどのコンシューマデバイス、データセンター、クラウド、インターネットそのものを作るソフトウェアはオープンソース・ソフトウェアで構築されている※10。

エミー賞を受賞した俳優ジョセフ・ゴードン＝レヴィットは、「LOOPER／ルーパー」や「スノーデン」「リンカーン」「インセプション」「(500) 日のサマー」「サード・ロック・フロム・ザ・サン」などへの出演で知られているが、2005年に、HITRECORDというオンラインのクリエイティブ・プラットフォームを兄のダンとともに始めた。

HITRECORDはあらゆる種類のアーティストが、自己宣伝よりコラボレーションを重視し、いっしょに作品をつくるコミュニティを提供している。世界的なコミュニティであるHITRECORDでは、70万人のアーティストたちが、短編映画、歌、本などの作品をいっしょに制作することで、プロジェクトが開始される※11。だれでも参加でき、お互いの貢献を少しずつリミックスしたり、その上に構築したりすることができる。HITRECRORD独自のコラボレーションプロセスは、一流ブランドとの幅広いパートナーシップ、複数の出版契約、国際映画祭での上映、エミー賞を受賞したテレビシリーズなどを生み出してきた※12。

ジョセフは、コミュニティがどうやって発展してきたか教えてくれた※13。

「2005年のHITRECORD発足当時は、コラボレーション・プラットフォームのつもりではなかったんだ。最初はシンプルなメッセージボードとしてスタートしたんだけど、みんなが使っているうちに、僕の作品を見たいだけじゃなくて、いっしょに作品を作りたいと思っていることに気付いたんだ。兄と僕はみんなの共同作業への欲求をとてもおもしろいと感じた。兄はプログラマで、共同作業をより促進するために、、メッセージボードの上にもっと多くの機能を作り始めた。それから徐々にコミュニティは成長していき、数年後には、ぼくはこのコミュニティをコンテンツの制作会社にするために、友人の数人といっしょに働き始めたんだ」

ジョーとジョセフの兄弟は、「作品の認知」と「コラボをしたい欲求」という、アーティストの2つの鍵を手に入れた。

HITRECORDは、他の人といっしょに作品を作る方法を提供するだけでなく、最終的にお金が払われたHITRECORDの制作物に貢献したすべての人に報酬が支払われるしくみを作っている。これまでに、コミュニティに約300万ドル近くが支払われている[※14]。ハッキリと目に見える価値だ。

新規事業は、コミュニティに特に興味深い価値を見い出していることが多い。たとえば、人気のマルチプレイヤー宇宙戦闘ゲームの「Star Ctizen」は、Kickstarterで50万ドルを集めてゲームを作り、その後クラウドファンディングで1億5,000万ドルの寄付を集め、180万人のプレイヤーのコミュニティを構築している[※15]。

また、コミュニティの成長を有望な市場を構築するチャンスとして使った企業もある。たとえばクラウドインフラ企業のDockerは、かなり無名の状態でスタートしたものの、自社技術を中心に情熱的なコミュニティを構築し、後に技術インフラ業界の定番となった。彼らは現在、10億ドルの時価評価を受けている[※16]。

これらの事例は、特に新規参入者にとっては非常に大きなチャンスを表している。よく設計され、運営されているコミュニティは、あらゆるノイズを貫いて有意義な存在に変えてしまう、最強の地上部隊になる。

こうしたコミュニティの可能性の裏返しは、もちろんコミュニティが示す脅威になる。コミュニティに戦略的なアプローチを取らなかった多くの企業は、関係者との関係やエコシステムづくりに苦戦してきた。たとえばUberがドライバーコミュニティとの関係づくりに悩んでいること、ユナイテッド航空が顧客満足度とエンゲージメントの問題に直面していること、MySpaceやDiggからコミュニティメンバーが流出したことなどだ。これは流行の変化による部分もあるが、やる気と参加意欲をつくるしくみがなかったせいだ[※17]。この問題は悲しいことに、人気オンラインゲームの参加者が他のユーザーから虐待されるといった困難も含む[※18]。

効果的なコミュニティ戦略は、これらの困難に対する単なる解毒剤ではなく、予防薬だ。コミュニティ戦略は

- 参加者を定義し　＝　あらゆる参加者に効率的かつ効果的にサービスを提供する方法を理解し
- 参加者の成功を支援するための適切なツールを提供し　＝　参加者をよりよくサポートし
- 参加者からのフィードバックをまとめて製品を改善するための構造化された方法を提供し　＝　参加者のフラストレーションや離脱のリスクを減らす

ことができる。

さて、コミュニティの価値を生み出す心理的・行動的な要因は、オープンなコミュニティに限ったことではない。製品開発の効率化、チームが他の事業部や外部と連携せずに閉じこもってしまうタコツボ化の防止、コミュニケーションの改善、コラボレーションとキャリアの機会の提供、採用の拡大、そしてより幸せで充実した社員をサポートするためなど、実にさまざまな目的で企業の中に社内コミュニティを構築する企業が増えてきている。これまでに、PayPal、Facebook、Bosch、Microsoft、Capital One、Googleなどの企業がこのような取り組みをおこなってきた。それらの会社の狙いと同じく、この本に書かれていることはすべて、オープンでパブリックなコミュニティと、クローズドなコミュニティの両方に適用することができる。

まずは最初にコミュニティとは何か、コミュニティの何が興味深いのかを見ていこう。

コミュニティとは何か？

オーケー、ちょっと戻って考えてみよう。君自身の近所にもたくさんのコミュニティが埋もれているけど……コミュニティってズバリなんだろうね？

コミュニティは基本的には、**共通の関心事によって結ばれた人々のグループ**だ。火曜日の夜にコーヒーショップで集まる地元の読書会のような小規模なものから、世界中に広がる何百万人ものユーザーからなるグローバルなコミュニティまで、さまざまな形態がある。オンラインでも、対面でも、あるいはその両方が混在しているものもある。メンバーや規約、管理がしっかりしているものもあれば、緩く場当たり的なものもある。

ロックコンサートを観戦する観客、大企業のキャンパスに通勤する従業員、発売日に最新のガジェットを求めて並ぶ顧客などと違い、**コミュニティは参加者とその活動の間の継続性が高い**。

ロックコンサートが終われば、ライブは終わる。でもコミュニティは終わらない。コミュニティは、人々が繰り返し関わるために集まり、共同作業の可能性すら生まれる場を提供している。これで、参加者を取り巻くコミュニティとの間に関係ができる。同じ動作を繰り返すことで筋肉が形成されるのと同じように、コミュニティは、人々がどんどんいっしょに関わることで形成されていくんだ。

ニューハンプシャー州に拠点を置くFractal Audio Systemsは、ギタリストのために設計されたさまざまな機器を製造している。彼らの製品はアナログ真空管アンプの高品質なエミュレーションで知られており、その製品を中心に大きなコミュニティが形成されている[※19]。

一般的なFractal Audio Systemsの顧客は、製品を購入し、いくつかのサウンドパッチやアップデートをダウンロードしたら、もうそれっきりという可能性もある。だが4万人以上のコミュニティは、同社の製品についてフォーラムで幅広く議論し、サポートしあい、製品をできるだけ効果的に使用できるようにドキュメント、ビデオ、チュートリアルなどを制作している。さらに他の人がダウンロードするに足るクオリティのサウンドを制作し、彼らのプラットフォームであるAxe Changeサービスを介して交換している[※20]。

Fractal Audio Systemsが持っているのは単なる顧客基盤ではない。急速に進化し、成長しているコミュニティであり、メンバーは常にそこに戻ってくる。これは、製品から得られるものが大きいからというだけではなく、コミュニティがもたらす帰属意識を大切にしているからだ。僕もFractal Audio Systemコミュニティの一人だ。

コミュニティの根本

コミュニティと僕たち、お互いをもっと知るために、二つのことをハッキリさせておきたい。

最初に率直にいっておこう。**コミュニティが成功する保証や万能の裏技はない**ということだ。コミュニティを構築するのは難しい。コミュニティ開発のスキルがチーム全体に根付いていないことや徹底できないこと、まちがったやり方をしてしまうことなどで、失敗のリスクはますます大きくなる。この本では、僕が経験した実践的なアプローチと手法を紹介している。これらでリスクを減らすことができるが、そのためにはきちんとこのやり方をチーム全体に根付かせるために、すごく気を配らなきゃならない。集中して、自然にそれができるようになるまで意識し続けることは非常に重要なんだ。

第2に、これはとても複雑な仕事だということだ。**細かい話が多いし、気が散ったり、ハデなことに心を奪われてしまったりするリスクがとても大きい**。正しいことに集中しながら、それが自分の広い目標につながっているように常に意識し続けなきゃならない。

僕は何を学ぶときも、最初に遠目から全体像を俯瞰して、それから徐々にズームして細部を埋める作業をする。この本でも同じアプローチでやろう。まず、最も遠く幅広く、コミュニティが社会の中でどう機能しているかという社会的な力学を見てみよう。

偉大なソフトウェアを書きたいなら、それを走らせるハードウェアがどう動くか理解する必要がある。プロのアスリートになりたいなら、スポーツのルールを熟知してなければならない。BBQの世界大会に出るなら、自分のグリルのしくみを十分に理解しよう。同じように、**コミュニティをつくりたいなら、人間の心理と人間同士がどう関わるかについて理解する必要がある**。

人間の心とは

文明の成果物、パソコンや車や携帯電話を取り去ってしまえば、人間は実は動物なんだということは、つい忘れられがちだ。

自然界に生息する動物と同じように、人間にも行動や考え方や世界へのアプローチに影響を与える動因がある。それは潜在意識の奥深くで作用するものだけれど、その動因を理解することで、人間の自然な状態に効果的に対応したコミュニティを構築するための心理学的な設計図を描ける。

では、人間がコミュニティに帰属するための段階図を書いてみよう（図1.1）。

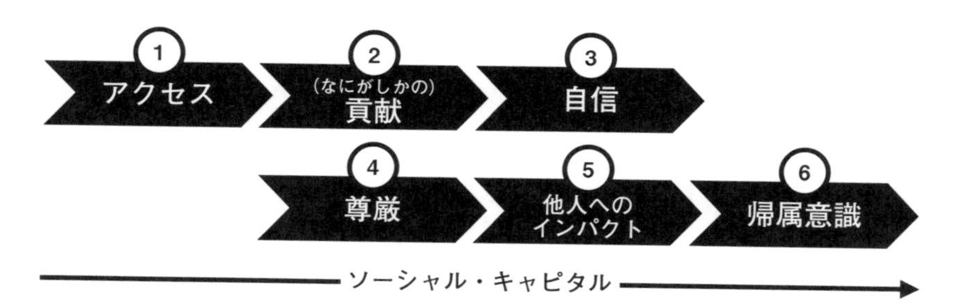

図1.1　人間がコミュニティに帰属するまで

コミュニティの成功事例はすべて、人びとがコミュニティの新参者として、何かを貢献するのに役立つものにアクセスすることから始まる。それはツールかもしれないし、二次創作の許可やガイダンスかもしれない。なにかの貢献とは、質問への解答やコンテンツの制作、知見の共有、ソフトウェアの生産など、数え切れないほど多様なやり方がある。**コミュニティが成功するためには、シンプルでかんたんに利用できて直感的なアクセス方法が不可欠だ。**それがその後のすべてについてのゲートウェイになる。

だれかがコミュニティに新しい貢献をして、価値を提供できた（そして、おおむね受け容れられた）とき、それはその人の自尊心につながる。褒められた人は「自分がいい仕事をしている」「それが他の人に認められている」と感じ、自信が芽生え始める。1人が自信を持つことで、コミュニティが問題をより積極的かつ論理的に解決することにつながり、その集団の社会的結束力も強くなる。

自尊心が強まってコミュニティへの貢献が増えると、**尊厳**とでもいうべきものができあがっていく。尊厳はとても大事な心理的感覚だ。それは僕らに誇り、平穏、社会的な受容、そして自分に本質的な価値があるという感覚を形作る。それは、自分自身と自分の能力に対する自信を築きつづける。それはとんでもなくいい気分だし、そう思うだけの十分な理由があるのだ。

「尊厳」を持つために重要な心の動きは、「自分がやっていることには**意味／意義がある**」という感覚だ。デューク大学の心理学と経済学の教授であるダン・アリエリーはこの「意味がある」という感覚が、僕らの人生にどれだけ重要な役割を果たしているかを研究してきた[※21]。

彼は例として、とある銀行同士が合併する際に、中核になるプレゼン資料を作った銀行員を挙げている。その銀行員がプレゼンテーションに取り組んでいる間、彼は自分の仕事を楽しみ、それを仕上げるために夜遅くまで働いても平気だった。でも、合併は結局中止になってしまい、彼はしょんぼりした。上司はそれでも彼がいい仕事をしたと評価していたのだけど、彼は自分の成果が社会で実を結ばなかったことにとてもしょんぼりして、自分の仕事に意味がなかったと感じてしまった。

自分の仕事には意味が不可欠だ。とても成功しているコミュニティは明らかに、各メンバーの仕事とコミュニティ全体の広い使命との間に明確なつながりを持たせることができている。Amnesty International（アムネスティ・インターナショナル）、Sierra Club、Black Lives Matterなどの政治的な活動家グループが、とても献身的な活動を展開できているのはこれが理由だ。メンバーたちは、自分の仕事にずっと広い意味があると感じているのだ。

自分の仕事に意味があると感じると、もう一段がんばって、**インパクト**をもたらそうという自信が魔法のように湧いてくる。ここから勇気ある大胆なアイデアが生まれ、尊敬されることで大胆になれる。しばしばこういうときに、これまでの思い込みや規範を打ち破る、新たな領域へと踏み出すことができる。真に世界を変えるコミュニティとは、メンバーそれぞれの個人的な自信とグループの共通の自信の両方が必要だ。だれかが大胆な行動に出る能力は、その人が尊敬されていると感じるメンバーたちによって支えられている。

この自信 → 大胆な行動 → 尊敬 → さらなる自信という回路がうまくできたなら、それはコミュニティの心理的な宝物になる。**帰属意識**というやつだ。僕らは、自分が社会的なグループ（コミュニティ）に認められたと感じる。そこで必要とされ、尊重され、まるで家族のような一部と感じる。もしも自分が脱退するか、休暇に出かけただけでも寂しがる人がいると感じるのだ。尊厳はそれぞれに満足感と安らぎを与える。帰属意識はそれぞれの社会的集団の中で、満足感と安らぎをもたらす。

メンバーがこのコミュニティ帰属回路を通りぬけ、繰り返し共有コミュニティに価値を提供し続けることで、目に見えない貯金ができる。社会関係資本、**ソーシャル・キャピタル**だ。これは暗黙の目に見えない価値で、コミュニティのメンバーによるそれぞれの貢献に与えられるものだ。明確に数字で数えられるようなものではないし、ソーシャル・キャピタルを集計するようなプラットフォームもない。だけど、それぞれのメンバーによる貢献と尊敬の総和に対して、コミュニティが示す敬意がそれぞれのソーシャル・キャピタルとして蓄積されていく。

お金で商品やサービスを買うことができる経済と同じように、**ソーシャル・キャピタルはコミュニティの重要な通貨になる**。ソーシャル・キャピタルは尊敬の念から形成され、それが影響力を生み出して他人を動かす。こうして人びとはコミュニティのリーダーとなる。繰り返しすごい作業をして、すさまじい敬意を集め、そのためコミュニティの信頼を得て判断を下せるのだ。

とても大事なことは、ソーシャル・キャピタルはコミュニティに対する価値ある貢献の見返りとしてだけで得られるものではなく、貢献をどのように生みだすかによって生み出されるものでもあるということだ。もし君が親切で、敬意を払い、協調性があり、すばらしい仕事をしていれば、ソーシャル・キャピタルがにじみ出てくるだろう。もしすばらしい仕事をしていても、だれが見てもイヤなやつなら、ソーシャル・キャピタルはとても限られたものになる。ソーシャル・キャピタルの中の「ソーシャル」というのが肝心要の言葉だ。

この参加者がだんだんとコミュニティに帰属していく道筋こそが、アバヨミが毎週あれほどの距離を歩いてUbuntuコミュニティにあれほど貢献したくなる原動力になったものだ。君のコミュニティをうまく配線し、**明確でシンプルなアクセス、効果的に貢献してもらう方法、そして経緯と帰属意識の提供に至る回路を作り上げることが成功への道だ**。それは単に人びとを惹きつけるしくみを作っただけにとどまらない。その熱意とコミットメントそのものが、成熟した価値あるコミュニティを形作る。

この本をあなたが読んで、いっしょに成功するコミュニティ構築の各種要素を検討する中で、常にこの3つの要素に注目しよう。

- 1. 参加者が貢献しやすく、価値を生み出せるようにするにはどうすればいい？
- 2. 彼らがその貢献を何度も何度も繰り返し、ソーシャル・キャピタルを貯めるにはどうすればいい？
- 3. 「自分は歓迎されている」「コミュニティの一部だ」という帰属意識を、どう築いていけばいい？

いずれも**人間の本質をきちんと理解すること**さえうまくやれば、細かいことはオマケでしかない。

コミュニティの価値と可能性

僕がコミュニティ戦略のトリコになっている魅力の1つが、「すべてのコミュニティは違うが、すべてのコミュニティに共通するものもある」ということだ。こうした奥深い心理的・社会的な要素の多くは、あらゆる人の脳内に浮かんでいるものだ。その一方で、コミュニティはそれぞれまったく異なるタイプの価値を生んだり提供したりできる。

多少なりともヤル気があって頭の働く人なら、いまぼくの書いたことを自分なりに理解しているはずだ。コミュニティは君にどのような価値を提供してくれるだろう？　君の目標を達成するためには、こうした要素をどのように活用できるだろう？

まずはコミュニティの価値を理解するところから始めよう。ほとんどのコミュニティが生み出す価値には、大きく分けて5つのカテゴリーがある。

1 コミュニティは利用者と企業が一体の関係を作る

自分の顧客やユーザーとの、密接で信頼できる関係づくりを求めない人は、頭のネジがゆるんでいるにちがいない。彼らはお金で君の生活を支えてくれるだけでなく、君の仕事に意味をもたらすものだ。

顧客が、成功感と喜びを感じてくれるようなら、それこそが顧客維持とブランドロイヤリティを構築する。そのロイヤリティは君を「競合」と呼びたがる連中と一線を画すための大事な要素だ。悲しいことに多くの企業が顧客とそういう関係を作れていない。だからこちらにとってはチャンスなんだ。コミュニティは、企業と顧客との関係をより緊密にするためのすばらしい場所であることがすでに証明されている。コミュニティは、顧客が企業との関係を築き上げ、（コミュニティに入ることでもたらされる）付加価値を享受し、また自らが付加価値を作り出すこともでき、その価値が他のメンバーによって消費されているのを確認できる場所だ。この場所は好意を作る（＝コミュニティによって、顧客は企業に好意的になる）。その好意は信頼になる。そして信頼は、ブランドのロイヤリティになる。

一例はSalesforceだ。SalesforceのCRM（カスタマー・リレーションシップ・マネジメント）システムは、カスタマー、パートナー、クライアントなどの企業を取り巻く人間関係すべてを集約する中央データベース・プラットフォームを提供するビッグビジネスだ。僕がキーボードを叩いているこの時点で、Salesforceはまちがいなく世界で最も人気のあるCRM

システムで、15万社の利用者と推定375万人の利用者にサービスを提供し、幅広い業界にまたがる膨大な顧客基盤を持っている※22。

製品自体は非常に包括的で多くの機能（多すぎるという人さえいる）が統合されている。ということはたくさんの機能を理解してもらい、それぞれの機能の違いを理解したうえで適切に使ってもらうのはかなり難しい。

そのために、2005年にSalesforce Success Communityが結成され、後に名前がSalesforce Trailblazer Communityと変更された。当初は、製品へのドキュメントやガイドラインへのアクセスを提供するものだったが、しだいに多くの機能をコミュニティに加えることで、社員とコミュニティメンバーがつながるようにした※23。

新しいリリースごとに、新機能やフィーチャーについて、オンラインヘルプやドキュメントを取り上げ、紹介する。つまり顧客が最新の情報を入手し、新機能を活用するためのメディアになっている。それは、顧客がSalesforceを使いこなすための温かい毛布になった。

コミュニティが成長を続ける中で、2007年には機能について話し合うディスカッションフォーラムが作られ、コミュニティから機能に対する新しいアイデアを提案できるようになった。フォーラムではパワーユーザーが出現し、分岐して自らユーザーグループを組織し始めた。この成功は翌2008年にも続き、コミュニティ機能のコンテンツと機能が、Salesforceの新機能発表会であるDreamforceカンファレンスに統合された（このイベントは規模の大きさからサンフランシスコが数日麻痺してしまうほどだ)。コミュニティは2014年に会員数100万人を突破した。

それ以来、Salesforce Trailblazer Community(現在の名称）はユーザーと企業が一体になって，新しいユーザーに対して既存の専門知識を構造的に活用する方法や、新しいトピックをコミュニティに加えるための方法を一貫して提供し続けている。コミュニティがSalesforceの成功に重要な役割を果たしたことは疑いの余地がない。

2 コミュニティは見込み顧客や口コミ、マーケティングとユーザーの成功をつなげる

「注目をどう集めるか」僕の友達が年度の第1目標に上げたのがこれだ。すべてのビジネスは成長しつづける必要がある。成長はマーケティング部門だけでなく、販売、製品、パートナーシップなどにも影響を及ぼす。コミュニティは、君たちの製品、サービス、ブランドに関する話題性と認知度を高めつづけるための強力な手段を提供できる。

発想は単純だ。もしコミュニティなしで成長しようとするなら、自社で雇っているマーケティングやPRのチーム、ほんの一握りの人たちに完全に依存してしまう。彼らは優秀かもしれないけど、一日のうちに仕事できる時間は限られている。もしエネルギッシュなファンたちといっしょに仕事をするしくみをうまく作れば、君のメッセージを伝えるうえで頼りになる地上部隊になる。

そうしてできたコミュニティは、君のブランドをサポートし、宣伝してくれるだけでなく、検索エンジンからの流入を増やし、ソーシャルメディアでの存在感を高め、地域のイベントや世界的な会議で君の製品とコミュニティを宣伝し、将来の潜在的な顧客、パートナー、その他の関与の機会を開くコンテンツを生成してくれる。そう、これはすべて、同僚の求めていた「注目をどう集めるか」につながる。

例を挙げよう。2000年代初頭とWebの黎明期には、ブラウザのシェア争いで戦争が起きていた。MicrosoftはWindowsと統合されたWebブラウザ「Internet Explorer」を開発していたけど、MicrosoftがWebのオープンスタンダードをロックして、多くのサイトが他のブラウザでは動作しないようにするのではないかと懸念されていた。

シェア争いに負けて勢いをなくしていたNetscape社の灰から生まれた、新しいMozillaコミュニティは、自分たちのFirefoxブラウザをアピールするために、GetFirefoxキャンペーンを始めた。彼らはオープンなWebとオープンスタンダードを提唱し、その手段としてFireFoxを熱狂的に打ち出した。このコミュニティは世界中で育ち始め、グローバルでもローカルでもこのメッセージを届けはじめた。彼らは「注目を集める」方法について、信じられないぐらいクリエイティブだった。彼らは

目を惹くバナーやWebサイト、グッズなどを勝手に作り、さらに資金を集めて『**ニューヨーク・タイムズ**』の全面広告を掲載した※24。このコミュニティがFirefoxの成長とその後のオープンWebに大きな影響を与えたことは疑いの余地がないだろう。

もう一つ、KickstarterやIndiegogoなどのクラウドファンディングプラットフォームが誕生して、コミュニティの後押しやプロモーションの重要性は増した。たとえばスマートウォッチのPebbleは、50万ドルの目標額に対して2,000万ドルを調達した。「Exploding Kittens」というゲームは、1万ドルの目標に対して900万ドル近くを集めた。こうした成功者はコミュニティの後押しを活用している※25。

これはすべて、君の製品だけでなく、ブランドの認知度にもつながる。**君のコミュニティは、君のブランドをより多くの人々に発信するアンプになるんだ**。これは、GitHub、Reddit、Battlefield、Facebookなどの多くのブランドで起きたことだし、今も起こり続けている。

3 コミュニティは利用者のサポートと教育をする

製品は一筋縄ではいかない。世界で最も派手なマーケティングをしても、顧客やユーザーが製品の使い方を理解できなければ、みんな離れてしまう。製品に目を留めてから、実際の価値をはっきり体験してもらえるまでの時間は短いほどいいし、その体験はシンプルで実用的なものでなければならない。

プロダクトを成功させたいなら、「どうやって製品の価値をきちんと理解してもらうか」という教育やサポートに取り組まなければならない。製品が複雑になればなるほど、利用者がそれを理解して「この製品の価値はこれだ！」という実感を得るまでの道も複雑になる。

この教育やサポートの提供は、お金も時間もかかる。ほとんどの会社がサポート用のメールアドレスやドキュメント、ビデオライブラリを用意しているが、顧客の安心感という点できわめて重要なのに、コストセンター扱いされ、投資もケチられがちだ。

コミュニティはそうした問題への「天からの恵み」になりうる。君の製品やサービスの熱狂的なユーザーが、ガイド、ドキュメント、ビデオ、ハウツーなどを自発的に作ってくれて、利用者との教育ギャップを埋めてくれる。これだけでなく、コミュニティのメンバーは困っているユーザーをその場でサポートして、見込み客や今のユーザーが質問し、助けを得られるようにしてくれる。たとえばゲームのMinecraftには、月間9,000万人のアクティブユーザーがいる※26。彼らはMinecraftフォーラムと公式のWikiからゲームのやり方と攻略方法を学んでいる。このWikiには4,500もの記事があって、すべてコミュニティが生み出したものだ※27。

もしみんなが君の製品やサービスを愛し、自分のものとして使いこなしてほしいと思ったなら、こういうコンテンツがうってつけだ。「他人に教えたい」という人間の自然な衝動に働きかけ、その教え方で実際にだれかが成果を達成したら、みんな満足感を得られる。こうした教育とサポートを奨励して活用できれば、君の顧客やユーザーにとって信じられないほど強力なリソースになるだろう。

4 製品・技術開発をするコミュニティ

2018年にIBMから340億ドルで買収されたRed Hatは、世界で最も成功したオープンソース組織の一つだ※28。1993年以来、Red Hatは何百ものオープンソース・ソフトウェア・コミュニティを、各種のクラウドやインフラ、デバイス、それ以外にもまたがる形で、積極的に立ち上げ、参加してきた。

Red HatのCEOであるジム・ホワイトハーストは、僕が知っている中で最も才能のある役員の1人だ。オープンソース開発者がイノベーションを起こすための触媒としてコミュニティが果たす重要性をしっかりと認識している。

「複数のオープンソースコミュニティにまたがって仕事をする私たちの方法は、私たちをギリギリ生き残らせただけでなく、新しい技術が破壊的な変化を起こすたびに、さらなる発展を可能にしてくれた。Red

Hatの革新的な技術は、我々の組織文化—メンバーそれぞれ—が、破壊的な変化に適応し、それを跳ね返す能力の産物なんだ[※29]」

Red Hatのコミュニティは彼らだけで活動しているわけではない。世界的なオープンソースのコミュニティは、Linux、Kubernetes、OpenStack、Apache、Debian、Jenkins、GNOMEなどのツールを生み出し、クラウド、デバイス、乗り物、スペースシャトルなどを動かし、さまざまな産業に多大な影響を与えている。

なぜオープンソースを支援するこれらの企業は、自由にシェアされるコードの作成に投資するのだろうか？　それには多くの理由がある。だれでも読めるオープンなコードは、機能を生み出し、バグを修正し、製品の全体的なセキュリティを向上させる新しいコントリビュータを引き付けることができる。多くの企業は、無料のオープンソース版（窓口まで引っ張ってくる撒き餌だ）と有料の機能を追加したエンタープライズ版を用意し、オープンに集客してコアで収益を上げるモデルを成功させている。こうしたやりかたは、ブランド、テクノロジー、チームに参加するための敷居を下げて、より多くの潜在的な顧客を獲得することができる。

こうしたことはすべて、大きな財務的価値を生み出す可能性がある。一例として、オープンソースに特化した業界団体であるLinux Foundationは、LinuxのようなOSをプロプライエタリな方法論を使用して再構築するには、108億ドルのコストがかかると判断している[※30]。

他にも、既存のプラットフォームの上に追加機能を作るためのオープンソースのコミュニティはいくつも存在する。フリーのブログ／コンテンツ管理ツールであるWordpressプラットフォームは、熱狂的なコミュニティを形成している。コミュニティはWordpressができることを拡張する機能や39,000以上のプラグインを構築してきた。そうした結果として、Wordpressは10億回近くもダウンロードされ、Webの30%で使われている[※31]。

こうしたコミュニティによる製品開発はプログラミングだけではない。「SecondLife」や「Star Citizen」などの大規模なVR環境やオンラインゲーム（後者はクラウドファンディングキャンペーンで2億ドル以上の支援を集めた）のコミュニティは、プログラムにとどまらない製品開発を支援している※32。コミュニティの核はコンテンツの開発で、プレイヤーはゲーム内のアイテム、建物、ストーリーほかを、複雑なものでは何カ月もかけて構築する。こうしたコミュニティの中には、構築したコンテンツを売ることで独自の経済が成り立っているものもある。僕が2008年にアムステルダムで出会った人は、それまでの仕事を辞めて、Second Lifeオンラインワールド内でいくつかのバーチャルビジネスを運営することで生計をたてていた。彼みたいな人が、その経済的な原動力を介してコミュニティのイノベーションの多くを促進している。

何か新しい可能性を思いつけたら、それを活用できる。僕は2007年に、オンラインでさまざまなテクノロジープロジェクトを横断して学習するためのプログラムを書いた。リリースしたときの僕の悩みのタネは、そのアプリケーションが英語でしか利用できないことだった。僕はコミュニティにそれをリリースし、だれか翻訳してくれないかと助けを求めた。それから24時間以内に11の言語の完璧な翻訳が完成した。間もなく、翻訳された言語は40カ国語に広まった。

他のコミュニティではプロジェクトに製品のフィードバックやテスト、ユーザビリティ、ビジュアルデザインなどが寄せられているものもある。コミュニティメンバーのスキルを可能な仕事に明確にマッピングして、メンバーの有意義な仕事をコミュニティ全体に届ける方法を提供すれば、信じられないほどの結果を生み出せる。

5 ビジネスの価値を広げるコミュニティ

数年前に大学で話した若い女性は、「なぜみんなが狭いデスクに座りながら、まる1日タスクリストに沿って仕事をしたいと思うのかサッパリわからない」と語っていた。たしかに、ぼくも彼女に同意せざるを得ない。

彼女はオンラインでのコラボレーションが当たり前の時代に成長したことで、自分の人生を自分でコントロールすることができるようになった。彼女は自分で選んだインターネット上のコミュニティグループやミートアップを介して経験を積み、自分のキャリアと履歴書を作っていけることを理解している。

こうした考え方をする若い人が増えていることは大企業にとって脅威だ。控えめにいっても厄介な現実だ。大企業も自社内にチームを超えたコラボレーション、社会との関係、キャリア開発のコミュニティを作り、社外の人ともコラボレーションできる環境をつくれなければ、雇用に苦労するようになるだろう。大企業ならではの無料の食事やジムなどの設備で最初は社員を引き止められても、最終的にはコラボレーションに向けての健全な職場環境が求められることになる。

コミュニティをつくり、関係をキープし続けることは、単にコミュニティのスキルを会社に取り込めるだけでなく、**潜在的に新しい従業員を引っ張り込む**ことにつながる。僕のクライアントの多くがコミュニティからかなりの数の人材を採用している。コミュニティは採用活動を助けるだけでなく、新しい従業員の経験やその会社で仕事する文脈を選考や入社前に提供することでもある。会社のコミュニティを構成する多くの人にとって、その会社で働くことは夢が叶うことだ。これはwin-winの状況と言える。

コミュニティはまた、**豊かなユーザー体験と見識**をあたえてくれる。コミュニティが成長を続け、メンバーの定着率が高まっていくなら、そのコミュニティはすばらしい経験と専門知識の宝庫を日々作り上げていることになる。そうした専門知識や経験がもたらす見識、洞察力は、製品の設計、開発、宣伝などのあらゆるプロセスに役立つ。コミュニティのメンバーたちは君がどうやってコミュニティを成長させ、常によりよくしつづけていくことができるかの見識を与えてくれるだけでなく、成長に不可欠な、都合の悪いことまで含めた率直さ（ときには残酷なものを含めて）も提供してくれる。僕がコミュニティのメンバーにインタビューしてデータを集めたときは、いつもそれが役立った。

また、コミュニティは潜在需要の掘り起こしや見込み顧客の発掘、ネットワーキングのための強力なエンジンにもなりうる。熱心な顧客やユーザーのコミュニティを成長させることは、人々との出会いの場を提供するだけでなく、潜在的な顧客に製品やサービスをもっと詳細に評価してもらえる場所でもある。こうした交流からブランドへのロイヤリティが発生し、多くの場合そこから見込み顧客の獲得がはじまる。

さて、ここで重要な注意をしておこう。**コミュニティのメンバーをセールスチームの下請けのように扱ってはダメだ**。こうしたやりかたはコミュニティのメンバーを確実にうんざりさせる。コミュティメンバーを道具のように扱うのではなく、メンバーに向けてコミュニティを作り上げ、メンバーが自然に君のビジネスに人を連れてくるようにするべきだ。たとえば僕は時々、コミュニティメンバー限定のコンシェルジュを立ち上げることで、メンバーが自然と会社内の新しい顧客を紹介できるようにする。

最後にもう一度念押しすると、**コミュニティを君の部下と考えてはダメだ**。コミュニティはむしろ君にいろいろ教えてくれるメンターと考えるべきだ。コミュニティメンバーと知り合い、友情を築き、信頼関係を育てていきながら、彼らに指導してもらおう。彼らが君の盲点を見抜き、正しい方向に向かう手助けをしていくように努力しよう。

これは、君が君自身でいられるようにする効果をもたらすだけでなく、親密な関係が構築されて、それがコミュニティ全体にいい影響を及ぼすのだ。

すべてがバラ色なんてことはない

ここまでのコミュニティの力を見ると、ずいぶんありがたい話に聞こえるよね。もちろんそのとおりだ。**コミュニティには莫大な潜在能力がある。けれど、君が何もせずに使えるものじゃない**。そのためには慎重な戦略設計と組織の調整、何より集中が必要だ。この本はそれをできるようにするためのものだ。

新しい取り組みにはリスクがつきものだ。僕は危険から目をそらすのがいいことだとは思わない。それよりも、重要なリスクを最初からはっきり見据え、それを回避するような設計をしよう。

まず中心に「やりたいこと」があるはずだ。コミュニティは共通のニーズや関心を持った人々の間で構築されるべきだ。だれも興味を示さないようなトピックや製品をもとにコミュニティをはじめようとすると、構築にとても苦労する。コミュニティは人々の関心をちょっと惹きつけるための、安っぽいマーケティングのオモチャではない。

だからといって、有名な製品やサービスがないとダメだということではない。成功しているニッチなコミュニティはたくさんある。ニッチな製品やテーマでも、そこにファンと、ファンになる可能性を秘めた人々がいればコミュニティ構築は可能だ。

銀の弾丸はない。コミュニティが必ず構築されるようなレシピや、銀の弾丸的マジックアイテムはない。どのコミュニティもそれぞれ違い、成功のためにはそれぞれのコミュニティで違うところに注意し、集中しなければならない。

過去20年にわたってぼくが開発してきた、本書で紹介するコミュニティ作りの方法論は戦略にフォーカスを当てている。そうすれば君のコミュニティに必要となる個別戦術は、自然にあらわれてくる。この本はコミュニティをハッキリと見るためのレンズと、コミュニティを作るための青写真を提供する。それはさまざまなコミュニティを、いくらでも予想がつく形で構築するための基盤となるだろう。

成功する保証はない。**これは聞きたくなかったでしょう**。映画「フィールド・オブ・ドリームス」みたいに、「君が場所をつくれば、ユーザーはやってくる」という連中は多いが、彼らはまちがっている。

「君が場所をつくり、きちんと戦略的なアプローチを取り、いっしょに働くチームたちをきちんとトレーニングして綿密に統合されて動き、慎重に結果を確認してアプローチを修正し続け、適切で明確なリズムで仕事をし続ければ、多分ユーザーはやってくるんじゃないかな」

うげっ、ずいぶんめんどうそうだな。でも、これがこの仕事のやり方だ。

僕のクライアントからの最初の質問はいつも、「コミュニティのためにどの技術プラットフォームを選ぶのがいいのか」ということなんだけど、**これは技術的な問題じゃなくて文化的な問題だ**。もちろん技術の問題を軽視していいわけじゃないけど、最初に考えるべきものじゃない。

五番目ですらない。

すばらしいコミュニティを作るための大原則は、人々が有意義な仕事を生み出し、彼ら自身が成功し、成長を続けようとする意欲を持つことが、コミュニティの将来的な成功を持続させつづけるエコシステムを作ることだ。そのためには**人々の原動力や動機を理解すること**が最重要で、その原動力や動機を育て、束ねるための手段としてテクノロジーを**使う**ことが必要だ。テクノロジーに使われ、思考を支配されてはいけない。

コミュニティ構築にはフォーカス（集中）と規律が必要だ。まっ先に言えることは、大きな問題となるポイントで、君がコミュニティ構築で必ず苦労するはずの部分が集中力、気を散らさないことだ、ということだ。この本で紹介する方法を実践し、すべてを包み込む戦略を作り上げて実施していくうちに、君とチームは毎日のように新しいアイデアを生み出し、コースを変更したり、他のことに気を取られたりする誘惑に駆られるだろう。これは特に、戦略を実施するうえで難しいポイントに差し掛かったところ、伸び悩むところでは注意が必要だ。そうした伸び悩みは新しいものを学び、提供していく過程では避けられない正常なことだ。

文化を作るにはフォーカスと規律が必要だ。君や君のチームがコミュニティと関係性を作り、ガッチリと息を合わせ、それを価値としていくためには、毎日きちんと現場に赴いて向き合う必要がある。多くの会社が実際に最初に自分で立てた誓いを続けるのに苦労している。でも、やり通すことが重要なのだ。

それには時間（とお金）がかかる。最初の戦略を立て、発射台にセットして打ち上げるまでも時間がかかるし、それが人を惹きつけ、明確で一貫性があり、見通しのわかる関係性を築くにはさらに時間がかかる。

通常、最初の戦略を立てる時点で3-6カ月はかかる。その戦略が実施されて、コミュニティが成長し始め、人々が参加し続ける関係を構築できるまではおおむね1年、あるいはもっと長くかかる。もっと早く反応があることもあるが、それはどういう取り組みをするか、君と君のチームが規律を保てるか、どんな種類のコミュニティを作ろうとしているかに大きく左右される。

ベーコン・メソッド

7歳の子供の頃、僕は自分の名字がカッコ悪いと思っていた。クラスメートはそれをひどくバカげた名字だと思ったし、たしかに一理ある。「お前の名字は肉じゃん、ばーか」と廊下でいわれたこともしょっちゅうだ。でも、めずらしい名字にはいいこともあって、なにかの方法を思いついたときにそれをおもしろがって「ベーコン・メソッド」と呼べる。

実は、この本で紹介しているメソッドを実際に僕がベーコン・メソッドと呼んではいない。でもこれは僕がずっと仕事としてコミュニティを構築するために研究開発してきたアプローチだ。僕は多くの試行錯誤と実験をおこない、たくさんの成功と失敗を経験しながら、何百社もの企業、さまざまな人、異なる文化、目標といっしょに仕事をしてきた。

このメソッドは、10のステップに分かれている。本書ではそれを順番に検討する。

1. 大義（Mission）と価値（Value）を作る

まず第2章で、一番大きな範囲の全体図を、ズームアウトして考える。もっとも広い意味での僕たちのミッションは何か？　自分の組織だけでなく、潜在メンバーたちに提供したい価値とはなんだろう？

2. 自分のコミュニティでのエンゲージメント・モデルを選ぶ

次に、第2章で紹介する3つの異なったコミュニティのモデル「コンシューマー」「支援者」「クリエーター」の3種のなかから、どのようなコミュニティを作り上げるのかを選ぶ。この本ではそれぞれごとに、「そのためにはどうすべきか」というフレームワークや実践的なガードレールを提供する。

3. 君自身が提供したい価値をきちんと言葉にする

すべてのことは価値から始めなければならない。価値を考える不可欠な2つの要素は、君にとっての価値と君以外のメンバーにとっての価値だ。第3章では、第2章で紹介するコミュニティ・エンゲージメント・モデルを価値で満たすやりかたを提供する。

4. ビッグロックス、確固たる塊を作ろう

同じく第3章では、次年度以降のやや遠目で広めな目標を作成し、別部署やさまざまな利害関係者からの賛同と主体的な参加を得るような方法を提案する。賛同と主体的な参加はチームが粘り強く、完全に連携して計画に取り組むために不可欠だ。このプロセスを怠るとあとあと心痛(と無駄なおしゃべり)に悩まされることになる。

5. オーディエンスを知り、理想のオーディエンス・ペルソナを構築しよう

第4章では、どのようなオーディエンスがもっとも重要なのかをデザインする。コミュニティのターゲットになるオーディエンス(ファン、支持者、関係者)がどのような人たちなのか、彼らにどのような価値をもたらせられるのか、彼らにとっての成功のために何が必要なのかについて考える。

これをいくつかのオーディエンスのペルソナにまとめあげ、それがこの先の作業すべてを左右する。特にそのオーディエンスをどうやって見つけ、やる気を出してもらい、取り組んでくれるようになるのかに大きく影響する。

6. 導入路とエンゲージメント・モデルを設計する

自分たちの広い目標が決まり、オーディエンスが明らかになったところで、第5章ではコミュニティの構造を設計する。それにはどうやってシンプルで効果的なコミュニティ参加方法を構築するか、含まれる。ここではコミュニティ参加について、3つのフェーズ「カジュアル」「レギュラー」「コア」に分けて考える。

7. 四半期実施計画を建てる

これで戦略がしっかりできたわけだけれど、悪魔は細部に潜んでい

る。僕らは作り上げた大きな巌をさざれ石に分解しなければならない。さざれ石の一つ一つは個別タスクだが、それぞれがきちんと完成しなければ大きなゴールは達成できない。第5章ではそのための大きな道筋と、チーム全体にそれを行き渡らせるための作戦書について説明する。

8. 成熟した状態や成功を測る指標を創造する

ここまできたら、きっちりした計画ができたはずだ。第7章では成功とはなにか、その成功に向かう進歩をどういった指標で測定するかを、もっとくわしく見よう。このために一連の成熟度測定モデルを使い、それを自分のニーズにあわせて修正しよう。

9. ケイデンス(律動)を実施する。何度も繰り返して組織に筋肉を作っていく

この作業をやるときには、独自のリズムを持った動きの繰り返し、ケイデンスにしたがって動こう。それには一連のサイクルが含まれ、それぞれにマイルストーン群と、進捗ミーティングのタイミングがある。それらは単に仕事の管理をしやすくするだけでなく、何度も繰り返すことで組織の能力と力量を作り上げていくための、実績のある方法でもある(後述するけど、その能力と力量構築自体が仕事の重要な目標だ)。

10. 自分のインセンティブマップを作成する

第8章では3つの重要なコミュニティのフェーズをメンバーたちが移行しやすくするための、一連の枠組みを慎重に構築する。これは人々の関心とモチベーションを維持して、将来のコミュニティ・リーダーに頭角を表してもらうためだ。

より前へ、より上へ

君がこの本を手に取ったのは、またとないタイミングだ。現代社会の規範の変化、テクノロジー、コネクティビティすべてが、パワフルで魅

力的なコミュニティを構築する道を切り開いている。そのすべてが企業にとっては、コミュニティに莫大な価値を提供し、ともに価値を作り出すすばらしい機会をもたらすものとなっている。

勤勉なボランティアのコミュニティメンバーたちが貢献したものをある程度使って、企業が収益を上げることについて、コミュニティのメンバーはどう思うのかが気になるかもしれない。おもしろいことに、コミュニティがオープンで、正直で、コラボレーティブな方法で運営されているのであれば、メンバーは君たちのお金を含めたビジネス的な成功を喜んでくれることが多い。そういう運営をきちんとやるのが肝心だし、本書で重視するのもその部分だ。

本章の冒頭で、アバヨミがUbuntuに貢献するために往復2時間かけて歩く話をした。アバヨミ自身がそのような献身的なコミットメントをおこなった理由については、ことさら独特な部分も他とちがう部分もない。当時のぼくにはそれが、意義とテクノロジーとアクセスの魔法のような組み合わせに見えた。

今の僕はこの3つのドライバーについて、当時よりはるかによくわかっている。この本は君の発射台を最高の材料で満たす方法論を提示する。もし君が几帳面で規律正しく、気を散らさなければ、まったく新世代のアバヨミたちやさらにその先のまったく新しい人々が、同じような献身的な気持ちになるコミュニティを作れる。さあ、仕事に取り掛かろう。

第2章

コンシューマー、支援者、コラボレーター

シンプルさは究極の洗練
——レオナルド・ダ・ビンチ

数年前に旧友から外食に誘われて、サンフランシスコにあるお気に入りのジン・バー、ホワイトチャペルで、「彼の仕事をテコ入れするのを手伝ってほしい」と言われた。その声のトーンを聞いて、これは単にジントニックを何杯かおごればすむ私的な話ではないとわかった。

「ジョノ、どこから手を付けていいかわからないんだ」

と、悲痛な声で絞り出すように言う。
彼は最近自分の新しい会社を立ち上げ、1000万ドルのベンチャー資金を調達して、家族といっしょにベイエリアに引っ越してきた。ここシリコンバレーでは、それは**素早く・目に見える形で**成長しなければならないことを意味する。

「どうやればいいのか、何人かコミュニティマネージャーを紹介してもらったのだけど、みんなソーシャルメディア、ブログ、イベント、行動規範、ガバナンス、フォーラムとか、やたらに細かい話に深入りしていくので、もうわけがわからん。それをどうやって、目の前の現実と頭の中でつなげればいいのか見当もつかないんだ」

よくある話だ。僕がいっしょに仕事するすべてのクライアントが同じ問題を抱えている。どのクライアントも直感的に、コミュニティが価値をもたらす方法について理解しているが、一体どこから手を付ければいいのかがわからない。

さらに大きな問題は、優先順位がわからないうえに、コミュニティとその構築方法そのものは、ほとんどの人にはすさまじくわけがわからない。コミュニティがすごく大事だという直感はハッキリしていても、実際に目に見えるものは人と技術とプロセスが混じり合った異様なカクテルで、すべてが偶然に奇跡的に結びついているように見える。

おかげで普通は意思決定が麻痺する。ほとんどの創業者や重役たちは、コミュニティのさまざまな部分が戦略の中でどう結びつくか知らない。それにとどまらず、彼らがコミュニティマネージャーと話すとちんぷんかんぷんで、もっとひどいことに、相手がこっちの聞いてもいないことばかり話すように感じる。それでますます混乱する。みんなが僕に電話してくるのはそういうときだ。

「ジョノ、とにかく明解な出発点がほしいんだ。最初の3つのステップはなんだ？」

僕にかかってくるそんな電話のほとんどは、こうやって始まる。が、それはとっくにご存じだろう——だからこそこの本を手に取ろうと思ったんじゃないか？

幸いなことに、**明確な道筋はちゃんとある**。細かいことにとらわれずにちゃんとした判断をする方法はあるんだ。さっそく始めよう。

計画を立てて、それをやりぬく

僕は「意識的に、徹底的にやる」ということの価値を信じている。お試しはダメ。中途半端はダメ。腕をまくり、全力で入っていき、言い訳をしない。それが実現につながる。結果は決意だけでなく、冷静な頭と明確な戦略によって実現される。

戦略は変に複雑である必要はないが、首尾一貫している必要がある。世界的なメタルバンドであるアイアン・メイデンはレコーディングのスケジュールに合わせて、すごく複雑なライブセットを使うワールドツアーをしている。どうやってこんな手の混んだワールドツアーを実現するのかと訪ねられたマネージャーのロッド・スモールウッドは、「計画をたてて、それをやりぬく」と答えた※1。

スモールウッドは正しい。でも、いつもそんなにシンプルにいくものじゃない。コミュニティは生き物のように複雑でしなやかで、変化しやすい存在だ。結果にコミットした戦略をたてつつ、**どのような結果が出ているのかにちゃんと反応し、それに基づいて戦略を定期的に最適化する**ということ。言い換えれば「計画を立ててそれをやりぬく——そして定期的に賢明なアップデートをおこなって、よりよく、よりよく、よりいい結果を目指すこと」。キャッチフレーズとしては長ったらしいけれど、それでもきわめて重要なことだ。

お手軽な話ではすまない。トム・ハンクスが映画『プリティー・リーグ』のなかで印象的なセリフを語っている。「難しいのは当然だ。カンタンならだれでもやる」※2。僕らが冷静な頭脳とシャープでパワフルなビジョンを描いていて、現実的でかつ大胆な戦略を築いていれば、並外れた成果を成し遂げることができる。

まずズームアウトして全体を俯瞰しよう。**何をどうやってやるか**の前に、**なぜやるか**という第一原則に立ち返ろう。

コミュニティのビジョンとビジネスのビジョンをくっつける

2014年、僕はXPRIZE財団にコミュニティ部門のシニアディレクターとして参加した。ここは僕が今まで仕事をしてきたなかで、もっとも美しく、かつ奇妙な組織の1つだ。

XPRIZEでの新しいボスであるピーター・ディアマンテス博士は、世界の大きな問題を解決する巨大コンペを運営するためにXRPIZEを立ち上げた、比類ない人物だ。彼は無類のエネルギーの持ち主だ。XPRIZEは大きな問題を解決するためにデザインされた世界的なコンペだ。最初のXPRIZEは2004年に、再利用可能で商業的に採算の取れる宇宙船を作るという1,000万ドルのコンペで、世界中のエンジニアが挑戦した。SpaceXやVirgin Galacticが登場するずっと前だ。

第1回目のXRPIZEが成功した大きな理由は、ディアマンテス自身が商業宇宙旅行と探索、そして輸送について新時代の野心的なビジョンを描いていたからだ。同じぐらい重要なのは彼のミッションが明確だったことだ。だからどのチームも「安全で信頼性が高く、再利用できる民間出資の有人宇宙船」を作るという課題に挑戦できた※3。

このミッションは勇敢だった。「自分たちにできないはずがない」

このミッションは大胆だった。「政府だけに宇宙開発をやらせておく必要はない」

このミッションは強気だった。「できると思ってる？　証明してみろ」

率直にいってこれはイカレた話だ。でも、偉大なミッションとそれを取り巻くビジョンはイカレてなければならない。

コミュニティのミッションは君のビジネスビジョンとは違う。でも、その周りをしっかりと固めていなければならない。君のビジネスビジョンが感心され崇拝されるような製品、製品の明るい未来、だれもが欲しがって夢に見るような製品だとしよう。コミュニティ・ミッションとは、その夢の実現のために人々がどんな役割を果たせるのか示すものだ。

たとえばビジネスビジョンが「地元企業が世界のステージに挑戦していくような革命を起こす」というものであれば、コミュニティビジョンは「世界で戦う気のある地元起業家のグローバルなコミュニティを構築し、地元企業の経営者がグローバルな舞台で成功するのを支援する」になるかもしれない。

ビジネスビジョンが「すべての人が無料で法律相談を受けられるように」だったら、コミュニティビジョンは「法律専門家が市民にむけて公益的で無償サービスを提供するグローバルなコミュニティを構築すること」かもしれない。

ビジネスビジョンが「世界一パワフルなクラウドプラットフォームを作ってインターネットを民主化する」というものであれば、コミュニティのビジョンは「これまでにない広範なクラウドプラットフォームを作るために、エンジニア、著者、支援者たちなどのグローバルなコミュニティを構築する」になるだろう。

いま挙げたどの例でも、コミュニティのミッションがゴールに至る道筋を明確に指し示すことが、より大きな成功のためのエンジンとなる。

コミュニティは組織に価値を提供するだけでなく、組織の外側を含めたもっと広い人びとに有意義な仕事を提供する方法だ。価値ある役割を果たす意義は人々を活動的で献身的にする。さらに満足感や自尊心、帰属意識を生み出し、部族的な帰属意識の蓄積を生み出し続ける。

これは何年にもわたる、献身的なコミュニティ参加を生み出す。この意義と帰属感のおかげで、10年以上にもわたり週40時間ものサービスを提供してくれる、コミュニティボランティアにあったこともある。君のコミュニティでも、これと同じ情熱と献身が欲しいだろう。僕らのミッションはこのような気持ちをかきたてるものでなければならない。

コミュニティのミッション・ステートメントを作る

コミュニティ・ミッションだと思うものを1枚の紙に書きだそう。他の人の立場になってみよう。そのミッションは魅力的に思えるだろうか？

コミュニティのミッションが事業のビジョンとどう関係しているか、よく考えてみよう。コミュニティのミッションが、ビジネスビジョンと人々を明確につなげるものになっているだろうか？

コミュニティのミッションを練り上げる間に、紙を何枚も使いたくなったり、円がたくさん重なる複雑な図を書きたくなったり、ビジネスプランのようなものを作ったりする誘惑にかられるだろうけど、我慢しよう。これは『戦争と平和』のような長編小説ではない。話を必要以上にややこしくしないこと。短いものにとどめ、それをかっちりした、研ぎ澄まされたものに練り上げねばならない。

こんどは組織内の別の人にコメントをもらい、それを改善しよう。たとえアドバイスに意味がなくても、これは必要だ。役員にも、部門長にも、製品企画やエンジニアのスタッフも、マーケティング他あらゆる人達にも見せて、君の考えに難しいところがないか聞こう。自分の考えに反論してもらい、欠点をみつけ、見逃した他の要素を見当してもらおう。彼らのフィードバックを集め、フィードバックの内容について真面目に考えてアップデートを続けるべきだ。もう一度言うよ。君は、意見を聞くことを通して、全員が「コミュニティ・ミッションに意見が反映されている」とみんなに思わせなきゃならないんだ。

フィードバックが終わった？　なら、メスを持って余計な脂肪を除去しよう。コミュニティ・ミッションを短く、記憶に残りやすく、いつでもパッと書き出せるぐらいに印象深く書き換えよう。

https://www.jonobacon.comのResources.にいくつか例を載せている。

ミッションは徹底してシャープで的を絞ったものにしよう

これまで説明してきたようなコミュニティ・ミッションをつくりあげるコーチを、かつてシアトルにある会社のチーム全員を相手にしたことがある。すばらしいビジネスビジョンとコミュニティ・ミッションを作り上げ、みんな感動していた。僕がオフィスを後にして、数カ月後に再訪してみると、彼らはビジョンとミッションを御大層な額縁に収めてトイレのドアの横に飾っていた。みんながそれを見るのは、会議の合間にトイレに行くときだけ。

これじゃダメだ。

君のゴールはビジネスビジョンとコミュニティ・ミッションを人々の心の中心に、そして常に目の前に置き続けることだ。企業の価値観と同様に、ビジョンやミッションは木のようなものだ。生存し、成長して繁栄するには酸素が必要だ。チームメンバーの生活の中で、日常的に役に立たなければならない。オフィスの壁一面に貼り、社内ミーティングやセミナーではどうやってそれを強くするか常に話し続けるべきだ。社員の業績評価もビジョンとミッションに基づいておこなわれなければならない。チームは、もっと広いビジネスビジョンとコミュニティ・ミッション（片方だけではダメだ）に本当にインパクトをもたらしただろうか？　どうやってビジネスビジョンとコミュニティ・ミッションを、組織の毎日の仕事に組み込めるだろうか？

コミュニティのエンゲージメント・モデルを選ぶ

スタートレックの極端なマニアは冗談のネタにされがちだが、おもしろいことにそうしたマニアが出てくるようなしくみには一理ある。TVシリーズが始まってから50年たった今でも、人々はずっとこの宇宙を飛び交うシリーズに夢中になり続けている。

トレックBBSはそういう多くのファンたちの故郷になっている※4。この生き生きしたオンラインフォーラムには2万7千人を超えるファンが集まり、宇宙船エンタープライズやクリンゴンや……えー、その他スタートレックのあらゆる要素について議論している。2万7千人というメンバー数以上にすごいのは、このディスカッションが690万もの投稿を生んでいることだ。

スタートレックコミュニティの参加者は、純粋に熱烈なファンで、利害関係者じゃない。スタートレックがシリーズとして長く続いているのは彼らのおかげで、それは非常に価値のあることだけど、ファンがスタートレックの映画、書籍、マンガ、ビデオゲームの制作や編集になにか関わることはない。ファンは共通の興味を持って、コミュニティの中でそれを他人と共有することを楽しんでいる。

これを、オープンソースの音楽制作ソフトウェアを作り出した、Ardourのコミュニティと比べてみよう※5。Ardourのコミュニティでは、多くの人が音楽を作るためにこのソフトウェアを使い始めるが、やがてその機能の制約にぶち当たる。技術的な知識がある人は、不足している機能や改善を自分で作ることができ、それが共有され、メインのArdourソフトウェアに統合される。そのコミュニティの中で、メンバーは、コミュニティに参加する理由であるArdourを実際に形にし、変えられる。

こうしたオープンソース・ソフトウェアのコミュニティとその他のコミュニティは、参加手段が異なるだけでなく、コミュニティの規範、コミュニティに期待するもの、コミュニティの文化、経験、要求がどれも違うために、同じコミュニティでも大きく異なるものになっている。

どのようなタイプのコミュニティを作りたいのかは注意深く考える必要がある。トレック掲示板のようなものがいいのか、オープンソース・ソフトウェアのようなものがいいのか、その中間のようなものがいいのか、それともまったく違うものがいいのか？

これを正しく見極めれば、君のコミュニティへの理解と期待が正しい方向に向かうのに役立つ。ちょっとした戦略面での風水みたいなもの、とでも言おうか。

コミュニティの風水をなるべく容易に理解できるように、3つのコミュニティ・エンゲージメント・モデルを作った。それぞれのモデルは、それぞれ違うタイプのコミュニティがどのように機能するかのテンプレートや設計図と考えていい。僕がこれまでに見たすべてのコミュニティはこのどれかに当てはまる。

さあ、その3つのモデルの中をざっと見てみよう。

モデル1：コンシューマー

コンシューマー・コミュニティは、トレック掲示板と同じように、**共通の興味を持つ人たち**を集めたコミュニティだ。参加者は、その共通の関心事を中心に議論を交わすという、他に比べると比較的わかりやすいものだ。また、アートワーク、写真、衣装、彫刻など、ファン同士が集めたコレクションを共有することもある。

こうしたコミュニティは世界に何十万もある。スポーツからファッション、映画、ゲーム、テクノロジー、その他あらゆるトピックに至るまで、無数の興味をカバーしている。

それは、1,800万人のメンバーを擁するReddit Scienceコミュニティのように比較的広く一般的な興味であったり、同じくReddit上の34万5,000人のメンバーを擁するスニーカー・コミュニティの運動靴愛好家のように、奇妙なほど専門的なものであったりする※6。**こうした専門化こそが、コンシューマーのコミュニティを空へと導くロケット燃料だ。**

なんでこのような専門化が効果をもつのか？ 画一化した万人向け大予算映画や、似たり寄ったりのポップスター、大衆市場向けファストフードなど、全員の平均的な関心に訴えるものから考えると、直感に反している。もっと均質化したほうがいいに決まっていて、何かに特化なんかしないほうがいいのでは？

僕の友達クリス・アンダーソンは、2006年の著書『ロングテール』の中で、ニッチの価値について掘り下げている。彼は次のように述べている。

ロングテールの理論は、私たちの文化や経済が、需要曲線の先頭にある比較的少数の「ヒット商品」(主流の商品や市場)に焦点を当てるのではなく、テールにある膨大な数のニッチに焦点を当てるようになってきているというものだ。生産と流通のコストが下がるにつれ、特にオンラインでは、製品と消費者を一くくりにする必要性が薄れてきている。物理的な棚スペースやその他の流通のボトルネックのない時代には、ターゲットを絞った商品やサービスは、主流の製品と同じくらい経済的に魅力的なものになり得る※7。

つまり君の興味がどれだけ多様で奇妙でも、広大なインターネットの中では君と同じような人を見つけて、その人達のためのコンテンツやサービスを作れるということだ。たとえばちょっと前に太っちょな韓国のポップスターが見えない馬に乗って踊りまくる動画が、6年間で31億回も再生されて世界中で有名になったことからもわかる通り、ニッチなものでもオーディエンスは集められる※8。

クリス・アンダーソンはニッチについておもに経済的な文脈の中で話しているけど、彼のロングテールモデルはコミュニティにもうまくあてはまる。人間は同じような興味を持つ別の人と時間を過ごしたいと考えている。ちょっと待った、それって「人は正反対の相手に惹かれる」といういささかロマン主義的な発想と明らかに矛盾してない？

実際にはこうだ。ウェルズリー大学の心理学の准教授であるアンジェラ・バーンズと、カンザス大学の社会心理学の教授であるクリスチャン・クランドールは、同じ興味を持つ同好の士が起こす相互作用の性質を研究した。先にネタバレすると、僕らは共通の関心を持つ人を探すようにできている。

「人間は、自分が快適で、成功し、信頼できる人がいて、目標を達成するために協力できる人がいる社会的な世界を作ろうとします。それを実現するためには、類似性が非常に有効であり、人々はほとんどの場合、それに惹かれます」とクランドールは言う。バーンズはさらに次のように付け加えている。「私たちが主張しているのは、似たような相手を関係のパートナーとして選ぶことは、非常に一般的なことであり、とても多くの分野であまりに広がっているため、心理学的な既定値とさえ言えるということです」[※9]。

コンシューマー・コミュニティは、公開された公共のクラブハウスに似ている。コンシューマー・コミュニティは、人々が集まり、議論をし、アイデアや意見を共有し、自分たちが作った作品を展示し、共通の興味についてさまざまな側面から議論できる場所を提供するものだ。

2017年のビデオゲーム業界の収益は1,084億ドル[※10]。IGN（ゲーム情報サイト。日本ではIGN Japan）は、コンテンツやコミュニティなどでビデオゲームの熱狂的なファンにサービスを提供するビジネスを構築してきた。出版コングロマリットのZiff Davisの子会社であるIGNは、TEDを設立した異色の出版マネージャー、クリス・アンダーソン（さっきの人とは別人）の発案で始まった。

IGNのコミュニティは、とても活発なコンシューマー・モデルのコミュニティだ。おもにビデオゲームの話をするクラブハウスとして機能するフォーラムで、各種のゲーム・プラットフォームやそれぞれのゲームに基づくさまざまなセクションに分かれた議論がおこなわれている。この本を書いている時点で、120万人のメンバーがIGNのプラットフォーム上で600万件近くの投稿をした※11。メンバーはお気に入りのゲームの詳細について議論したり、新しい技術について議論したり、マップやゲームを完成させるための戦略を共有したり、業界のトレンドについて議論したりする。

コンシューマー・モデルのコミュニティはシンプルだ。そのシンプルさの一部は、参加についての期待値が非常に低く、参加するための基準がほとんどないことから生まれている。IGNのコミュニティにはだれでも参加できる。好きなだけ没頭してもいいし、控えめでもいい。共存共栄だ。コミュニティに入り浸りの人もいれば、ポップコーンを食べながら遠巻きに議論を眺めている人もいる。

コンシューマー・コミュニティでは参加の手段はとてもシンプルだが、参加者の能力評価は、コミュニティに参加して議論に加わることで生まれる、他人からの評価に基づいている。これは僕らが日常生活や仕事で他人を評価するやり方とそっくりだ。その人はどのぐらいよく見かける？　その人は他人を助けている？　どのくらい技能がある？　他人に敬意を払ったり、礼儀正しくしたりしている？　他の人を助けているか、特に弱い人や困ってる人を？　車を運転するときに、ちゃんとウインカーを出したか？　（頼むからウインカーは出してね。僕が運転中に一番キレるのはウインカーを出さないやつだ）

この本で紹介する3つのモデルの中で、このモデルは最もシンプルに設計できて結果も出せる。そしてコンシューマー・コミュニティは他のモデルの基礎でもある。この後に紹介する支援者やコラボレーションのコミュニティモデルにも、コンシューマー・コミュニティモデルの原則が組み込まれている。

顧客やファンのコミュニティをつくりたいなら、まずこのモデルからはじめるのがいいだろう。

モデル2:支援者

支援者モデルは、コンシューマー・モデルの上に構築され、さらに一歩進んだものだ。支援者モデルでは、コミュニティのメンバーは、共通の関心事を議論するだけでなく、コミュニティとそのメンバーの**成功を支援するために積極的に働こうとする**。彼らは、君やコミュニティのメンバーが達成しようとしていることを助けてくれる。

第1章では、人気のギターエフェクターAxe-Fxシリーズをはじめとする音楽機器を開発している、Fractal Audio Systems社を紹介した。彼らは印象的な支援者コミュニティを構築している。

彼らのコミュニティは、単なる共通の関心を持つ人々の場所（コンシューマー・モデル）にとどまらず、ユーザー同士がステージやスタジオでのAxe-Fxの使い方を習得するための場所になっている。

単純なレベルでいえば、そこは人々が質問をして答えを得るための議論の場だ。でもコミュニティではそれ以上のことがおこなわれている。コミュニティのwiki(だれでも編集できるWebサイト）があり、そこには、世界中のボランティアによって何ページものドキュメント、ガイダンス、チュートリアル、参考資料が追加されている。コミュニティはまた、何千ものビデオ、デモ、サウンドプリセット、イベント、ワークショップを生み出してきた。

そのようなコミュニティメンバーの1人、アレキサンダー・ヴァン・エンゲルン（ユーザー名"Yek"）は、何ページものドキュメントやガイダンスを書き、Axe-Fxエフェクターについての本までも書いており、それらはだれでも無料で手に入れられる。また、彼は毎週何時間もの時間を費やして、質問への回答やガイダンスの提供、新製品のテストなどをおこなっている。

アレキサンダーの動機は明確だ。

「グループの一員になりたいから参加する人もいるが、僕の原動力は違う。僕はもっと学びたいからコミュニティに参加した。Axe-Fxのマニュアルは充実しているが、散在している情報はずっと多くて、バラバラに答えを探す必要があった。僕はそうした情報を集めてハウツー文書や本を書いたんだ」※12

忘れてはならないが、アレキサンダーはボランティアで、こうした活動から給与をもらっていない。彼はFractal Audio System社とユーザーの成功を助けるという価値を生み出し続けている。君にはなぜ彼がそんなことをするのか理解できないかもしれないが、彼みたいな人は何千人もいる。

支援者モデルのコミュニティだと、参加者の活動はこのプロダクト成功モデルのように進化していく。

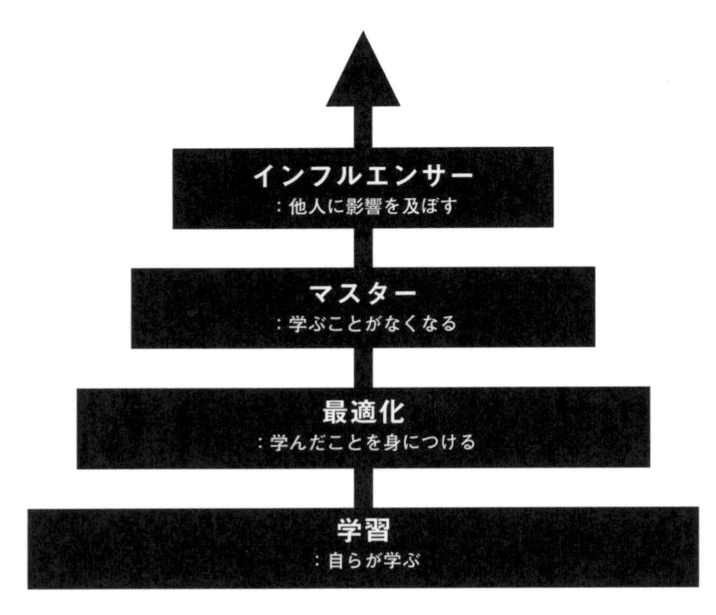

図2.1　プロダクト成功のモデル

注意：このモデルは、人々をこの漏斗の中にどうやって引き込むか、という話はカバーしていない。人々に、その製品やサービスの価値をどう売り込むかも扱っていない。これは、新規顧客やユーザーがすでにいることを前提にしたモデルだ。この漏斗の外側、導入部を含めた全体は、第5章や8章であつかう。

新しい動画ソフトを購入したユーザーのつもりになってほしい。君はこの変なソフトのしくみが見当もつかないが、どういう動画を作りたいかのビジョンは持っている。たとえば、自分が一流の投資名人であり、投資のやり方を売り込むビデオとかだ。

君はこの動画編集ソフトを使って、その脳内ビジョンをどう現実化するか解明しなくてはならない。このソフトを核としたコミュニティに気づいた君は、まずコミュニティに参加する。

これで君はプロダクト成功モデルの最初のパート、学習フェーズに膝まで浸かったことになる。君は説明ビデオを見たり、チュートリアルを読んだり、質問をし始める。すると同じ人から何度も解答が来ることに気づき、自分が歓迎されている気分になる。

やがて君は身につけた知識で、最初の株式投資家向けビデオをリリースした。さて次のビデオをもっとよくしたい。もっとくわしい質問をして、ソフトの使い方を自分に最適化しはじめる（プロダクト成功モデルの第2段階）。他人からもソフトのパワーユーザーであると認められるようになり、他の人の質問の中で答えられるものがでてきて、回答もはじめる。これまでコミュニティに親切にしてもらえたので、お返しをすることに満足感があり、友達もできるようになる。

やがてさらに多くのことを学び、さらに多くの質問に答えられるようになる。君はマスターの段階に進んだんだ。君は学ぶこと、それまで不可能と思えたようなすごいビデオをつくる挑戦を楽しんでいる。それだけでなく、君に助けられた人たちから尊敬されることも楽しみになっている。君を「俺たちのロックスター」と呼ぶ人たちが増えていく。いい気分だ。コミュニティは楽しいし、報われるし、そこから得られるものは大きい。

こうした君個人への称賛は、「恩返しがしたい」という気持ちを育てる。君はソフト自体の使い方についてのビデオを作るようになり、大人気を博する。そして君はブログを始め、もっとアイデアを共有するようになる。もしコミュニティメンバーが君の街にきたら、いっしょに飲みに行くだろう。君はインフルエンサーであり、一人前の立派な支援者だ。君と先に紹介したYekは仲良くなれるはずだ。

これはサポートし、コンテンツを作り、関係と支援活動をおこなうという、複数の価値ストリームを生み出す強力なモデルだ。ユーザーをここまでたどり着かせるための手間はかかるが、自然発生した情熱と行動があれば、プロダクトとサービスのためにすごく役立つ。

モデル3:コラボレータ

コラボレータ・モデルは、支援者モデルのコンテンツ製作面にジェットパックをくくりつけ、思いっきり打ち上げさせたものだ。第1章で紹介したオープンソース音楽作成ソフトのコミュニティ、Ardour music production suiteの参加者が、ソフトウェアそのものに機能を追加していると話したよね？　あれがコラボレータによるコミュニティだ。

ここでは、熱狂的な参加者は、単に個別に独自の機能を追加するだけではなく、**共有されたプロジェクトのためのチームとして能動的に協働作業する**。これは文字通り、世界そのものを変えるようなチャンスにつながることもある。

2014年6月7日、Kubernetesという新しいオープンソース・プロジェクトが発表された。Kubernetesはクラウド上でのソフトウェアサービス稼働を管理するソフトウェアだ。Kubernetesの機能についてあまりここで言葉を費やすことはしないけど、控えめにいってもKubernetesは、テックとエンタープライズの世界を震撼させた。

Kubernetesが成功した理由の重要な要素は、オープンソースであることだ。オープンソースとは、ソフトウェアを構成するプログラムのコードが自由に手に入り、自分の要求と実際の機能にギャップがあったり、何かしら問題を引き起こすバグがあったりした場合、（一定のガイドラインを満たしている人であれば）だれでもそのギャップを埋め、追加機能や修正を作成できる方法があるということだ。そして何よりも重要なのは、だれかが不足している機能を一度作成すると、それがみんなで共有されるということだ。

Kubernetesプロジェクトが始まってから4年後、2,000人以上の開発者がプロジェクトにコミットし、480回以上のリリース（アップデート）がおこなわれた※13。開発者たちは独立したボランティアだけでなく、お互い競合する50社以上の企業から集まっている。ようこそ。これこそが実稼働しているコラボレータ・コミュニティだ。

このモデルでおもしろいのは、積極的に参加する人が増えるほど、全体（今回の例ではKubernetes）の価値は高まるということだ。もしある人が1時間かけてこのプロジェクトの改善に貢献し、他に10人が同じことをしたら、その人は1時間の投資で10時間分の改善を他人から得たことになる。

コミュニティが成長するにつれて、コミュニティはますます大きな付加価値を提供する。これはオープンソースが成功し、現在ではインターネットそのもの、家電、企業、電力網ほか多くのものの基盤となっている大きな理由の一つだ。コミュニティは価値提案の根本的な一部であり、ソフトそのものと同じくらい重要とさえ言える。

もちろんコミュニティの成果を消費するだけで貢献しないユーザー（不機嫌な皮肉屋が、朝のコーヒーの前に言う「フリーライダー」というやつだ）はいつもいるけど、総体としてはフリーライダーがいるのは健全なことだ。もしコラボレーター・コミュニティが常に成長し、新しい改善を生み出し続けていれば、フリーライダーを含めた関係者全員が継続的に大きな利益を得ることができる。

興味深いことに、会議室でのあくびが伝染するようにコラボレーションも伝染しがちだ。人々がオープンな状態で、共通の具体的な問題を解決しながらいっしょに仕事をすると、それはソーシャル・キャピタルや尊敬を生み出し、周りで見ている人も行動に参加したくなる。時にはフリーライダーも貢献したくなるだろう！

これが起こると、心理学者が**拡散連鎖**と呼ぶものができあがる※14。人間には人気者の真似をして、自分も人気者になりたいという内在的な社会的な欲求があるから、フリーライダーがやがて貢献し始めることで、、不思議なことにもっと早くいい結果を得ることができる。

コラボレータのコミュニティは、人々が他の人と効果的に協力して貢献できるように、注意深く作り上げる必要がある。意思決定は迅速かつ客観的におこなう必要があり、コラボレータのコミュニティに必要な4つの材料を入念に調合する必要がある。

1つ目は、**コラボレーションのための明確でオープンなアクセスの提供**だ。だれもが同じ土俵に立ち、同じツール、ガイダンス、その他のリソースにアクセスできるようにする必要がある。だれもが平等に同じツールとチャンスを持っていなければ、チームを作ることはできない。ある人が特定のツールにアクセスでき、べつの人がアクセスできないと、必ず問題が起こる。この種のコミュニティの基盤となるのは非同期アクセスで、いつでもどこからでもツールやリソースにアクセスすることができなければならない。しかもなるべくだれにも邪魔されず、無制限であるべきだ。

2つ目、**シンプルで明確なピアレビューのプロセス**を作ろう。それぞれが貢献した改善について、その有益性に基づいて判断できるようにすることだ。だれでも貢献、コントリビュートが可能で、かつそれをだれの貢献なのかに影響されず審査できるしくみが必要になる。シンプルで明快で、効果的なものでなければならない。

3つ目に、**共同作業のワークフローは変更可能**であるべきだ。職場のデスクが自分の好きなように設定されていて、快適で効率的に仕事ができるようになっているのと同じように、コミュニティでの貢献者も同じことを望んでいる。不変のワークフローを作るのではなく、コミュニティに協力してもらって調整してもらおう。コミュニティに協力してもらい、いっしょに仕事をする方法を微調整しつづけ、改善していくんだ。

4つ目が最も重要で、**機会の平等と公平な競争の場を提供しなければならない**。だれもが輝くチャンスがなければならない。性別、肌の色、セクシュアリティ、社会経済的背景などに関係なく、だれでもはっきり歓迎し、だれの仕事でも客観的に判断されるような環境を作らなければならない。

よく**能力主義**といわれるが、その言葉は注意深く使うべきだ。能力主義というのは、予測可能な客観的結果を得るための決まったフレームワークじゃない。それは北極星であり、目指すべき哲学にして価値観として、常に意識しつづけるべきなのだ。

ここで、

「おいベーコン、ちょっと待った。オレがビジネスの責任者でその周りにコミュニティを構築するなら、オレはどう考えても対等じゃないだろ。当然、仕切る立場になるべきだ。おれがリーダーになるんじゃないの？」

と思う人もいるはずだ。

イエスでもあり、ノーでもある。偉大なリーダーが繰り返し示しているように、生産的で効果的な組織やチームを作り上げるというのは、人を「マネージャー」「部下」といった箱に入れることではない。**だれもが最高の力を発揮できるような文化を構築することだ。**

僕がかつていっしょに働いていたなかに、コリンというエンジニアがいた。彼はマネージャーでも、特に目立つ従業員でもなかった。物静かな人間で、いささか引っ込み思案で、勤勉で才能のあるエンジニアだった。彼はだれにでも平等で、礼儀と敬意をもって人を扱い、すばらしい仕事をしてくれた。会社にはヒエラルキーや上下関係があったが、どこからでもすばらしい仕事が生まれる可能性があり、コリンはその中心地と見られていた。彼は同僚からすばらしい尊敬を受け、リーダーシップチームの何人かよりも尊敬されていた。そうした環境が、彼のすばらしい仕事と成功を支えていた。すばらしいコラボレーター・コミュニティもこうじゃなきゃいけない。

コラボレーター・コミュニティは3つのモデルの中で最も複雑なものだけど、うまく運営されていれば莫大な利益をもたらせる。多くの組織がこの種のコミュニティを基盤にしたビジネスやグローバルブランドを構築しており、特にテクノロジー分野ではその例が多い。第1章で紹介したDockerやRedHatみたいな企業がその例で、Dockerの評価額は13億ドル、RedHatの年間利益は30億ドルを超え、しかもこの執筆時点で62もの四半期で連続して成長している※15。彼らのビジネスのコアはオープンで、国際的で、実力主義のコミュニティだ。うまくやれば青天井の成長が可能だ。

インナーとアウターのコラボレーションについてさらに深掘りする

次に進む前に、コラボレーター・コミュニティで重要な、しかも微妙な点を説明しておきたい。2つの違う側面があり、僕はインナーとアウターと呼んでいる。

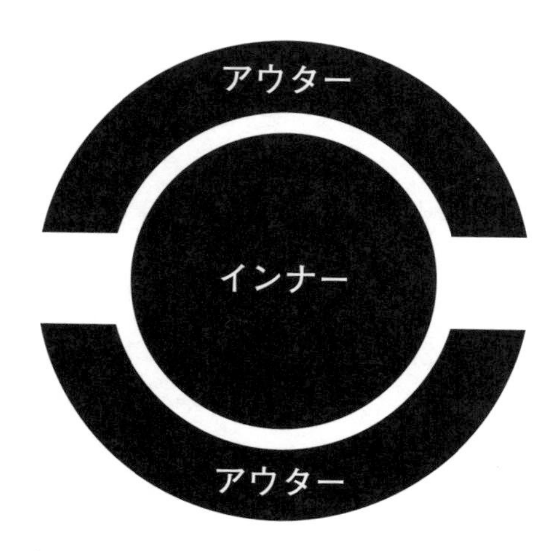

図2.2　コラボレーター・コミュニティにおけるインナーとアウターの図

僕が関わったほとんどのオープンソース・コミュニティでは、多くのコラボレーターがその会社の社員と同じ立場でコアプロジェクトに参加していた。彼らはコードを加え、ドキュメントを書き、翻訳などをする。

1つの例は、Googleが2015年にはじめたTensorFlowだ。このオープンソースの機械学習プロジェクトは、1,700人以上のコントリビュータを集めている※16。コードが公開されているだけでなく、プロジェクトに対する議論、プロジェクトの方向性を決めるワーキンググループ、課題やバグの報告など、プロジェクトのすべてがオープンになっている。これによりTensorFlowはコカ・コーラ、Airbnb、Swisscom、Intel、PayPal、Twitter、Lenovoほか、多くの企業に利用されている※17。

彼らの成功と、これほど多くの貢献を生み出す能力は、強いコミュニティというバックボーンと、全員が同じ土俵で活動できる状態がないと、大幅に低下してしまうだろう。彼らはボランティアでありながら有能なチームの一員だし、したがって当然チームメンバーとして扱われる。コラボレーターたちはグループの意思決定（たとえばTensorFlowの方向性を決めるワーキンググループなど）がどうおこなわれているか、共同作業がどうおこなわれるか、いつどこでミーティングがあるか、TensorFlowの商標をコミュニティはどう使えるかなど、コミュニティのガバナンスや関連トピックに深い関心を持っている。僕はこういうのをインナータイプのコミュニティと呼んでいる。

これをAppleやGoogleの提供しているモバイルプラットフォームと比べてみよう。スマホアプリの開発者は彼らのプラットフォームの上にアプリを作っている。アプリ開発者はプラットフォームの働き、プラットフォームのリソースをどう使うか、自分たちのアプリをどう広く届けるかに関心がある。スマホアプリの開発者たちはプラットフォームの上で商売をしているので、プラットフォームそのものを自分のものだとは感じていないし、プラットフォームがどう作られているかについてはあまり関心がない。使えればそれでいいのだ。これがアウタータイプのコミュニティだ。

ちなみに、この「自分のものと感じるかどうか」、**オーナーシップというのはインナーコミュニティとアウターコミュニティの重要な区別だ**。インナーコミュニティでは、メンバーはプロジェクトに対する責任感や所有感を共有している（なので、チームメンバーとして扱われたいと思っている）。一方、アウターコミュニティではメンバーは自分のアプリやプロダクトについてオーナーシップを感じているが、その土台となっているプラットフォームにはオーナーシップを感じていない。このオーナーシップとの関係と、それが君のコミュニティにどう影響するかをよく考えてみよう。

当たり前のことだけど、コミュニティをどうケアするか、ユーザーにどう満足感を与えていくかは、この2つでまったく違うアプローチが必要だ。インナーコミュニティは**だれもが平等に扱われることで、皆が協力して仕事をするチーム環境を作るよう**注意深く管理されなければならない。スタッフとコミュニティメンバーのギャップを減らすために手を尽くそう。ビジネス上のめんどうな避けられない力学（セキュリティや機密保持など）があるから、全員を完全に対等にすることはできないだろうが、目指すべき北極星はそこでなければならない。

アウターコミュニティのためには、参加者が自分のビジネスをすぐに立ち上げられるほど世界的に普及したプラットフォームが必要だ。メンバーは**コンテンツ制作者としてめんどうを見てもらえることを期待**している。第1目標は、すべての部分が活用できて、すぐに手が届くエンド・ツー・エンドの体験でなければならない。

人が力を発揮できるマーケティング・マシンをつくる

当然ながら、これまで紹介してきたモデルはすべて、君の製品やサービスのマーケティングや認知度に顕著なドミノ効果を持っている。

2004年にUbuntuプロジェクトが始まったとき、最初の参加者たちは勢いがあった。僕は2年後の2006年からコミュニティづくりのために参加した。Ubuntuというテクノロジープロジェクトを、コードを書くのに夢中の人々にとどまらせるつもりではなかった。ぼくの大望はエンジニア以外も含めたさらに広い範囲の貢献者を呼び込み、これまでと違ったタイプの貢献、ドキュメンテーション、イベント開催、翻訳など、さまざまなタイプ成果を生み出すコミュニティを作ることだった。

このように多様なコンテンツを生み出した多様な参加者は、Ubuntuのブランドに大きな影響を与えた。このGoogle Trendsのグラフにあるように、コミュニティが活発になるにしたがって、「Ubuntu」という言葉を多くの人が検索し、検索結果にもたくさん登場するようになった。

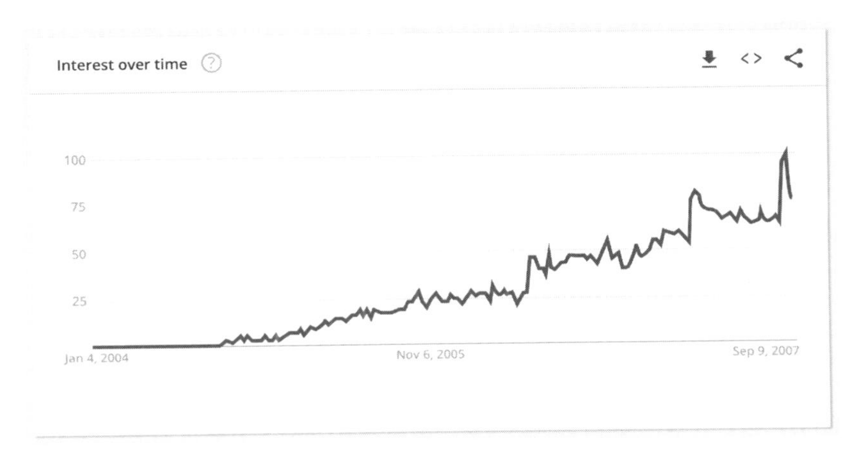

図2.3　GoogleでUbuntuと検索する人々の伸び※18

コミュニティがより多くのコンテンツやサポートを生み出していく中で、コンテンツがカバーする範囲が広がり、外部からさらに多くの人を巻き込めるようになった。ブランドはより強くなった。

これはUbuntuというブランドの露出を増やし、リーチする人々を増やすというだけでなく、コミュニティそのものの価値も高めた。僕らのコミュニティは検索順位が上がっただけじゃなくて、トラフィックの増加と使用量の増加、成長を経験し、結果としてより多くの価値を生み出した。

勢いはさらなる勢いを生む。人は、他の人も明確にいいと思うようなものに惹かれる。すばらしいサービスや経験を受けて元気づけられた人は、友人も同じ経験を受けるようにすすめる。この紹介は後光を生むようなもので、これをハロー効果（後光効果）と呼ぶ。

一例として、こないだ家のリフォームで知り合ったタイル業者、ダニーを紹介しよう。ダニーは自分のWebサイトやソーシャルメディアを持っていない。なんの広告活動もしていない。でも、彼は優れた仕事をすることで多くの紹介をもらい、ビジネスを続けている。彼の成功原因は二つ、(a) 僕らはすばらしい製品やサービスを提供してくれた人の商売が、継続的に成功してほしいと思う。(b) 同じ体験を友人にもさせてあげられたら、友人から見てもその製品／サービス提供者から見ても、こちらの社会的地位が有利になる。

この紹介のハロー効果は個人の体験に限った話ではなく、グループの体験にもあてはまる。もし土曜日の夜に友達と歩いていて、ふと覗いたレストランでみんなが笑顔で楽しそうにしていて、空席があれば、おそらくそこに入るだろう。特にグループでのいい思い出は伝染する。そうやって成長は築き上げられる。

でも現実的になろう。もしそのレストラン経営者が料理だけに注意をはらって席を埋める努力をしていなければ、レストランはガラガラのままだろう。**意味のある価値**を作り上げることと、その**消費を促す**ことの両方にフォーカスする必要がある。それにより、この勢いが本当に活用できる。

自分に適切なコミュニティ・エンゲージメント・モデルの選び方

オーケー、モデルについての話はもう十分だろう。今、君に最適なものが何かに注目してみよう。

あたりまえだが、万人向けフリーサイズの選択肢はない。それがあれば僕の仕事はこのうえなくシンプルになるけどね（そして精神衛生にもいい）。なかには、今の3つのどれかが明らかにフィットする人がいるかもしれない。でも他の人は同じコミュニティ内で複数のモデルのブレンドがあるかもしれない。複数モデルのブレンドは、特に大きいコミュニティでは当たり前のことだ。いずれにせよ、すばらしいコミュニティはシンプルなものからはじめて、なんども改善して拡大するものだ。

数カ月前、僕は1年前からコミュニティを立ち上げている企業との契約を終了させた。当初、彼らは最初から全開にしたいと思っていた。最初からサポートも、ガイダンスも、指導も、特集も、アートも、イベントも、フォーラムの司会や管理もする人を求めていた。ロックバンドAC/DCのヴォーカル、ボン・スコットの名言を借りれば「いささか高望み（touch too much）」だ※19。

こんなことをしちゃダメだ。

シンプルに始めよう。1つのモデルを選んで、推し進めよう。僕がこの本を通じて提供するガイダンスに基づいてコミュニティを構築し、成功が続きそうだと感じたら、他の領域にそれを広げていくべきだ。走る前に歩き方を学び、走れるようになってから猛烈にダッシュすべきだ。

なぜか？　理由は2つある。1つ目は最初のコミュニティ戦略を複雑にしすぎると、手に負えないぐちゃぐちゃな代物になり、行き詰まったり手一杯になったりしたとき、解きほぐせなくなってしまう。これは実に頭の痛い問題だ。シンプルにはじめられればこの問題は減らせる。

2つ目は、これを学ぶ唯一の方法は腹を決めて実際にやってみることだということだ。新しいことをはじめるのだから、**シンプルにはじめれば自分とチームに学習と成長の時間ができる**。やるべきことの大きすぎる皿でみんなを圧倒するのはよくない。この仕事がどういうことか理解し、自分のやったことがどう受け取られているかを消化し、改善する時間があれば、結果もよくなる。

一般的なシナリオで、どのモデルがフィットするかを見てみよう。これでどんな成分を入れたいかについて、おおまかな感じをつかめる。どうやって成分を追加していくかは、この本の残りの章に書いてある。

シナリオ1　製品やサービスのファンのためのコミュニティを作りたい

コンシューマー・モデルを適用しよう。

一般的には公開のディスカッションフォーラムやチャンネルという形にする。そこに人々が参加し、それまでの議論を見たり、参加したり、質問したり、マニュアルやガイドなどを見たりするだろう。これは前の章で説明したTrekBBSの例に似ている。製品やサービスに関連したさまざまなトピックについて議論するための、シンプルで操作がかんたんなクラブハウスを提供するものだ。

この種のコミュニティは使い方ビデオや記事などのあらかじめ（おそらく自分が）用意しておいたものを核として、さらにターゲットを絞ったディスカッションをおこなうという、ディスカッションとコンテンツを中心としたものになる。(a) ディスカッションができる環境と、(b) 人々を常に呼び込むコンテンツ、たとえばニュースやイベント、アップデートなどを計画しよう。そうすることで人々は何度も来るようになるから、そのときに魅力的で、インスピレーションを与え、励ましてくれるコミュニティにしておこう。

シナリオ2 サポートを提供するためのコミュニティを作ろうと思っている

支援者モデルを適用しよう。

これは製品やサービスの公式コミュニティにも、マニアが運営する非公式コミュニティにも当てはまる。まず、人々が質問をしたり回答したりできる場所を提供する必要がある。加えて過去にだれかがした質問や回答をかんたんに見つけられなければならない。これでそうしたソリューションの再利用価値が高まる。コンテンツを再利用できれば、その価値は高まるんだ。幸いなことに、それを実現する方法はたくさんある。

たとえば、クッキング情報コミュニティのSeasoned Adviceでは、調理や、焼きもの、グリル料理など、さまざまな調理方法についての質問を投稿できる[※20]。質問が投稿されると、コミュニティは複数の回答をおこない、質問者は満足できる回答を選ぶ。この質問と回答の組み合わせは再利用可能な質問の驚異的なアーカイブとなり、それが料理の巨大なFAQとなる（Google検索でも、これらの質問と回答が上位に出てくることも多い！）。数学、音楽理論、自家醸造、その他多くの分野にも同様のコミュニティがある[※21]。

また、コミュニティは、チュートリアル、ビデオ、オンラインコースなどの、ひととおりの必要な素材やリソースのパッケージをつくれるようにしておく必要もある。メンバーはこうしたコンテンツを作るだけでなく、他の人が見つけられる場に公開することも必須だ。

また、コミュニティですばらしいサポートを提供し、すばらしいコンテンツを制作している人々を認知し、何らかの形で報いるべきだ。そうすればパワーユーザーをコミュニティに引き戻し、帰属意識を作れる。

(以前にあげた、ビデオ製作ソフトのコミュニティでの株式市場向けのビデオプロジェクトの例のようなものだ)。

シナリオ3 自分のプラットフォーム上で動く技術を作るためにコミュニティを作ろうと思っている

これはコラボレータ・モデルを使うが、前に説明したようにアウタータイプのものになる。

ここでのいちばん大事な目標は、新規参加者がプラットフォーム上で自分の技術構築を、立ち上げて稼働させるにあたりワールドクラスの体験を提供することだ。この体験はシンプルで直感的で、参加者のさまざまなニーズに対応できるものでなければならない。参加する開発者は、君以外の、どのプラットフォームを使用することもできる。彼らにガマンさせてはいけない。可能な限りシンプルにすべきだ。第5章でくわしく説明するけど、導入路がきちんとできているか、何度もテストして実際にユーザーが使って入ってくるかを確認することが重要だ。

新規加入者の参入を楽にするためには、2つのキーファクターがある。

1つ目は、とにかくプラットフォーム上での構築を**極力シンプルで直感的にすること**だ。必要なものが選びぬかれてきちんと動作する開発キットやドキュメント、そしてメンバー同士が質問回答などで助け合える場所を用意しよう。たとえばGoogleはAndroidの開発者向けプラットフォームでいい仕事をしている※22。彼らは開発キット(SDK)のダウンロード、コードのサンプル、テストや品質のガイドライン、そしてライブラリのドキュメントを提供している。

開発者はとても短い時間、たとえば30分で結果を出せなければならない。新規参入の体験は、きっちりと必要なものに絞ってまとまっていなければダメだ。新規参入のデザインについては、第5章でくわしく説明する。

2つ目に、**開発者にどうインセンティブを与えるかの計画**が必要だ。開発者が作ってくれたアプリケーションや活動をプラットフォームで宣伝して、注目が集まるようにしよう。彼らの存在が、プラットフォームに新しい開発者を呼び込む大きなフックになる。

シナリオ4 自分のプロダクトやサービスに機能追加や改善をしてもらうためにコミュニティを作ろうと思っている

コラボレーター・モデルのうち、インナータイプを使おう。

いちばん大事なゴールは、スタッフとコミュニティメンバーの両方にとってすばらしいチーム環境を作り上げることだ。オープンならオープンなほど、スタッフとコミュニティメンバーの違いが少なければ少ないほど、コミュニティの構築は捗る。みんなが仲良くなり、(ほとんど) 完璧なハーモニーを奏でるようになる。

この本で紹介したArdourとKubernetesはそのいい例だ。これらのプロジェクトは、明確でオープンな開発のコラボレーションを提供した。DiscourseやFedoraなど、他の多くの成功しているオープンソース・プロジェクトも同様にいい例になる[※23]。

人々は、自分がコミュニティやプロジェクトのために何ができるのかを理解したがる。どのように投稿してレビューを受けるのか、必要なときにどこでサポートを受けられるのか、プロジェクト全体のある程度の計画と調整にどのように参加できるのか、その他すべて。もし君のスタッフがこれらを上手に、公開の場でおこなえるなら、すでにすばらしい第1歩を歩みだしている。

加えて、リーダーシップとガバナンスの明確な方法論も必要だ。これは同じようなコミュニティのどこでも必要とされる、よくある課題だ。明確な方法とは、別にコミュニティにすべてを任せるということではない。筋が取っていると思う場面で、それだけの実績を発揮した人びとをコミュニティのリーダーシップに参加させるということだ。このリーダーシップという要素はきちんとしたバランスを取るのがとてもデリケートで難しい。この本ではこの後何度も議論していく。企業運営とまったく同じだ。みんなが主体性を感じつつ、無理強いされていないと感じるようにしたいのだ。

シナリオ5 社内の人々やチームがよりよく協働するためにコミュニティを作りたい

社内コミュニティ（しばしばデジタルトランスフォーメーションの一環として作られる）は、複数のアプローチが考えられる。スタッフが、より効果的に仕事ができるように教育し、問題解決のためのアプローチを共有することが第一の目的なら、シナリオ2で説明したような支援者モデルを使用するべきだが、当然ながら内部の利用者だけに焦点を当てることになる。

社内横断プロジェクトで、異なるチームの共同作業を奨励することが第一目標である場合は、シナリオ4と同様に、コラボレータ・モデル（インナータイプ）になる。

コミュニティを企業文化にマッチさせよう。管理職に部下がチームに参加することを承認し続けてくれるよう特に気を使って、注意をおこたらないように。僕が仕事したとある金融サービスのデジタルトランスフォーメーションプロジェクトでは、他と隔離されたチーム内では成果をあげていたが、必要な管理職が全員参加するように持ってくるまでにとても苦労した。支援が得られるまでには多くの政治的な手管が必要だったけれど、その後は作業も結果を凄くスムーズにできた。

社内からのコミュニティ参加を自然なボランティア、参加者として扱うことが必要だ。**お願いと命令をちゃんと区別しよう**。いくつかの会社では、社内コミュニティのメンバーがいい成果を出しているのを見て、その人の仕事を追加してしまうことがある。これは望みと正反対の結果を生み出し、人々は参加したがらなくなってしまう。

6つの基本的な原則と適用方法（および失敗回避方法）

ここまでの説明は、基礎となる部分だ。3つのコミュニティ・エンゲージメント・モデルは型だ。そこに他の材料を入れることで、コミュニティ成長が進む。

次に進む前に、6つの基本的な原則を確認しよう。これら6つはどのモデルかに関係なく重要で、君の基礎をより頑丈で健全にしてくれる。

1 シンプルに始めて価値のある資産を築こう

無名の映画監督が最初の映画を作ったとき、それはその監督自身にとっては価値があるけど、他の人にとってはほとんど無価値だ。ファンもいないし、プラットフォームもない。映画という一つの資産ができたけど、それは市場でニーズが証明されているわけではない。

コミュニティも同じだ。できたばかりのコミュニティのインフラや施設は使われたことがないし、新しいソーシャルアカウントにはフォロワーがいないし、イベントの参加予約もない。僕らはここから始めなければならないのだけど、門を開いた直後はガラガラのままだ。

だから新しいコミュニティを作るときは、変数を絞らなければならない。物事をシンプルに小さく始めて、大きくしていくんだ。いくつか重要な要素を選び、それを中心に大きな価値を構築していくんだ。やることを増やすのは後回し。

僕が引き継いだあるコミュニティでは、最初からWebサイト、ブログ、6つのソーシャルアカウント、wiki、メーリングリストなど、あらゆるツールを作るのに何カ月も費やしていた。これはやりすぎもいいところだ。実際に価値のあることをやるよりも、こうしたツールのしくみの議論に時間を費やしていた。これは時間と労力の無駄遣いだ。

メンバーが価値を生み出すのに十分なインフラとワークフローを提供するために、最低限（もう一度言うよ、最低限！）に絞った確実に有効な製品から始めよう。Minimum Viable Product、MVPだ。できるだけ1つの手段から始めよう。ソーシャルネットワーク1つ、フォーラム1つ、コラボレーションツール1つといった具合。ちゃんと価値を生み出し、それを拡大していこう。

2 明確で客観的なリーダーシップを持とう

人はリーダーかフォロワーのどちらかに分かれるという俗説があるが、それはだいたい正しい。しかも世界にはリーダーよりフォロワーのほうが圧倒的に多い。コミュニティには明確で迷いがなく、公正なリーダーシップが必要だ。それは成功のためだけではない。重要なのは、他の人がそのリーダーシップに導かれて、マネをすることだ。君は**正しい**行動パターンとリーダーシップをマネしてもらいたいと思っている。

そのための**リーダーシップは、明確で、意図がはっきりしていて、親しみやすくて、客観的でなければならない**。実際のやり方はコミュニティしだいだ。1人のリーダーの場合から、さまざまな部分ごとにリーダーがいて、全体の構造が複雑なチームまで、さまざまだ。ここでも、小さなことからはじめて進化させていくべきだ。

リーダーシップは目標をはっきりさせつつ、親しみやすくなければならない。サンフランシスコのセキュリティ企業HackerOneのCEOマーティン・ミッコは、セキュリティ研究者のコミュニティをビジネス構築の中心にし、かつあらゆる場所で前面に押し出すことで、市場での価値を高めてきた。

数年前、HackerOneはラスベガスで贅沢でありながらもフレンドリーなセキュリティイベントを開催し、熱心なコミュニティメンバーを招待した。マーティンは、コミュニティメンバーの成功のために自分が奉仕するとハッキリと表明した。マーティンはコミュニティメンバーのモチベーションや関心事、どうすればもっとメンバーの活動を助けることができるのかを知りたいと考え、よりいいリーダーとなる方法をメンバーから学ぼうという情熱を持っていた。メンバーが熱中して仕事をしている間、マーティンが彼らに飲み物やスナックを運んできてくれることさえあった。

マーティンのような優れたリーダーは、耳を傾け、学び、導く。彼らは支配しない。人々を抑えたり無用に指図したりしない。偉大なリーダーは、そのリーダーシップと意図の範囲が明確だし、オープンで透明性のある行動を取ると同時に、必要に応じてプライベートなやりかたで細やかにも動ける。優れたリーダーは、コミュニティのメンバーが意思決定をおこない、紛争を解決できるように、いつも落ち着いていておたつかない。そういう特性を持っていてリーダーにできそうなのはだれか、注意深く考えなければならない。

3 文化と期待をハッキリとさせよう

僕と妻は、1年中ケンカばかりしているカップルを知っている。子供の相手や疲れ、ストレスが入り混じっていると、どんな結婚生活でも険悪な雰囲気になるものだけど、いつも相手に対して不明確な期待を抱いているのが彼らのアキレス腱だった。「あなたが子供を迎えに行くはずだったのに！」「なんでその時間に学校に行けって言わなかったんだよ！」

この問題は、関わる人が多くなると、指数関数的に悪化する。**人々が集まると、そこには文化が形成される**。その文化の中には、みんな守るべきだと思っているけど口に出されない、暗黙のマナーみたいなものが含まれる。グループが成長すると、そうした暗黙の規範が何なのか、どうあるべきかについて意見が分かれ、それがコミュニティやビジネスで起きる問題の相当部分を引き起こしている。

期待と文化的規範をコミュニティの中で常にはっきりと設定することが不可欠だ。君がコミュニティを運営するうえでの価値観や社会的規範について、人々がバラバラに予想するようなあいまいさがあってはいけない。そんなことはみんなわかっていると思っていても、実は理解していないだろう。この価値観を明確にして、日頃から意識してもらうように、絶えずそれを伝え続ける必要がある。

別にめんどうな話じゃない。コミュニティが常に意識すべき価値と価値観を明確に説明した文書をつくるだけでもいい。僕はよくクライアントに「コミュニティの約束」を作成することを勧めている。これには、運営者にはわかりきっていても、きちんと言葉にすることが重要なコアバリューを含めるべきだ。ほとんどの「コミュニティの約束」には、以下のような要素が含まれている。

- 我々はアイデアを批判する。人を批判しない
- 我々は性別、セクシャリティ、政治的志向、他すべてに関係なく、コミュニティの人々みんなを平等に扱い、歓迎する
- 我々はそれぞれの貢献を、それぞれのメリットに基づいて判断する。だれからの貢献かは関係ない
- 我々のコミュニティでのコラボレーションは、セキュリティや顧客の都合による限られた例外を除いて、ほとんどはオープンにおこなわれる
- 我々は「失敗は成功のもと」を信じている。我々は人の失敗を非難せず、失敗を受け容れて学びや改善につなげる

こうした文章は、コミュニティの一般的な原則や価値観を明確化できるけれど、それをきちんと実施する（そして実施しているところを見せる）だけでなく、その文章がどのように整備され、活用されていることを示すために、定期的に情報や更新がおこなわれていることが重要だ。**コミュニティの「プロダクト」の生命線は、だれでも参加できる健全で魅力的な文化**であることを忘れてはならない。この文化は、だれもが積極的に文化そのものに自分の影響を与えられるような、柔軟性のあるものでなければならない。

僕は昨年、ロンドンの大手金融サービス企業で働いていたとき、ある社員が昼食を食べながら、ビジネスの文化に影響を与えることができず、毎日オフィスの仕切りの中で過ごすのが屈辱的だと嘆いていたのを聞いた。**影響力は心理学的に重要**で、自分の仕事の意義が感じられるだけでなく、グループへの帰属意識も構築する。

そのコミュニティが何をおこなうかがみんなからハッキリ見える見通しを持ちつつも、メンバーにとって"ハッキング可能"な文化を作り上げるよう注力しよう。定期的にコミュニティからのフィードバックを集め、そこから学び、実践とワークフローの基準をアップデートする。**文化は参加者によって進化していくものであり、神々から下される不変のルールブックではない。**

4 人間関係と信頼、関係づくりに集中しよう

人生は、人間関係と信頼関係でできている。家族から職場、友人まで、うまく関係を作れなければ、なにもできない。さらに、友人たちも最低だと思うだろう。

信頼は人間関係をつなげるものだ。問題を解決するだけではなく、常に信頼を育める人間関係を築かなければならない。それが骨格となって、他のすべてがうまくいく。

コミュニティの成功には、関係づくりへの取り組みが大きく影響する。コミュニティのメンバーやチームを、純粋な実用性や機能としてだけとらえてはだめだ。コミュニティの人々がつながる強力な基盤を形成する関係性のネットワークとするべきだ。この関係性こそが、最初のガイドやメンターへの依存度を減らし、コミュニティのメンバーが革新的になり、新しい価値を構築することについても自信を持てるようになる。こうした自律性をメンバーに植え付けることがとても重要だ。それが成長にもつながる。

要は単純な話だ。他の人の成功を後押しして、その人の話に興味を持ち、対等に接することだ。そこから健全な文化が形成されていく。

5 常に敏感で洞察的で辛抱強くあろう

これからする話で、多くのプロジェクトマネージャーは頭にくるだろう。

多くの企業は、役員会議室の人たちがすべての答えを持っているという傲慢さで満ちている。ホワイトボードにエレガントに描かれた図、よく参照されるTEDの講演や本などの証拠が、この彼らが出した答えを裏付けようとする。

でも本当のことを言おうか。商品やサービス、コミュニティなど、人のために何かを作るとき、**答えはオーディエンスの頭の中にあるんだ。こちらはそれを、こちらが対応できるような形で引っ張り出せばいいん**

だ。

コミュニティ構築プロセスでは、いろいろ疑問が出てくる。経験を積むと、自分には答えがわかっていると思いたくなるかもしれないが、それはせいぜいヤマカンみたいなものだ。君のオーディエンスこそが知恵の真の源だけど、オーディエンス自身はそれを知らない。彼らに質問をしたり、仮説を投げかけてみたりして、建設的な批判に耳を貸そう。それは大きな利益をもたらす。

このプロセスの一部として、**不快な洞察もちゃんと聞かねばならない**。失敗は絶対に起こる。聞きたくないフィードバックも出てくる。そこでストイックにならなければならない。批判的なフィードバックはいいことだ。それは船底の穴を見つけてくれる。批判的なフィードバックにうまく対応すれば、穴を塞ぐだけでなく、コミュニティとの間にすばらしい信頼関係が築けるし、その信頼関係はコミュニティの外側にも広がっていく。

6 意表を突こう

最後に、非常に優れた企業やコミュニティは、常にオーディエンスを（いい意味で）驚かせることを説明しよう。

かつて、著名な保守派政治家であるテッド・クルーズは、スティーブン・コルベアとの深夜トーク番組にゲストとして出演し、同性婚に関する最高裁判決に反対の意見を述べたことがある※24。観客がテッドにブーイングを浴びせたとき、コルベアは「はいはいみんな、どう感じようと、テッドは僕のゲストだからブーイングしないでね」と話した。コルベアは同性愛者の権利をハッキリと支持しているので、観客は驚いた。コルベアはホストとして、たとえ意見が合わなくても、ゲストが邪魔されず意見を共有できる場を作ることが重要だと感じていた。

人間は驚き、刺激を受け、課題に直面する必要がある。これは安っぽい挑発者になることではなく、自分の限界を広げ、かつ自己批判的な価値観を育む能力で、常にメンバーやチームを喜ばせることだ。先ほどのマーティン・ミッコ氏の例は、これを示している。このような熟練した

CEOがコミュニティメンバーから学ぶことに興味を持っているのを見て（そして、彼らに飲み物を持ってきてあげる様子を見て）、人々は本当に驚いた。それは、多くの人のCEOに対する見方をひっくり返した。

これは単なる重要なリーダーシップのスキルにとどまらず、コミュニティが高齢化する中で、停滞や退屈を防ぐにも役立つ。コミュニティメンバーをわくわくさせよう。適切な種類のポジティブなサプライズは、コミュニティのミッションを達成する能力への信頼、君への信頼、ひいては君のビジョンへの信頼を築き続ける。

価値を作るためには全員がレギュラーだ。落ちこぼれはいない。

Linux Foundationはクラウド、インフラ、自動車、データ、その他の分野にまたがる、何百ものテクノロジー・コミュニティをサポートし、促進する組織だ。最近エグゼクティブ・ディレクターであるジム・ゼムリンと、彼がこの広範な戦略をどうやって実現しているかについて話し合った。

「いくつかの会社が犯すミスは、コントロールを絶対に手放したがらないという点だ」彼は続けた。「そのミスの兆候は、コミュニティのガバナンス、資金調達、主要な運営者のアイデンティティ（そして、外部の貢献者が運営に関われる道があるか）、プロジェクトのオープン性、意思決定の透明性など、さまざまな形で現れる。企業は、プロジェクトのコントロールの一部をコミュニティに委ねなければならない。さもなくばプロジェクトのオープンさがニセモノになってしまう危険性がある」[※25]。

これまでに説明してきたように、コミュニティが本物であることが非常に重要だ。その信頼関係の鍵となるのは、コミュニティがすばらしい仕事をするために力を与えられるような協力的な環境を構築することだ。これを成し遂げるために、会社とコミュニティのパワーバランスについて慎重に考える必要がある。

ジムは「企業は、社内プロジェクトで一般的におこなわれている厳格な管理チェックがなくても、プロジェクトのリーダーになれる」と語る。彼はまちがっていない。コミュニティ戦略を真に左右するのは、みんなにがんばらせてその結果を承認することではない。人々がこちらを支援するために自らがんばりたいと思わせることだ。そうすればコミュニティの他の部分も成功する。

第3章

場所を用意するだけじゃダメだ

世界は新しいリーダーシップを必要としている。
新しいリーダーシップとはともに働くことだ
—— ジャック・マー

「やあジョノ、週末はどうだった？」

と、僕がかつて運営していたコミュニティのメンバーで、いつも熱心で愛想のいいドンが訪ねてきた（この本ではどの登場人物も仮名にしている。彼は実際にどこにでもいるようなアメリカ人だ）。

「おかげさまでいい週末だったよ。君が開催した週末のイベントはどう？　人いっぱい来た？」

するとドンは、明らかにのどをつまらせた。「えー、ダメだった。だれも来なかったんだ」

僕は愛想笑いをしたが、むこうはちょっと気まずい感じだ。彼には笑いごとじゃなかった。ドンはイベントを企画して内容を考え、部屋を予約してコーヒーと軽食を用意したのに、だれも来なかった。だれ1人。場所を用意したのに、本当にだれもこない。まるでみんな、意図的にそこを避けたようだった。

もちろんドンはこれを笑い飛ばすこともできるけれど、ここには教訓がある。イベントにだれも参加しなかった理由は、そのイベントが参加者にとってどのような価値を提供してくれるのかがよくわからなかったからだ。ドンは企画したイベントの内容やイベントに来るであろう人々とのネットワーキングを、参加者がイベント全体の経験から得られるメリット（知識や交流など）に結びつけて示すことができなかった。

会場の予約、コーヒーや席の準備、客席、広告を手配するだけじゃ意味がない。これらの材料を混ぜるだけでは、カクテルには足りない。こうしたことはベースラインでしかない。

コミュニティ戦略に慣れていない多くの企業がここで行き詰ってしまう。コミュニティマネージャーを雇い、その人がソーシャルメディア、ブログ、イベント、マーケティングなど、企業の期待しているさまざまな要素を混ぜ合わせ始める。でもここで、**オーディエンスが**どのような価値を求めているのか、それをこちらがどのように迅速かつ確実に提供できるのかを明確にしていないと、労多くして**多くの失敗となるリスク**がある。

「価値」をきちんと掴んで示そう

価値とは辞書では「相対的な価値、効用、重要性」と定義されている※1。そして大きく2種類に分けられる。

有形の価値とは、目で見て、触って、感じることができる測定可能な物理的な商品やサービスだ。仕事で得られる給料、航空会社の特典プログラムで得られる無料旅行、コーヒーの特典カードにスタンプ10個で得られる無料コーヒーなどだ。

無形の価値とは、君が経験し、感じるメリット、たとえば経験や関係性のことだ。それは、今月の最優秀従業員であることや、賢い人々と仕事をする快感、君の仕事が使われ評価されること、自分が大切にしているチームの一員であることを感じること、などなどだ。

心理学的に人間は、（予想される）結果に価値があると感じられるなら、手間暇を喜んで注ぎ込むように作られている。だからこそ人は仕事を持ち、競争に参加し、新しい職業的地位や希望する学位、その他望むものを得るためにシャカリキに働くんだ。(a) 自分がどのように価値を**提供できるか**明確で、(b) 自分がどのように価値を**受け取れる**かが明確なら、すばらしいコミュニティの基礎ができあがる。

これで次のステップへと進める。そのためにも、**コミュニティで生み出すべき有形の価値と無形の価値をはっきり理解することだ**。これで正しい考え方ができるようになるし、常にガードレールが用意されることになる。この本を先に進め、細かい戦略や戦術の詳細を作る段階でも、いつも僕らの仕事の最も重要なフォーカスである「価値の推進」に赤線が引かれていることを確認するんだ。

注意警報！　注意警報！

多くの会社や組織が価値を考えるときに、身勝手な10代の若者のように自己中心的になるというまちがいを犯してしまう。自分の**会社はコミュニティからなにを得られる？**　コミュニティメンバーは**会社になにをしてくれる？　どんなふうにビジネスの役にたってくれる？**　これらは超特急でコミュニティをつまらなくさせてしまう。

成功する人間関係とは、それが友人関係であれ、パートナー関係であれ、結婚であれ、すべてはどんなものが相手の心を動かすかを理解し、どうすれば相手を幸せにすることができるかを理解することだ。**共感と無私の心が、人間関係を構築し、修復するのに役に立つ**ことは何度も証明されている。それは時代を超えて偉大なリーダーシップの基盤だ。

もしも僕らが将来のコミュニティメンバーと僕らの両方にとって生み出せる価値をきちんと明確に理解し伝えることができれば、コミュニティメンバーにとってはワクワクし、自分たちにとっては価値のあるコミュニティを構築することができる。さあ、始めよう。

バリュー・ステートメントを作ろう

紙と鉛筆を手に取ろう。ブレイン・ストーミングを始めるよ。この図のように紙を半分に分けて、自分たちとコミュニティメンバーの価値を書き出してみよう。

我々はこういう価値をつくっていく……

自分たちのため：	コミュニティメンバーのため：
•	•
•	•
•	•
•	•

図3.1　コミュニティ・バリュー・ステートメント

ここでなにに注目するかは、第2章で紹介したコミュニティ・ミッション・ステートメントと、コミュニティ・エンゲージメント・モデルの選択に大きく左右される。

コミュニティメンバーにとっての価値

まず**すばらしいコミュニティを造るための第1ルール**について説明しよう。見込みメンバーたちの成功と価値を最優先しよう。これがうまくできれば、君のコミュニティは自然と成功していく。

まずコミュニティメンバーにとっての価値を書きだそう。これは本当に価値あるおもしろいコミュニティを作る方法のヒントになるし、またメンバーのためにこの価値を作っていくうえで、自分が現実的にどこまでコミットできるかという見積もりも調整できる。

将来のコミュニティメンバーになったつもりで考えてみよう。君はコミュニティに参加しようかなと思うけど、時間もないし他におもしろそうなことも山ほどある。いま一番興味のあることはなんだろう？　すぐ解決したい問題はなんだろう？　自分にとって一番の価値が得られる体験は何だろう？

人は皆ウィンドウショッピングで新しいものをチェックしてみる。ビジネスのために新しいツールを導入するときも、買う前に機能を理解するためにインターネットで検索する。風呂場の水まわりを修理するときも、先にやりかたをインターネットで検索するだろう。

コミュニティについても同じだ。公開のフォーラムのように、コミュニティそのものがインターネットで見られる状態にあれば、サインアップしなくても、積極的にコミュニティの成果を利用している見込みメンバーがいるはずだ。たとえば僕はhomerecording.comのコミュニティから、音楽制作について何年もいろいろ学んできた。自分ではほとんど書き込んでいないが、このコミュニティはだれでもオープンに読める。

もちろん、もっと突っ込んで学びたい人も多い。そういう人が必要としているのは情報やガイダンスに加えて、具体的な質問ができて、回答をもらうこと。そして他の人といっしょに共有プロジェクトに取り組むことや、新しいコンテンツを提供することだ。これらは**すべて**コミュニティで協力して自分自身と他の人のために価値を生み出すチャンスだ。

でも現実的になろう。君や君の組織・会社の成功は、コミュニティメンバーの最優先事項どころか、二次的な目標にもならない。メンバーが暇人と思ってはダメだ。**どうすれば彼らが喜ぶいい価値、客観的に見てメンバーたちだけのためになるようなもの**を与えられるだろうか？　いくつかのコミュニティで見られる共通点を挙げてみよう。

1. 他の（すばらしい）人々に会う

自分と同じような興味を持った人に会える価値を見くびらないこと。共通の関心事について話し合ったり、アイデアを共有したり、ディベートしたり、新しい友達を作ったりすることは、とてもやりがいのあることだ。

2. メンバーの体験を豊かにする興味深いコンテンツ

コミュニティはコンテンツを造る強力なエンジンになる。優れたコンテンツはたとえば、記事、ビデオ、ポッドキャスト、ライブイベント、画像、プログラムコード、素材（編集可能な3Dオブジェクトなど）、デジタル環境内のアイテム（オブジェクトや建物など）などがある。

コンテンツの価値は2つの側面がある。すばらしいコンテンツを**消費**することと、コンテンツを**制作**し、それで他の人を楽しませる喜びの2つだ。

3．ハイクオリティな学びとヘルプ

新しいコミュニティメンバーにとって、コミュニティに入る最初の入り口は、問題を解決するヘルプを見つけることだ。新製品やサービスを選び、購入するときには特にそれが顕著だ。そのためには問題解決のためのガイダンスを提供するガイドやチュートリアルなどの教育コンテンツと、トラブルシューティングを手伝う人間からの回答の2つが必要だ。これはコミュニティが大きな価値を提供できる分野で、一貫して成功している。

4．スキルアップ

コミュニティは人々がスキルを向上させるために新しい取り組みをするためのすばらしい方法だ。ライティング、デザイン、ソフトウェアなど、なにかを生み出すことができる環境を提供し、コミュニティの中で他の人とお互いフィードバックを提供したり、スキルを磨く手助けをしたりすることで、がんばってスキルアップすることにつながる。これはオープンな環境でおこなわれることが多く、自信と能力を高めることにもつながる。

5．メンタリングとコーチング

世界中のコミュニティには何百万人もの親切な人たちがいて、仲間のコミュニティメンバーに指導、メンタリング、助言を提供している。これには大きな価値がある。考えてみよう：コミュニティに参加することで、賢くて能力のある人たちにアクセスすることができる。彼らは貴重なメンタリングとコーチングを提供してくれるのに、メンバーたちは一銭も払わなくていい。これは重要なセールスポイントになる。

6. 専門知識とキャリアアップのための経験

そのコミュニティがそもそも専門的なもの、たとえば会社内部のものや、専門的な製品やサービスに焦点を当てたものなら、これは重要なアピールポイントになる。コミュニティは、専門性のある経験をつくり、さらには履歴書に加筆できることをはじめるすばらしい方法を提供できる。僕も、自分がコミュニティに参加して得た経験、人々、そしてチャンスがなければ、この本を書くことはなかった。

コミュニティのバリュー・ステートメントは、アップデートが重要だ

メンバーたちに価値を提供するこうした分野を検討するとき、コミュニティやメンバーを、なにかがんばればその分の価値が必ず出てくるような自動販売機のように考えないこと。その体験は個人的で、無形のさまざまな形をとった体験になる価値を作ろうとしているんだ。

これこそがコミュニティなんだ。メンバーはここでずっと続く人間関係を築き、自分の貢献を認められ、評価され、そうした貢献がコミュニティの成功の一部であると感じ、本物の帰属意識を育めなければならない。**人は最初は目に見えるメリットでコミュニティに惹かれるけど、目に見えない価値があるからこそ、また来たくなるんだ。**

ここにコミュニティのバリュー・ステートメントをいくつか例示する。

- メンバーからの質問に、信頼できる解答が24時間以内に提供されるようにしたい
- メンバーがガイダンス、ベストプラクティスなどの文書を作ってシェアし、それを他の人が楽しんで読んでくれるようにしたい
- コミュニティのメンバーが、より広い範囲でうまくいくようなソフトやサービスを作れるようになってほしい
- コミュニティのメンバーが追加してくれたソフトや機能が、きちんと使われて評価できるようにする
- コミュニティメンバーには我々の製品に対して自由で開かれたな

アクセスを提供する

- コミュニティメンバーに新しいスキルを身につけてもらい、キャリアのために貴重な経験を積んでもらいたい
- コミュニティメンバーに楽しい時間を過ごしてもらいたい

最後の1つが決定的だ。**コミュニティは楽しくなきゃならない！** メンバーは楽しい時間を過ごしたいと思っている。彼らは意味のある仕事、刺激的なディスカッションを通じて人間関係を築きたがっている。機械的で、ドライで、退屈で、過度に形式的な経験は望んでいない。もしも見込みメンバーたちにとっての「楽しさ」がわからないなら、類似の成功しているコミュニティを見て、どのようにすれば楽しく魅力的なコミュニティになるのかを学んでいこう。

会社にとっての価値

これまで注意してきたように、組織にとってコミュニティを開始するのはそんなに生やさしいことじゃない。投資と時間、そして一貫した世話が必要だ。コミュニティには多くの可能性があるが、自分がなにを求めているのかはクリアにしておかなければならない。

目的をハッキリさせておくのは、コミュニティへの承認を得るために、特に重要だ。僕のクライアントの大半は、コミュニティ戦略を始めるために、熱心でエネルギッシュな顧客やスポンサー、ステークホルダーからなるグループからスタートさせる。このグループは、自分たちのビジョンを他のグループに売り込み、実際に実現するための作業をしてもらわなきゃならない。もしもその作業の価値が明確であいまいなものなら、他のチームはなにか口実をつけて、責任転嫁をしたり、無視したり、なんでそんな作業をやらなきゃいけないだという顔をするだろう。僕らがほしいのは、ただの承認じゃない。**かれらの熱意、情熱、専門知識**がほしいんだ。

多くの組織がコミュニティプログラムを構築する際に求めている共通のバリューを、いくつか見てみよう。なぜこのコミュニティが時間と労

力を費やす価値があるのかについて、情熱的な姿勢と冷静な事実の両方を売りにしなければならない。

1. 顧客やユーザーの増加

見込み顧客が製品を買う前にコミュニティを利用することはよくある。他の人がどのように製品を使用しているかを見て、自分にとってどのように機能するのかについての質問をし、助けを得られる場所があることを知ることで製品を評価するためだ。コミュニティは、製品やサービスを他の人に広めていくうえで、大きな役割を果たすことができる。

2. 顧客やユーザーへのよりいいサポート

一方でコミュニティは製品に対してすばらしいサポートを無料で提供できる。コミュニティは質問に答えたり、問題のトラブルシューティングをしたり、製品を最大限に活用するためのガイダンスを提供したりできる。

3. マーケティングとブランド認知度の向上

コミュニティはブランドを築くうえでの親衛隊になる。認知度の向上、コンテンツの制作、ソーシャルメディア上でのドキュメントのシェア、イベントの開催、ユーザーグループの組織化、実際に仕事で使ったうえでのレビューを寄せてくれるし、それ以上のこともやってくれる。

4. 製品や技術の開発や改善。

多くのコミュニティ、特にコラボレーター・コミュニティの参加モデルは、とても価値のある貢献を生み出せる。

インナーのコラボレーター・コミュニティは新機能の開発、バグやセキュリティの問題FIX、翻訳、さらにはインフラの改善まで生み出せる。アウターのコラボレーター・コミュニティはアプリケーションを作り、サービスにそれを実装し、さらにはそれ以外のものも作り出せる。こうした貢献すべてがプラットフォームやプロダクトをさらに強くする。

5. リクルートとサービスの強化

プロダクトやサービスを取り巻く情熱的で熱狂的なコミュニティがあれば、そのコミュニティは会社が人を雇うときの人材の源になる。その分野の経験と専門知識を持っていて、いろいろな役割を果たす人材がとても有用なのは当然のことだ。

また彼らの専門知識を活かすためにコンサルティングやパートナー関係を結ぶことにして、主要なコミュニティのメンバーにトレーニングやサポート、その他のサービスを提供してもらうこともできる。これにより、製品エコシステムの幅が広がる。

自分たちの組織のために構築したい価値を考えるときには、使えるリソースがどれだけあるのか、どれだけのことができるのかを現実的に考える必要がある。同時になにが自分たちにとって意味のあることなのか、きちんと戦略的に考えなければならない。商業的なステークホルダーや支援者がいるコミュニティは、さらに慎重にバランスを取らないと大惨事に陥る。コミュニティメンバーの関心に合った価値にちゃんとフォーカスしなければならない。そうでなければ、君の作るコミュニティはだれの関心も惹かないだろう。

たとえば、ほとんどのコミュニティメンバーが、コミュニティを広げて付加価値を与えるコンテンツ、素材、技術（他のユーザーへのヘルプなどだ）を制作したいと考えている。でも、商売に役立つだけのコンテンツはやりたがらない（たとえば有償サポートの一部としてサポート提供するなど）。これは僕が見てきたパターンすべてでそうだ。**メンバーが貢献したがるのはコミュニティに対してであって、そこでは君の会社は歯車の1つでしかない。**

同じく、提示する価値が「コミュニティなら安上がり」じゃあダメだ。僕はセールスやマーケティング部長たちとよく仕事をしてきたけど、彼らはコミュニティがタダで営業資料を送りつけられる相手だと思って大喜びしていた。

こんなことしちゃダメだ。

コミュニティを信頼できるパートナーと考えなきゃだめだ。パートナーに営業メールなんかおくらないよね？　組織にとって貴重なパートナーに、いつも気持ちよくすごしてもらいたいだろう？　コミュニティがまさにパートナーだ。

コミュニティ・バリュー・ステートメントをアップデートする

君のコミュニティ・バリュー・ステートメントに、加えられそうな例をいくつか紹介しよう。

- **製品やサービスへの理解を深め、認知してもらってブランド価値を築くためにコミュニティを活用したい**
- **製品へのサポートを、少ない費用で改善するためにコミュニティを活用したい**
- **顧客の求めるものや、サービス改善方法を知るためにコミュニティを活用したい**
- **将来の採用のための見込み人材プールとしてコミュニティを使いたい**

こうしたバリュー・ステートメントは、あくまでメンバーに提供できる価値の補完でなければならない。**会社がどうやってコミュニティメンバーに価値を提供できるのか、そしてコミュニティメンバーがどう製品に価値を提供できるのかも明確じゃなきゃダメ**だ。バリュー・ステートメントを完結で明確で、メンバー全員が理解していて、全員の気持ちが沸き立つようにしないとダメだ。

自分たちの大岩、ビッグロックスを作り上げよう

コミュニティは異例で無形の存在なので、ほとんどの人には理解できない。自分たちとしては作り上げたバリュー・ステートメントにこめられたチャンスがわかっても、他の人にはそれがまるで実感できない（そして、それはリスクへの恐怖心を生んでしまう）。

さらに戦略構築をややこしくする話として、**コミュニティは本質的に複数の部門をまたがる**。プロモーションや認知度向上のためにはマーケティング部門が必要になる。インフラチームはコミュニティが利用できるツールや技術を開発する必要がある。製品チームは、コミュニティを製品やサービスに統合する必要がある。プロジェクトが複数の部門にまたがると、誤解や行き違いのリスクが高まる。

このように、さまざまなレイヤー間の調整やコミュニケーションは、たいへんな苦労を強いられることになる。コミュニティ構築の仕事を提供する日々会う現場のスタッフのための実践的なガイダンスと、上層部のニーズを両方満足させる必要があるんだ。現場は自分たちが価値を届けるためにする仕事がどんなものか明確に理解している必要があるけど、重役は細かい話なんかいやがる。でも成功にはこの両方をサポートしなきゃならない。

解決策は、明確な担当者と成功基準を持つ、高レベルの目標セットだ。ぼくらはこれをビッグロックス（大きな岩）と呼ぶ。これにより全員の足並みがそろう。この本の後の方で、現場向けの詳細な実行計画と、進捗の確認方法を提供する。

ビッグロックスのしくみ

まずブレイン・ストーミングから始めよう。次の年度内に達成できそうな、5〜7個ぐらいのコミュニティ戦略目標を考える。僕は1年で考えるのをオススメしているけど、もし気に入らないなら6カ月にフォーカスしよう。それより短いと広い目標を狙えなくなるリスクがある。

ここではビッグロックスのフォーマットと内容をはっきり理解してほしい。このフォーマットはコミュニティ戦略の進化を示す文書でもある。他の戦略立案と同じように、すべての答えが最初からわかっているわけではないが、それでかまわない。最初の目標は、まずこのフォーマットを明確にして、チーム全体にもそれを明確に認識してもらうことだ。そうすれば全員が戦略について同じ言葉で話せる。その言葉により人々はビッグロックスに参加しやすくなる。積極的に参加してくれるようになるし、みんな共通のゴールを目指せるようになる。

どんなビッグロックスも、文字通り大きい。ここで求めているのは小さい改良ではなくて、しっかり中身のある、がっちりして妥協のない、野心的なゴールだ。ビックロックスは人に見せたときに思わず「すごい」と言わせるようなものでなければならない。そしてなによりビッグロックスはコミュニティ・バリュー・ステートメントときっちりとつながっていなければならない。

ビッグロックスは現実的で実現可能でなきゃならない。100%の成功率にはならないし、おそらく初月に200万人が参加してくれることもないだろう。自分の立場、どこを目指すのか、それを実現するためにどんなリソースが利用できるのか考えてみよう。その後でできた目標を30%増しにする。そのぐらいでいい。

できあがるビックロックスのフォーマットはこんな感じだ。

- **目標を1行で表したもの**
  目標と、それがコミュニティや君の組織に提供できるおもな価値について1〜2段落程度で説明したもの

- **今後1年間のおもな取り組み**
  目標を達成するためにおこなう作業を箇条書きにしたもの

- **KPI**(Key Performance Indicators　**成績評価指標**)
  目的達成ができているか評価する、測定可能な評価指標

- **担当者**
  この目標をだれが達成するか

この書式は見れば理解できるはずだけど、2つの重要な要素を強調しておく。

KPIはそれぞれのビッグロックスで成功失敗を判断するための指標

だ。コミュニティ戦略のあらゆる作業は、大目標だろうと、四半期ごとの個別タスクでも、目標となる数字が必要だ。目標数値は明確に**測定可能**じゃなきゃならないし、常にチームの頭にないといけない。

1年後に「あれは実現したの？」と聞かれて、ハッキリとイエス・ノーが答えられるべきだ。「まあまあです」なんて答えはありえない。僕はよく、チームが積極的に進捗確認するために、年間KPIを四半期ごとの目標に分解する。明確なKPI（と、その実現についての説明責任）がチームのパフォーマンスを向上させる。どのクライアントとの仕事でもこれは変わらない。

担当者というのは仕事の責任を負う人だ。別にすべての仕事を担当者だけがやるわけではないが、仕事をすすめるために人の尻を叩いたりなだめたりする責任を負うのは、最終的に彼らだ。もしも目的が達成できなかったら、その担当者が申し開きを求められる。

ここでのゴールは読みやすく簡潔にすることだ。正直言って、みんな分厚くて退屈な戦略目標を読むのにうんざりしている。目標の背景なんかを知る必要はない。なにをするかから書き始め、どう測定するかで書き終わるべきだ。ビックロックスはどれも最大でも**4〜6ページだ**。

ここでいくつか、僕がこれまで仕事してきたクライアントのものを紹介しよう。（詳細や企業名は匿名化してあるよ）

例その1：フォーラムを中心に成長するユーザーコミュニティ

既存のコミュニティフォーラムへの参加をふやす。新規会員増加数と、活発で積極的な参加を示すさまざまな指標で判断される。

【一年後の達成目標：】

- すべてのフォーラムのコンテンツ計画を立てて実施する
- フォーラムに新しい製品や主要ニュースを届ける
- 新規会員のサポートとスキルアップを目的としたメンタリングをおこなう
- ソーシャルメディア広告で注目のコンテンツを紹介する。

【今後一年間のKPI：】

- 1000人の会員登録を実現（登録とアカウント確認の両方で評価）
- 参加したユーザーの50%以上（分母は前のKPI）が5つ以上のトピックを投稿し、30以上の投稿を読む。投稿を読むのに1時間以上を使う
- 全登録ユーザーの10%（分母は前のKPI）が2日に1回以上訪問し、20以上のトピックに投稿し、30のいいね！を受けて40のいいね！を与えている

【担当者：】

- アダム・ホファート

例その2:アクティブな、サポートコミュニティを作る

高品質で信頼性の高い、コミュニティ主導のサポートリソースを構築し、他の知識豊富なユーザーから迅速かつカンタンに助けてもらえるようにする。

【一年後の達成目標と指標：】

- サポートへの参加を促進するためのインセンティブと報酬をプランニングし、実施する
- 優れたQ&Aを、四半期コンテンツ計画と月ごとのコンテンツ計画（ブログやSNSの更新も含む）として公表する

【次年度以降のKPI：】

- 登録された質問のうち、75%以上が回答されている（重複マークやスパムマークがつけられるものを含む）
- 70%以上の質問は、質問者が回答を承認している
- 300人以上の顧客がなにかの質問に回答している

【担当者：】

- サラ・ルイス

例その3:参加型の開発者コミュニティの構築

我々のプラットフォーム上でアプリを開発している開発者のコミュニティを作る。成功の指標は、a）集めた開発者の数　b）開発されたアプリの数　c）コミュニティがその成功をどうサポートしているか　で判断する。

【一年後の達成目標と指標：】

- 新しい開発者向けの導入路を設計し構築する
- SDK（開発キット）にコミュニティ機能を統合し、開発者たちに届ける
- 開発者に特化したコンテンツプランを設計し構築する（チュートリアル、ワークショップ、ウェビナー他を含む）
- 注目のアプリを紹介する「最高アプリ」プログラムの実施

【今後一年間のKPI：】

- 開発者向けの導入路を作り上げ、公開する
- Version1.0のSDKを作り上げ、公開する
- 年末までに300人以上の開発者が参加する（参加の定義は登録アカウントの数と、1つ以上のコミュニティに参加すること）
- 100以上のアプリが登録され、app storeで承認公開されている(登録数と、ユーザーへの提供数で判断)
- 開発ドキュメントへのトラフィックが30%以上向上、フォーラムへのアクセスが40%以上向上

【担当者：】

- ダニエル・ブレシア

あんちょこ

もしもビックロックをどこから作ったらいいかわからないときは、http://www.jonobacon.com にアクセスして「リソース」を選択して例を見よう。自分のビックロックの作り方について見当がつくはず。

こうした目標がどれだけ完結で明確かを見てほしい。KPIがはっきりと測定可能だし、担当者は（責任の押し付け合いをしがちな）グループや部門でなくて特定の個人になっていることに注意。これらのKPIは目標や期待値を設定して進捗確認するためだけでなく、ビッグロックが価値をちゃんとだしていることを確認するためにも重要だ。

5〜7のビッグロックの最初の塊ができたら、レビューしてもらおう。会社の各部署（プロダクト、マーケティング、エンジニアリング、サポートなど）のキーマンたちに、**率直で包括的な意見**を求めよう。彼らにちゃんと批判してもらおう。言わなくても重箱の隅をつついてくれるとは期待しないこと。数字が控えめすぎないかも聞いてみよう。一方で十分に現実的かも尋ねよう。

それがすんだら……もう動かさないこと。これは**神聖な文書**になる。これは来年に向けてなにをしようとしているかの記録になる。これを作るために時間をかけたのだから、今度はその実現に力を尽くそう。心配しなくていい、計画が正しいことを確認するために定期的に見直し、必要に応じて修正するから。そのやり方は後半で説明する。今は、このプランが正式なものだ。それを遵守して実現させよう。

地に足をつけて考えよう

多くの人は「大ホームラン、ムーンショットが大事なんだ」とか、「自分の考え方や期待の枠を取っ払え」とアツく語る。その精神はすばらしい。野心的になるのはいいことだ。でも同時に現実的にもなるべきだ。

チームの時間は限られている。自分の時間も限られている。利用できるリソースも限られている。コミュニティ戦略について経験が不足している（たぶんだからこそ、この本を読んでいる）。病気にもなるし、会社をやめる人もいるし、コミュニティをやめる人もいる。

人間はそういうものだし、それを無視するわけにはいかない。ビックロックスをデザインするときに、この3つの大事な現実を必ず視野に入れておかねばならない。

1．価値を生み出すには時間と資金がかかる

それも思っている以上にかかる。ビッグロックスはまさにその価値を生み出すためのものだけど、実際に実行しようと細かい泥沼に入り込んだら、もっと長い時間とお金がかかると思ったほうがいい。

君と君のチームはこの分野の経験がない。なんでもはじめてのことを学ぶときは「新人税」がかかる。チームが空回りし、ミスをして、そのミスを解決し、技能や組織能力を身につける中で、時間とお金を使うことは避けられない。

2．必ず障害物がある

立ちふさがる人やモノもあるだろう。キーメンバーが辞める、主要なサービスがうまくいかない、他のプロジェクトにリソースを取られる、競合他社が自分たちのコミュニティを強化するかもしれない。他にもいろいろな頭痛の種はありえる。

実行計画を練っているときには、いくらかはバッファー期間を入れるべきだ。もしも1年かけてなにかをしようとしているなら、計画は10カ月で終わるように書いておくべきだ。

3．必ず予測とは違った形で展開していく

ビックロックスは成し遂げたいことのために確固とした戦略を設定する。でもどんな新しい戦略でも、実際にやってみると当初の考えと少し違ったものになる。いくつかのタスクは予想以上に時間がかかり、いく

つかは達成が難しくなり、予算やリソースの障害が発生する。

ビックロックスを遵守し、変化にはなるべく対処しよう。イライラはあまり表に出さず、そういう予想外の出来事を今後避けるための教訓を見い出そう。こうした教訓は組織の対応力と実力を作る。それはいいものだし、みんなをいい方向に導く。

続けられる形ではじめよう

この本を読み進んでいくと、新しいコンセプト、フレームワーク、成熟度モデルなど、新しい概念やツールがたくさん出てくる。こうした情報に浸りすぎて、もともとのコミュニティ・バリュー・ステートメントが記憶から薄れるリスクがある。

それは絶対に避けるべきだ。

コミュニティ・バリュー・ステートメントは、すべての成果が育つための種だ。すべての活動は、将来の**価値**と点線でつながっていなければならない。悲しいことに多くの組織は日々の戦術に夢中になって、全体像を忘れてしまう。その轍を踏まないようにしよう。

会社の価値観と同じように、コミュニティの価値観も毎週確認し続けるものだ。それが自分の働き方や成功を評価するしくみと直結していなければならない。自分がやることが、コミュニティの価値を作るのに役立つか？　そうでなければ、**変えなければならない**。

この価値を常に前面に出しておけば、他のすべてのものがきちんと収まる。

第4章

人間はそれぞれ変人だ

僕は人間であることの理解が急速に失われつつある世界の中で、
人間であり続けようとしているだけだ
―― ジョン・トルーデル

ネタバレになってしまうが、本当にコミュニティとその作り方を理解したいなら、人間そのものと、人間がどう動くかについて理解する必要がある。

当たり前に聞こえるかもしれないが、これを忘れてしまう人は実に多い。仕事をしているとパワフルなツール（テクノロジープラットフォームやコンテンツ、マーケティングやソーシャルメディア……）のどれを使うべきかという話に脱線してしまい、しばしば**なにを作ろうとしているか、何のために作っているのか、だれが使うのか**を忘れてしまう。

さらにみんな、自分のオーディエンスが何者でどんな人々かを勝手に決めつけてしまいがちだ。なんの情報もないのにオーディエンスの性格や口調、興味などを勝手に想定して、フィクションを作ってしまっている。

僕がいっしょに働いたとある会社では、これまで見た中で一番つまらないマーケティングメールを送っていた。行儀がいいだけの言葉が並び、それに意味なしコピーが書かれたコーヒーカップのストックフォトがくっついている、ありきたりで退屈なメール。

彼らの顧客はそのメールとはほど遠い人々だった。たしかに法務や製造、金融サービスなどの重役たちばかりだったが、楽しく活発でやる気のある人々だった。メールを送った会社は「重役たちには簡素でフォーマルなメールを送るべきだ」と考えていたが、それはまちがいだった。ダイナミックで人間らしさを中心に置いたメールに変更したら、エンゲージメントは向上した。

彼らと同じまちがいをしちゃいけない。**僕らは人間のシステムを作っている。僕らのシステムは実際の人間がどう考えて行動するかについて、現実的な理解に基づくことが必要だ**。これは社会学や心理学の学位がなくてもできる。

この仕事は以下の3段階に分かれる。

- 1. 人間が不合理な行動をすることを理解する。なぜ人々がそんな行動をするのか、鍵となる行動パターンを自分たちに有利な形で活用するにはどうすればいいのか
- 2. オーディエンスのペルソナを描く。どのような人を自分たちのオーディエンスとするか決定し、彼らがどんなニーズや特徴を持つかを現実的に理解する。その理解を中心にコミュニティを形成できるようにする
- 3. 最後に、コミュニティ内の集団力学を理解することで、コミュニティメンバーと最大限に効率的にコミュニケーションできる

お手軽な話だが、この章に書いてあることはこれだけですべてだ。やってみよう！

まったくの不合理こそが合理的

人間は奇妙な生き物だ。物理的な世界に住んでいるのに、考え方も、反応も、選択も、心理に大きく左右される。はっきりいって、**僕らが日々やることは、僕らの脳がどう情報を受け取っているかに支配されている**。さらにいえば、そのプロセスは、人間をリスクから何万年も守っ

てきた生存本能で動いている。

君は頭がよさそうだから、自分のことを合理的で論理的な人間だと思っているだろう。周りの人からも合理的で論理的だと思われ、意思決定や変化についても明確で予測がつく人だと思われているかもしれない。

僕らは合理的な選択をしながら、同時にびっくりするほど不合理でもある。酒を飲みすぎたり、脂肪分を取りすぎたり、十分な運動をしなかったり、老後のために十分な貯蓄をしないなど、悪い結果をもたらしかねない行動をする。リスクを知っていても、とにかくやってしまう。

興味深いことに、**多くの人は同じ刺激に基づいて、そうした不合理な判断を繰り返しやってしまう**。

よくいわれるイケア効果はその例だ※1。君と僕がイケアで同じMÖRBYLÅNGA組み立てテーブルを買ってきて、それぞれ家で組み立ててみると、君は自分のテーブルのほうが僕よりいいと思いがちだし、僕も同じだ。まったく同じテーブルでも人は**自分が作ったものを一貫して過大評価する**。このイケア効果が、人々がともに働き、評価し合う会社やコミュニティに大きく影響を与えていることは想像がつくだろう。

このイケア効果を意識することで、たとえばコミュニティ内でのレビューをより客観的に設計できるし、自分の仕事が理解されてないと思ってみんなが苛立つリスクを減らせる。

こうした人間の不合理な意思決定に対する研究は行動経済学として知られている。行動経済学はコミュニティが本当の心理的なパターンと行動に確実に基づくようにする、とてもよい足場を提供してくれる。行動経済学のいくつかの原則を知って、活用しよう。

━ ファスト&スロー　2種類の頭の働き

多くの人は人間のこの動きを不可解だと思うだろう。なんでこんなことが起きるんだろう？

判断と意思決定に関する研究で知られている著名な心理学者ダニエル・カーネマンは、2002年にバーノン・スミスと共同でノーベル経済学賞を受賞した、行動経済学についての画期的な本の1つである『ファスト&スロー　あなたの意思はどのように決まるか』（早川書房）を執筆した※2。カーネマンはこの本で、僕らの頭脳の働きを2種類に大別している。

脳の1つ目のシステムはすばやく直感的で半自動的に反応するものだ。活発なイタズラ坊やのようなこのシステムは数千年も前、ジャングルで常にトラを警戒していたときから続く、生存のための本能だけに基づくものだ。このシステムが働くから、友達がこっそり忍び寄るとびっくりするし、崖っぷちを歩くと神経質になり、危険を感じると叫ぶ。

2つ目のシステムはもっとゆっくりした分析的なもので、システム1に比べたらダサい従兄弟のようだ。スローは常に世界を観察し、理性に基づいて評価をするエンジンだ。常に複数の選択肢の中から、自分にできる範囲で論理的に選んで行動する。

ここが重要なポイントだ。「システム1のほうが実は影響力が強い。それがシステム2を導き、システム2をおおむね牛耳っている」とカーネマンは語る※3。言い換えれば、システム1は衝動的で被害妄想の強いサバイバル主義者、システム2は責任感があって計算高い意思決定者だ。

行動経済学の宿題

行動経済学についてくわしく知りたい人は、これらの本を読むことから始めるのがおすすめだ。

『予想どおりに不合理：行動経済学が明かす「あなたがそれを選ぶわけ」』（早川書房）　ダン・アリエリー

『不合理だからうまくいく：行動経済学で「人を動かす」』（早川書房）　ダン・アリエリー

『ファスト&スロー』（早川書房）　ダニエル・カーネマン

『実践行動経済学　健康、富、幸福への聡明な選択』（日経BP）　リチャード・セイラー、キャス・サンスティーン

SCARFモデル

行動経済学はコミュニティやチームを造るうえで最も難しい要素について、とても貴重な青写真を提供してくれている。人はなぜそのように行動するのか、どのようにして反射的な行動にうまく対応するように仕事をアレンジしていけるのか。

さっき出した本のように行動経済学についての情報は山ほどあるけど、いますぐに始めたいところだ。2008年に脳科学者のデヴィット・ロック博士によって出版されたSCARFモデルを使おう※4。これは彼が研究で見つけた5つの主要な行動面の留意事項を提供したもので、コミュニティづくりの旅に出発してすぐに認識しておくと有益だ。

1. ステータス　Status

地位は人にとって重要だ。共同作業をするときにステータスが重要な役割をはたすし、これが思考過程にいろいろ影響を与える。会社での地位、社会的グループや家族での序列、順位表やコンペでの順位、飛行機でのクラスなど、あらゆるところでステータスを目にする。

これの使い方にはすごく気をつけなきゃならない。階級社会のように、異なるステータスレベルの間で恨みが生じることがある。一方でモデレータ、コードコミッター、ガバナンスメンバーのような責任が強めの地位を明確にして報酬を与えると、しばしばうまく機能する。

【コミュニティ戦略でステータスを利用するなら：】

- 明快でフェアで質の高い参加に対して獲得できる、さまざまなステータスレベルを造る
- ステータスレベルに応じてなにかご褒美を与える
- なにもしなくてもステータスが上がるようなことはなくし、かつだれもがステータスを上げる機会を得られることを保証する。セーフガードを置く

2. 確実性　Certainty

確実性、もっと厳密にいえば不確実を避けることは、人の幸せのためにとても重要だ。人の脳は要するにパターンを検出する機械で、そこから未来を予測しようとする。情報が不足していたり、理解できない文脈が増えることなどで、結果が予測しづらくなると、とまどい、不安、ストレスを感じるようになる。

【コミュニティ戦略で確実性を利用するなら：】

- **不確実な状態を回避するツールとして、オープン性と透明性に注力する**

  製品のアップデート、コミュニティの運営、問題解決などの要素が、ちゃんと透明でオープンになっている必要がある。
- **不確実な状態を早めにキャッチして対応できるような対策を講じる**

  定期的な会議や、アクティブなメンバーへの確認など。
- **不確実な状態を是正するためのかんたんな方法を提供する**（危機対応プランの発表などだ）
- **できる限りオープンで透明性を持ち、有益な情報を提供できるようにチームを訓練しよう**

  コミュニティの新参チームは、失敗を恐れて参加を躊躇している。トレーニングとメンタリングでこの問題を解決しよう。

3. 自律性　Autonomy

自律性とは、選択肢が生活に与える影響だ。結局のところ選択肢があることは大事だ。みんな身動きが取れないのはいやなのだ。選択肢が増えることと健康のあいだに正の相関があるという研究結果まである※5。

コミュニティメンバーに提供する選択肢はよく考えること。選択肢が限られすぎているとイライラする。選択肢が多すぎても、（不確実性や、自分の決定に対する自信の欠如と組み合わさって）意思決定が麻痺してしまうことがある。これは新メンバーに向けて参加方法を提示することや、彼らに実際にコミュニティに加わってもらうオンボーディングの際に特に重要だ。**最も成功しているコミュニティはさまざまな活動方法を用意**

している一方で、シンプルにスタートできる方法も提供している。選択肢を提供しつつ、補助輪もしっかりとついているわけだ。

【コミュニティ戦略で自律性を利用するなら：】

- **人々が参加するさまざまな方法を提供し、かつ明確な導入路を提供する**
- **フィードバックをコミュニティが提供できるようにして、協働作業を最適化できるようにする**
- **コミュニティが新しいイニシアチブ、チーム、プロジェクトを生み出せるようにすること**

4. 親近性　Relatedness

これは広いグループの中で小さな仲間を作りたいという自然な情動を利用している。これはおそらく人間の祖先が小さなコミュニティに住んでいて、見知らぬ人（脅威かもしれない）に猜疑心を抱いたことから生まれたものだろう。これだけでなく、小さなグループはしばしば人々が帰属意識や「ホーム」と感じる機会を作りやすい。

コミュニティを分割して小さなチームに分けると、安全を求める本能やチームスピリット、アイデンティティや帰属意識を活用する強力な手段になる。たとえば開発者チーム、サポートチーム、広報チームなどだ。これらはそれぞれオーディエンス・ペルソナ（後述する）に対応している。人々はその気になれば、複数のチームに参加することもできる。

これで人々の新規加入をシンプルにできる（大規模なグループよりも小さいグループのほうが参加しやすい）。もちろん、それぞれのチームがタコツボ化しないように、チームの数は少なめで、コミュニケーションチャンネルは常にオープンにしておかなければならない。

【コミュニティ戦略で親近性を活用するには：】

- **コミュニティ内にいくつかのチームを作ろう。ペルソナ（後述する）に紐付いたチームをいくつか作って小規模にはじめ、人々が加入するにつれて増やしていこう**

- それぞれのチームでカルチャー、チームスピリット、マスコットなどができるように働きかけていこう。これは安全性と帰属意識を育てる
- チーム同士がいつもお互い効果的なコミュニケーションをとれるようにする

5. 公正さ　Fairness

これはとても重要だ。自分としてもフェアに扱われたいだけでなく、人間はしばしば不公平に扱われると相手を脅威と見なし、場合によっては嫌悪をあらわにすることもある。公正さは構築するコミュニティの中核でなければならない。

公正さを見たり、実施したりすると、心理的な報酬メカニズムが動き出し、それが自信と安全をつくりあげる。これは強力な法則として利用できる。価値を公正な形で交換する機会をたくさんもたらすコミュニティを設計できれば、(問題解決、コンテンツの制作、技術開発などだ）内的な報酬反応を引き起こせる。

【コミュニティ戦略で公正さを活用するには：】

- 参加し、行動するにあたって求められる内容を文書化する
- リーダーやスタッフにトレーニングを提供し、全員がコミュティを公平に扱うようにしよう
- コミュニティメンバーがアンフェアな扱いや偏見を報告できる明確な方法を提供し、その報告を客観的に判断するようにしよう

ちょっと一息つこう。ここまでは人間がチームやコミュニティに参加して成功したいという理由の背後にある、根本要因と、行動に影響を与える隠れた力について考えてきた。次には実際にターゲットとなるオーディエンスがどういう人達で、その人達のためにどういうコミュニティを設計すべきか考えなければならない。

オーディエンスのペルソナを使って人々を理解する

オーディエンス・ペルソナとは、典型的なコミュニティメンバーの素描だ。これらのペルソナは、さまざまなカテゴリのオーディエンスに共通する特徴や属性を見分けやすくするために設計する。

オーディエンス・ペルソナの概念は、マーケティングでは昔から使われている。**ペルソナは役立つ手法だが、一部のマーケッターはやりすぎる**。無用なほど詳細でコッテリと設計されたペルソナも見てきたけど、そういうのはクライアントに見せびらかすために作られたんだろう。ペルソナは君のチームや組織のなかで、オーディエンスがどういう人達かの意識合わせに使うものだ。メンバーがコーンフレークにどういう種類の牛乳をかけるか、みたいな無意味な細部の予想に使うようなものじゃない。むしろペルソナの要点を外している。

ビッグロックスと同じく、オーディエンス・ペルソナは君、チーム、そして組織の他のメンバーに、典型的なオーディエンスはどういう人で、なにを期待すべきかをクリアにすることを目的にしている。オーディエンス・ペルソナはどのようなタイプのオーディエンスを優先するか、どうやってオーディエンスを見つけ、喜ばせるかについて考えるきっかけになるように作るものだ。

次の3ステップでペルソナを作っていこう。

ステップ1 ターゲットになるペルソナを選ぶ

マーケティングのためのペルソナは、ユーザーや顧客の履歴書みたいな見た目をしているが、コミュニティ・ペルソナはちょっと違ったアプローチをとっている。

コミュニティは積極的な参加によって成り立つものだ。参加とは情報を見る、フォーラムで議論に参加するみたいな単純なものから、ソフトウェアプロジェクトを共同作業してプログラムを書くような高度なものまでである。フォーラムに参加するような人々を見つけ、動機づけやリワード（報酬、ご褒美）を与えて参加させる方法と、プログラムを書くような人々を見つけ、動機づけやリワードを与えて参加させる方法はまったく違う。

オーディエンス・ペルソナはそうした参加形態のそれぞれの違いを見えやすくし、理解するために役立つ。彼らはどのように参加し、どのようなリワードを喜ぶのか？　なにが彼らのモチベーションで、なにが彼らの心配事で、彼らはどこでどうやって情報を得ているのか（これがわかればどこでオーディエンスを見つければいいのかもわかる）。

具体例として、コミュニティで最も一般的なペルソナをいくつか紹介しよう。これはけっして完全なリストじゃない。それぞれの場合に当てはまるペルソナが他にあるかもしれない。これを読みながら、自分のコミュニティにはどんなペルソナがいいか、2〜5個ぐらい考えてみよう。

1．ユーザーたち

これは一般的にいう消費者だ。消費者はサービス、製品、技術を利用している。消費者の優先事項は、製品を効果的に使って、生活に付加価値を与えることだ。ユーザーには製品の最新情報を届け、フィードバックをもらい、幸せなロイヤルカスタマーであり続けてほしい。

2．ファンたち

ファンはユーザーより深入りする。他のファンに会いたがり、ディスカッションしてさまざまなトピックについて話したがる。ファンは製品についてフィードバックやガイダンスを提供してくれる。ファンのみんなにはハッピーでいてもらい、モチベーションを高めてもらい、コミュニティを盛り上げてもらいたい。ファンと関係を作り（向こうも認めてもらえると大喜びだ）、新しい機能や取り組み、参加方法などで常に刺激しておきたい。

3．サポーターたち

サポーターは他のユーザーの問題解決を支援する。これはユーザーそれぞれの問題解決という単純なものから、多くのユーザーにトレーニングを提供するような複雑なものまである。サポーターには（幅の広い支援が提供できるように）常にスキルを向上してもらい、かつ質の高い支援を提供し、サポートした人たちから評価されることで、常に満足感を感じてもらえるようにしたい。

4．コンテンツクリエイターたち

コンテンツクリエイターはコンテンツや素材を創る。製品に関するガイダンス、トレーニング／ガイダンスのブログ記事、チュートリアルビデオ、ポッドキャスト、新しいコミュニティメンバーの参加を支援するための資料、その他なんでも。

彼らの創るコンテンツは、単に資料の絶対量を増やすだけでなく、信頼できる資料を生成するという点でも強力だ。マーケティングチームが創るコンテンツほど洗練されず荒削りかもしれないが、コミュニティで**ユーザーが作り出したコンテンツは独立した信頼性を持っている**。また、多くのコンテンツクリエイターは、自分のコンテンツ（ひいてはコミュニティ）を宣伝するのが好きな、隠れた応援団でもある。コンテンツクリエイターには高品質のコンテンツを制作してもらい、そのコンテンツが他の人に消費されてほしい。彼らのコンテンツが高いインパクトを持ち、できるだけ多くの人に提供されてほしい。

5．応援団たち

彼らは製品やコミュニティの成功を望んでいる。認知度を高め、人々が製品やコミュニティに興味を持ち、関与するようにするために、マーケティング、アウトリーチ、プロモーションをおこなう。応援団は多くの場合、それなりの有名人で、マーケティングやプロモーションに精通しているインフルエンサーだ。応援団たちには、すばらしい成果を挙げるだけの柔軟性と支援と許可を提供したい（「公式の方向性から外れる」ことを恐れて彼らの足を引っ張りたくはない）。

6．イベントオーガナイザーたち

彼らはイベントをプロデュースして実施することを楽しんでいる。これには、ミートアップ、カンファレンス、アンカンファレンスなどが含まれる。イベントオーガナイザーたちのやる気が続き、参加者の多いイベントを企画し、すばらしい仕事ができるために、必要なリソースを提供し続けたい。

7. インナーデベロッパーたち

彼らは、コミュニティ内で共有されているプロジェクト(オープンソースプロジェクトなど)に価値をもたらすコードを書き、プラットフォームそのもののエンジニアリングをおこなう。インナーデベロッパーには、興味深い技術的な問題解決を楽しんでもらい、その貢献をコミュニティや会社に評価してほしい。

8. 外部デベロッパーたち

彼らはこちらのプラットフォーム上で動作するアプリやサービスを創る。こうした開発者たちはたいてい別の動機(自前のビジネスを運営しているとか、お金を稼ぎたいとか)を持つ。外部デベロッパーには、こちらのプラットフォームに価値を与え、彼らの目標達成につながるソフト開発をしてほしい。

もちろん、他にも多くのオーディエンス・ペルソナがあり、http://www.jonobacon.com にアクセスしてresourceを選択すると、もっと多くの例が見られる。自分にとって最も興味あるペルソナを2〜5個選択しよう。さあ、こんどはそれに優先順位をつけよう。

ステップ2 ペルソナに優先順位をつける

僕がいっしょに仕事をしているクライアントのほとんどが、先ほどの**ペルソナを全部惹きつけるコミュニティを作りたがっている**。無理もない。あらゆる面で傑出したいものね。

でもそれは現実的だろうか？　やってみてもいいけれど、それは虻蜂取らずに終わるだろう。人生の多くのことと同様に、**量よりも質**に焦点を当てるべきだ。どのペルソナも、かなりの作業を必要とする——独自の戦略、導入路、コンテンツプラン、エンゲージメント、インセンティブマップなどが必要で、これは本書の残りで説明する。すべてのペルソナに対してこれをうまくおこなうのは難しい（巨大なチームを投入するとしても、最適化しそこねるというリスクがある）。

また、これらのペルソナがどのぐらいいるのかについても考えるべきだ。ペルソナのなかには、他のペルソナよりも母数が多いものもある。たとえば、コンテンツの**クリエイター**よりもコンテンツの**消費者**のほうがはるかに多いだろう。また、**サポーターと翻訳者では人数の比率もちがう**。これらの役割のいくつか（すべてではないけど）が重なることはある。たとえばサポーターは応援団でもあるというように。

こうした比率の感覚を事前につかむのはむずかしい。似たようなコミュニティを見て、彼らがターゲットにしているペルソナにいるメンバー数の比率を見極めよう。手持ちのデータ（たとえば、そのコミュニティ内ですでにどのくらいの関心が見られるか）を組み合わせ、さらに現実的な自分の直感と照らし合わせよう。

こうしたすべてを考慮して、優先順位をつけるんだ。

コミュニティ・ミッション・ステートメントとコミュニティ・バリュー・ステートメントを取りだそう。作り上げたい価値に基づいた時、今年の目標のために最も重要なペルソナはどれだろうか？　**2つか、最大でも3つ**を選択しよう。

4つも選んではいけない。優先順位付けには厳しい選択が避けられない。選んだペルソナの中で、今年のフォーカスから外すことになるものもある2〜3個にフォーカスしよう（他のペルソナは来年度以降に見直せばいい）。

たとえば次に挙げたのは、支援者コミュニティ向けの優先度リストだ（上が最も優先順位が高い）。

- **1. ファンたち：**

  最優先事項は、コミュニティに対して情熱を持ってもらうことだ。興味を持ち続けてもらい、彼らが参加し続けてくれるように助けたい。

▪ 2. サポーターたち：

ファンがユーザーに質の高いガイダンスやアドバイスを提供してほしい。これはおもにフォーラムでの質問に答えるのが中心だ。

▪ 3. コンテンツクリエーターたち：

高品質のドキュメントやガイド、チュートリアルビデオを作りたい。これはフォーラムで提供されるサポートをうまく補うものになる。

ステップ3 自分たちのペルソナを創る

ターゲットとする各ペルソナに肉付けをしていこう。ペルソナそれぞれについてドキュメントを作成する。例によって、シンプルで、フォーカスを絞った簡潔なものにしよう。**各ペルソナごとに最大1〜3ページまでだ。**

それでは、それぞれのペルソナの重要な要素を記入していこう：

能力 Capabilities：

このペルソナにはどんな能力を持ってほしい？　たとえばコンテンツクリエーターの場合は、すでに執筆、ビデオ、オーディオ制作の経験があること、開発者の場合はプログラミングの経験があるべきだ。もっと具体的に書こう。それぞれのペルソナには、どんなライティング経験があり、どんなプログラミング言語やフレームワークが必要か？　現実的に書こう：その能力は、参加者の多くに期待できる？

経験 Experience：

そのペルソナはどんな経験を持っていてほしい？　この経験は、資格などの正式なもの（例：キャリア、資格など）と職業経験（例：なにかのプロジェクト、イベントなど）が混在していてもかまわない。オーディエンスができる限り実務経験を積んでいるようにするために、おもに職業的な経験（たとえば、どの製品やコミュニティで経験を積んでいるかなど）に注目するほうがいい。

モチベーション　Motivations:

このペルソナのモチベーションはなにから発生する？　このペルソナを興奮させて参加させるための結果とは？　彼らは自分の仕事がどのようなかたちで認められるのを望んでいる？　たとえば、コンテンツクリエーターは自分の貢献が大きく広められるのを楽しみ、イベントオーガナイザーはイベントに有名なスピーカーや、興味を引く（そして気前のいい）スポンサーを集めたがる。これらのモチベーションのリストを作成しよう。

危惧　Fears:

これはコインの裏返し。各ペルソナにとってイヤなことはなんで、その中で防げるのはなんだろう。たとえばイベントオーガナイザーはイベントにだれも来ないことを心配する。開発者はダメなコードを公開してしまうことを恐れている。こうした危惧をちゃんと知っておかないと、それを避けるための手段も講じられない。

報酬　Rewards:

興味をそそるような報酬をリストアップしよう。たとえばコンテンツクリエイターは自分の記事が印刷されて額に入れられるようなことが好きだ。サポート者は自分の助言がブログや記事に採りあげられるのが好きだ。ほとんどのペルソナはTシャツやマグカップなどのグッズが好きだ。ただし後で書くけど、そうしたグッズは発送の物流までよく考えよう。たとえばTシャツはサイズやカット別に在庫を保つ必要があってめんどうだ。

どこにいるのか:

これは物理的な住所といった、不気味なことじゃない。彼らはどこで時間を使っている？　どんなWebサイトを訪れている？　どんなポッドキャストを聞いている？　どんな番組を聞いていて、どんなカンファレンスに参加していて、どんなソーシャルメディアアカウントをフォローしているだろうか。これはとても重要だ。どこからターゲットペルソナたちを自分のコミュニティに引っ張ってくるのかわかるからだ。

ペルソナを最大限に効果的で正確に仕上げるために、できるだけデータを見て人々に聞こう。

- 自分のWebサイトの分析を見ると、どんな人々が出てくるだろうか。ソーシャルメディアのフォロワーはどんな人だろうか。顧客はなにが好きだろうか
- 作りたいコミュニティと類似のものを見よう。そのコミュニティではどんなペルソナが参加しているか、人々がどんなふうに参加するか、その人々はどんな属性かを見よう
- ターゲットのペルソナを持つメンバーにインタビューして、ペルソナになにを入れるべきか直接聞いてみよう
- 同僚、友人、業界関係者などにペルソナをみてもらってフィードバックをもらおう
- 業界のトレンドを見てなにが普通かを理解しよう。たとえば、業界で最も人気のWebサイトを見つけて、そこにいるペルソナがどんな人々かを見つけよう

オーケー、骨格に肉付けした状態のシンプルなサンプルをいくつかお目にかけよう。

例1：サポートペルソナ

リアという名前の彼女は、ホゲホゲ社プラットフォームのコミュニティで問題解決を楽しんでいる（もちろんどちらも仮名だよ）。

【能力】
- 製品への深い理解
- さまざまなシナリオや構成で製品を使った経験がある
- 効果的な問題解決ができ、他人の問題を解決した経験が豊富
- いいコミュニケーターで、わかりやすい文書でガイダンスを提供

できる

【経験】
- 製品に関するオンラインの情報やサポートコミュニティに精通している
- 製品の経験はモノによって違うが、その経験を実務的な問題の解決に応用できる（初心者ではない）
- 多少はオンラインコミュニティでの経験がある

【モチベーション】
- 製品の割引購入
- 新機能やめずらしい素材、内容や経験への会員限定アクセス
- 人を助けること
- コミュニティでの名声向上
- 彼女のビジネスについて認知度が上がること

【危惧】
- 不正確な情報提供をしてしまう
- 自分の回答が問題や故障を起こしてしまう
- 評判倒れになる恐怖（他人が評価するほど有能じゃないかもしれないという恐れ）

【リワード】
- 記念品やノベルティアイテム
- ポイントやギフトカード
- 貢献に対する認知度と公式の評価

例2:イベントオーガナイザーのペルソナ

ミゲルはホゲホゲ社プラットフォームのコミュニティで、ミートアップやカンファレンスなどの、イベントの企画や運営を楽しんでいる。

【能力】

- イベントを企画や運営する
- イベントのために講演者、コンテンツ、ほかさまざまな資料をまとめる
- イベントのための飲み物や食べ物、会場などについて業者と連携する
- スポンサーへの対応やスポンサーシップなどをふくめたお金の管理

【経験】

- これまでいくつか小さいミートアップを主催してきた
- 地元のカンファレンスでボランティアをしたことがある

【モチベーション】

- 人と人を結びつけるのが好き
- 対面関係や、直接のディスカッションを楽しむ
- 著名で知識にあふれたスピーカーやスポンサーたちと仕事することを楽しむ
- イベントの運営で脚光を浴びるのを楽しむ

【危惧】

- イベントにだれも現れない
- スピーカーが、自分たちのイベントで話すことに興味を示さない
- ショボいイベントを開催したことで自分自身やコミュニティが恥をかく
- イベントが赤字をだしてしまう

【リワード】

- すごいイベントを開いたことがみんなに認められる
- イベントの専門家として経験やキャリアを積む
- イベントの最後にクレジットされる
- 受賞や認知を受ける

その他の例

ペルソナを理解し構築するには実際の例やテンプレートを参考に使用するほうが楽だ。僕がこれまで作ったペルソナは https://www.jonobacon.com/ の「Resources」から見ることができる。

コミュニティメンバーと関わるうえでの10則

この章のタイトルは「人間はそれぞれ変人だ」だが、コミュニティもそれぞれ変だ。僕のクライアントがよく抱いている最大の懸念というのは、コミュニティのしくみについての怪しい不文律を破ってしまうのでは、というものだ。

コミュニティの経験を積む中で集団力学についてはいろいろわかってくるけど、ここでは僕がこれまで関わったすべてのコミュニティに一貫した大事な10の原則を紹介する。

1. コミュニティメンバーは、君のためでなく、コミュニティのために働いている

コミュニティは（a）それぞれの自己利益と（b）もっと広くコミュニティの成功支援を動機としている。企業内コミュニティのようなまれな例外を除いて、こうした動機はコミュニティを見たものであって、君の会社は見ていない。

これは「うちの会社が成功すればコミュニティの利益になる」と主張する会社の大きなつまずきの石となる。主張としてはわかるけれど、でもそれはどうでもいいのだ。ほとんどのメンバーはそういう考え方はしないし、ソーシャル経済もそういう動き方はしない。コミュニティにとっての実際的な価値を増やすことにフォーカスすれば、会社も間接的に利益を得やすくなるだろう。

2．君が助けを求めれば、しばしば助けてもらえるだろう

人々を特定のプロジェクトに参加させる方法について、多くの人が僕に訪ねてくる。答えはかんたんで、「直接頼もう」だ。大勢にボランティアを呼びかけても僅かな人しか反応してくれないが、個別の人に具体的な助けをお願いすると応じてもらえることが多い。だが重要なことは、メンバーは（a）その仕事がおもしろく（b）広くコミュニティに利益をもたらすものであるときにのみ、協力する気を起こしてくれるのだということだ。

3．彼らは個人的な信頼と感謝の気持を大切にしている

コミュニティのメンバーは迅速に結果が出て満足感が得られる仕事（問題解決や評価されるコンテンツの制作、イベント運営など）を好む。同じように、いい仕事をしたと認めてもらうこと、特にコミュニティ内でのリーダーや重要人物（CEO、コミュニティリーダー、尊敬されているコントリビューターなど）から評価されることに喜びを感じる。

4．コミュニティメンバーは君の会社のためにタダ働きする人ではない

この失敗を多くの会社がしてしまう。同じボートに乗っているコミュニティメンバーが、カスタマーサポートやテスト仕様書の作成、セールスみたいな会社の利益につながる仕事をおもしろがると勘違いしてしまう。メンバーは君の会社だけが利益を得て、コミュニティの利益につながらないような仕事は好まない。無料の労働力を提供しろなどと頼まれること自体が侮辱だと感じるメンバーもいるかもしれない。そうならないためにも、ペルソナを常に会社だけでなく、メンバーとコミュニティのための仕事に注目したものにしよう。

5．コミュニティメンバーは営業先ではない

これはとても大事だ。**営業チームが絶対にコミュニティメンバーに手を出さないようにしよう**。コミュニティに参加し、なにか価値を加えた途端に、その見返りに営業電話やスパムメールを送りつけられたら、みんな頭にきて、公の場所で不満をいうだろう。この問題を解決するに

は、コミュニティメンバーのほうから自発的に買い物をしたくなるようなインセンティブを設計することだ。こちらから売りつけてはいけない。

6. コミュニティメンバーは君と同じ文脈や情報を持っていない

コミュニティの管理者であり出資者でもある企業で働いている人は、まちがいなくコミュニティについてメンバーよりも多くの情報を持っている。君のスタッフについて、顧客について、それらのモチベーションやビジネスがどういう原動力や構造で動いているか、さらには会社の目標についてなどなどだ。

君のコミュニティはそうした文脈や情報を持っていない。コミュニティメンバーは普通の人々だ。情報が不足しているとき、欠けている情報についてでっちあげが起きることがある（前にSCARFモデルで説明した、不確実性の不安のためだ）。これは不要な緊張をもたらし、信頼を損なう。これに対するには透明性、開放性、明確な情報提供が必要だ。機能や製品、ポリシーの変更などのさまざまな変化について、できるだけコミュニティと対話的な方法で情報共有していこう。

7. ビジョンは同じでも、アプローチはちがう

コミュニティは優先順位のごった煮だ。多くのメンバーが君のビジョンを共有できていても、それを達成するやり方は違うだろう。

たとえば、僕がCanonicalにいたとき、会社は高品質なデスクトッププラットフォームでの成功を望んでいた。その結果Unityというプロダクトができたけれど，一部のメンバーはUnityはまちがったアプローチだと考えていた（設計や実装についての細かい話なので、ここでは説明しないけど）。僕らはコミュニティに関与して積極的に議論することで問題解決を計った。

ビジョンは明確にすべきだけれど、アプローチの手法についてはディスカッションが必要になることがある。コミュニティに許可を求める必要はない（ビジネス上のリソースをどう使うかは会社の勝手だ）が、彼らからサポートと賛成は得たいのだから。

8. コミュニティメンバーのコミットメントや、組織での動き方の経験はさまざまだ

寝ても覚めても参加しているコミュニティメンバーもいれば、あちこちに1時間だけ顔を出すメンバーもいる。

人によっては飛び入りで参加したがり、なにかをしたらすぐ別の場所に行きたいと思うだろう。一方で全体的な計画に興味を示すメンバーもいる。それぞれのコミットの段階に応じたさまざまな役割を、メンバーに提供しよう。皆が会社側のチームメンバーと同じぐらいの時間コミットしてくれるとか、組織に対する欲求が同じだとか考えてはならない。

9. 静かな人がしばしば秘密兵器になる

コミュニティでは快活なパーソナリティが目立つが、静かで控えめなメンバーもいる。声の大きい人だけが有益な貢献をしていると考えたくなるが、多くのケースでは控えめで声の小さな人々が驚くべき価値を実現してくれた。

ここでのキーポイントは一対一の関係づくりだ。静かな人たちは公に発言することに抵抗があることが多いので、彼らとプライベートにつながり、彼らからのフィードバックを得ながらこちらからは彼らの成功をサポートし、自信を育てていくべきだ。

10. コミュニティメンバーは友達だ

友達には正直でありつづけよう。コミュニティがハッピーでありつづけるなら、メンバーは君の仕事を祝福してくれるし、不幸なら批判的になる。するとコミュニティに不慣れな企業は、ヘソを曲げてしまうことがある。

批判を攻撃とみなすのでなく、解決すべき問題を見つけ出してくれたと考えよう。**建設的な批判は、メンバーがコミュニティを気にかけてくれる証明だと考えるべきだ**。それは君のコミュニティが成功している証だ。優れたコミュニティのメンバーは、いささか直截な物言いをするかもしれないけれど、君が問題に集中するのを助けてくれる。メンバーに対しては、礼節は求めよう。でも自分のやることすべてに同意しろなどとは求めないこと。

混沌とした状況から抜け出すには

人間は型にはめられるのが嫌いだ。もちろん、世界にはいろいろな時と場合に応じたさまざまな出来合の型がたくさんあるが、その多くは最終的には不満を招く。

歴史的に見て、企業は軍隊のような指揮と統制の環境だった。指揮官からトップダウンされる決定に、働き蜂が忠実にしたがう。だが、このモデルは日々通用しなくなりつつある。現代のビジネスでは、厳格な指揮統制のかわりに**リーダーシップと自律性の適切なバランス**を取ろうとしている。そのやりかたは人間の本能的な動機づけや情動に直感的に合っている。

まさにそれこそがコミュニティが有望な理由でもある。コミュニティは導入路から、ワークフロー、インセンティブ、関係づくりにいたる一連の流れを人間心理を考慮して設計し、その成否についてメンバーから即座にフィードバックを受けられる実験環境だ。

コミュニティは成長し変化できるものでなければならない。メンバーの傾向やフィードバックによって進化し、変わっていかねばならない。これはリーダーシップと自律性の間の適切なバランスをどう作っていくかを実験し、探求し続けるためのすばらしい環境を提供する。

コミュニティから学んだ教訓はコミュニティをよくするだけではない。会社、会員組織、家族などの改善にもつながっていくだろう。

第5章

驚異の冒険に出かけよう

対話すること、良い関係を作ることは完全に賛成だ。
ただしそれは、完全にオープンな本当の対話でなければならない
—— 馬建

2014年、僕はサンフランシスコのモンゴメリー駅でBARTを降りて、友達の会社に立ち寄った。クライアントのところに向かうついでで、なにか手助けできないかと思ったのだ。すると会議室に連れて行かれ、そこでレベッカ（匿名）がステッカーを貼ったMacbook Proの前に座っていた。彼女はイライラしているように見えた。

「ジョノ、来てくれてありがとう。話というのはこういうこと。今、コミュニティ戦略計画を実行しているところなの。そのためのコミュニティマネージャーを雇ってこれまでにコミュニティの構築に11万ドルを費やしてきた。多少のメンバーが登録して参加してくれているけれど、それっきりで、投資に見合う成果を得られていないのよ。私たちみんな苛立って、コミュニティマネージャーも苛立っているし、上司（CEO）は激怒しているんだけど」

僕はパソコンを開いて彼らのコミュニティを調べ始めた。調べれば調べるほど、なにが起きているかは明確になった。彼らのコミュニティは退屈で、不明確で、混乱していた。

まずターゲット層があいまいだった。Webサイトは退屈で構成が悪

く、新規メンバーはどこから始めたらいいかもわからない。参加のために必要なツールは直感的でないし、設定が複雑で、新規メンバーはなにをするにもすごい努力を強いられる。ヘルプやドキュメンテーションもまばらか、ないも同然で、メンバーが質問できる場所もなかった。コミュニティメンバーの学習や成長を支援するインセンティブもほとんどなかった。

率直にいって惨状だ。コミュニティマネージャーはSNSとブログでいい仕事をしていたが、コミュニティ全体の体験の構築や、他のコミュニティメンバーへの影響を彼ら目線から見ることについてはほとんどなにも考えていなかった。

11万ドルの投資はどこへ行った？　半分以上は人々をコミュニティに引き込むためのプロモーションや広告だ（マーケティング用語で漏斗、ファンネルと呼ばれる）。それが問題だった。人々をコミュニティの入り口につれてくるのにたくさん予算を使ったのに、みんながやってきたら、その入り口には大きな障害物があったため、プロモーション予算のほとんどは無駄になってしまった。レベッカが可哀想になった。彼女は厳しい立場にある。

僕は彼女の抱えている問題を解決するために、ズームアウトして最初から最後までのコミュニティの経験に集中することを勧めた。**新しいコミュニティメンバーがどこからスタートし、コミュニティ運営者がどう新しいメンバーをサポートして前進させていくのか、彼らがその経験からなにを得られるのかを明確にしなければならない**。この一連のすべては、会社のメンバー同士で確認するだけでなく、実際のコミュニティメンバーで検証をおこない、ターゲットユーザーにとって本当に納得できるものであることを確認する必要がある。

コミュニティの起承転結

1994年9月24日、クエンティン・タランティーノ監督の映画「パルプ・フィクション」が公開された。血なまぐさいシーンが多く、時にコメディ的なこの傑作映画はカルト的なヒット作となったが、まずプロットの見せ方をいじくりまわしたことで注目を集めた。

歴史的に、作家や監督やストーリーテラーは、「物語は起承転結がある」という離乳食を食べて育ってきた。「パルプ・フィクション」はそれをすべて変えた。映画が始まると同時にエンディングの文脈が表示されることで、物語がどう展開するか気になりだす。最終的にエンディングにたどり着いた時には、より満足感の高い結末が待っている。

これがすばらしい経験のコアだ。**優れた経験はもっと深く、いろいろと経験したいという欲求を生み出す。目的地を設定して、楽しみながらそこに実際にたどり着く経験を繰り返すようになる。**もしも明確で論理的で満足いくような一連の旅をデザインできなければ、途中で人々は去ってしまうだろう。

レストランはこうした体験のいい例になる。レストランに入り、食事し、出ていくまでの段階が明確で、スムーズに移行できるかどうかが体験に大きな影響を与える。

半年前に、妻と2人で地元に新しくできたレストランにいった。レストランを見つけて、テーブルを予約して席につくまでがスムーズだった。ウェイターは気配り上手でフレンドリーであり、水がすぐ出てきて、メニューをゆっくりと見ながら飲み物を注文するために十分な時間を与えてくれた。ウェイターは店の得意料理をきちんとおすすめしてくれ、料理のサーブは早すぎたりおそすぎたりすることもなく、グラスが空いたらすぐに注ぎ、追加の用がないか定期的に確認しつつ、せっつくこともなかった。食事を終えてレストランを出たとき、料理（もちろん最高だった！）だけでなく、サービスのスムーズさを含めて質の高さを実感できた。今も僕らはそこの常連だ。

この一連の流れは、ディズニーがテーマパークでゲストの体験と一連のフローを管理するやり方、また優れたカンファレンスで会場への到着から登録、セッションへの案内方法などからも学ぶことができる。物理店舗でも、たとえばイケアはまず顧客が家具を見て回るところからカフェでミートボールを食べつつ休憩するところ、マーケットプレイスでの小さい商品の購入、そしてお金を払う前に大きな箱を受け取ることまで、とても論理的に誘導している。

このような優雅な体験は物理的な世界だけではなく、テクノロジーにも当てはまる。Apple、Samsung、Googleは新しい携帯電話の初期設定やガイドコンテンツを完璧にしている。SalesforceやQuickBooksなどのサービスは、アカウントの設定とツールの学習がかんたんになるように設計されているし、「Battlefield」「ファイナルファンタジー」「メタルギア・ソリッド」などのビデオゲームは、入念に作られた最初のレベルのチュートリアルでプレイヤーに教えてくれる※1。

コミュニティの構築でも、同じアプローチを取る必要がある。**コミュニティをWebサイトやコンテンツの寄せ集めとして扱うべきではない。**起承転結がある、慎重にデザインされた、時間に沿って流れる旅だと考えるべきだ。

この章では、このコミュニティの旅のための地図をまとめていく。

ロードマップの展開

ここで紹介するロードマップは、僕がこの20年以上に渡って取り組んできた、コミュニティ参加のフレームワークだ。どうやって正しい要素を正しい順番でコミュニティ体験に組み込むかという僕のアプローチをカバーするものだ。

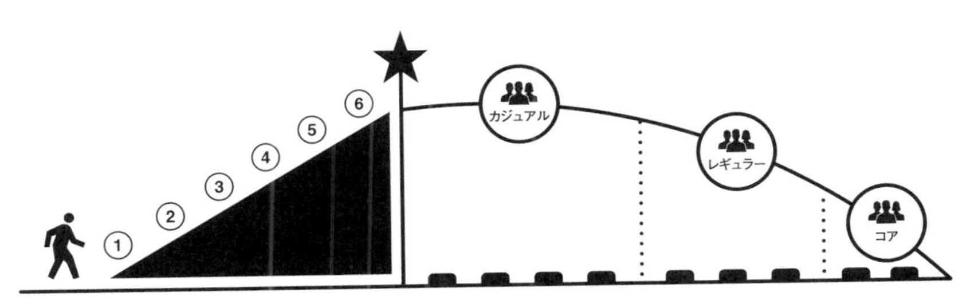

図5.1　コミュニティ参加のフレームワーク

このフレームワークはコンシューマー、支援者、コラボレーターのどのコミュニティにも、さまざまな産業や地域などにも適用できる。僕が仕事をしたほぼあらゆる会社での行動指針だ。

これはコミュニティの骨格で、必要な要素や構造をすべてカバーしている。君が適切な質問をできるようにする、適切な戦略要素を計画に組み込むための視点を与えるレンズとなるように設計されている。

このフレームワークは3つの部分にわかれている。

1．オンボーディング

中央の星の左の部分は、ターゲットペルソナのどれかを代表する新人を選んで、なにか価値あるもの——その人にとってもコミュニティにとっても——を、できるだけ早くカンタンに生み出せるように支援する。星はその価値を表す。

2．エンゲージメント

新規ユーザーが最初にこの目に見える価値を生み出した瞬間でも、まだ新人だ。今度は彼らが定着するように支援し、「カジュアル」「レギュラー」「コア」と呼ぶ3つの状態を移行する過程をサポートする。これによりユーザーの積極的な参加を促し、帰属意識を高めることができる。

3．インセンティブ

参加者の継続的な参加と成長を支援するために、参加を続け、経験を積み、新しいスキルを身に着けモチベーションを維持するのに役立つ一連のインセンティブと報酬（図の下に小さく盛り上がっている塊だ）を用意しよう。

重要なのは、コミュニティ参加フレームワークは、ペルソナのひとつひとつに個別に適用する必要があるということだ。

貢献のタイプが異なると、仕事のやり方や文化的な規範が大きく異なる。デザイナーにエンジニア向けのワークフローを使わせようとすると、デザイナーは混乱してイライラしてしまう。翻訳者をマーケティングのワークフローに従わせようとしても、同じことが起こる。個別のペルソナができるだけ自然な形でコミュニティを体験できるようにしたいし、同時に、コミュニティを自分のものとしてもらい、一般的なツールや慣習の範囲で作業できるようにしたい。

では、この3つのセクションを実際におこなって、どのように機能するかを探っていこう。

オンボーディングは確実に

人生という旅は、一歩一歩が緻密に組み合わさったステップで満ちている。車にガソリンを入れるような単純なもの（ガソリンスタンドまで運転し、ガソリンの種類を選び、車に入れて、走り去る）もあれば、飛行機を飛ばす、会社を売る、レコードを作るなど、はるかに複雑なステップもある。

どのような経験を構築するにしても、最初の数歩、オンボーディングはスムーズにしよう。オンボーディングのプロセスはシンプルで、各ステップは論理的に次のステップにつながるべきだし、また手助けも大量に用意すべきだ。これができれば、新しいコミュニティメンバーがなにかよい手応えを得やすくなり、参加し続けてくれる自信が高まる。

ハイテク業界に長い友人のステファン・ワリーは、90年代に働いていたいくつかの会社で、ソフトウェア製品では「10分ルール」が成功のカギだと話してくれた。これは、製品を箱から出して、なにか単純なことをやるまでにかかる時間のことで、もちろん10分以内という意味だ。この評価指標は、10分以内にユーザーが（a）ソフトウェアがどういう価値を提供できるか理解し、（b）その価値を可能な限り早く体験するにはどうすればいいかを理解できるかどうかを測るものだ。

これこそが僕らが目指すオンボーディングだ。すべてのペルソナについて、頭の中をすっかりその個人になりきるよう切り替え、ペルソナの立場に立って、**個人とコミュニティの両方に価値あるものを提供するまでに、ゼロからどういうステップを踏まねばならないかを考える必要がある**。

オンボーディングは参加者のペルソナによって異なる。これは意外でもなんでもない。サポートのペルソナは応援団のペルソナとは異なる関わり方をするし、開発者のペルソナとはさらに異なる関わり方をする。

それでもいい報せとして、大多数のペルソナには同じようなタイプのステップがある。僕のコミュニティ導入路モデルにはそれをうまく組み込んである。

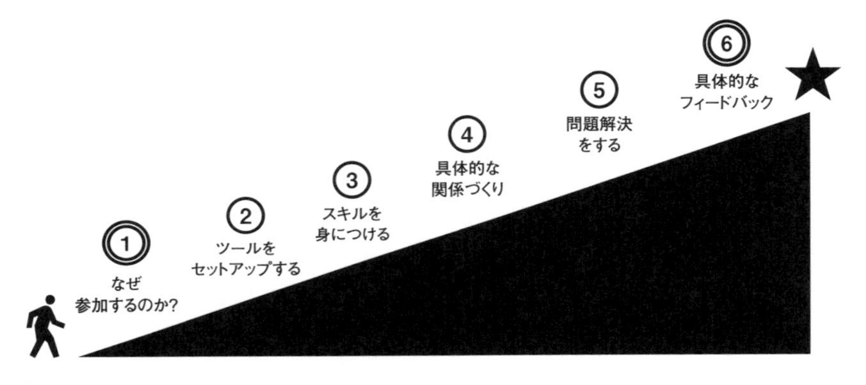

図5.2　コミュニティ導入路モデル

新しいコミュニティメンバーが導入路のスタート地点までやってくると、通常は6つの段階を一段ずつ進んでいく。それぞれのステップを見ていこう。

1. なぜ参加するのか?

参加者の立場になって考えてみよう。なぜ彼らはコミュニティに参加するために、家族や友人などの関心事から時間を割かねばならないのだろう。それが彼らにどんな利益をもたらすだろう？　君は、君のコミュニティの価値観から見て、どのような価値で彼らを誘惑できるだろうか？　コミュニティを彼らに売り込もう。

最低限、参加する価値を説明し、スタートする方法を明確に一歩ずつ説明したWebサイトを作ろう。イベントを開いたり、ソーシャルメディアなどでコミュニティ外に働きかけよう。アメリカのオートバイ、ハーレーのオーナーズグループは、コミュニティに参加するメリット

(さまざまな会員レベルや特典など)を明確に説明している。この重要なステップのおかげで、彼らは100万人を超える会員を獲得している※2。

2. ツールをセットアップする

参加者は、参加を決断したら、なにか具体的な活動(記事を書く、質問に答える、コードの一部を書くなど)を始めるために、ツールをセットアップする必要がある。どんなに努力しても、ノコギリやネジ回しがなんなのかわからずにテーブルを組み立てることはできない(ぼくもやってみたが無理だった)。どんなツールが必要で、それをどう使うのかを理解する必要がある。これに失敗すると、おもしろい仕事に取り組む前に、ツールを相手にイライラする時間のほうが長くなってしまう。

コミュニティでは、このためにアカウントを登録したり、Webサイトに慣れ親しんだり、コンピュータにソフトウェアをインストールするなどの作業が必要になることもあるだろう。その作業を、できるだけシンプルで苦痛のないものにしよう。僕が見たあるコミュニティでは、このステップを完了するのに2時間以上かかっていた。これではダメだ。できるだけ早く終わらせる必要がある。

スタートの方法、ツールのセットアップ、ツールの基本的な使い方をシンプルに説明しよう。大量のテキストに溺れさせるのではなく、シンプルにステップバイステップのガイダンスを提供して、不安を取り除こう。

運動器具の製品に、動画のライブレッスンを付け加えているPelotonがいい例だ。彼らは新しいエアロバイクやルームランナーを届けると、設定方法やネット接続のしかた、始め方を案内してくれる。それはシンプルかつ明確で、かんたんなものだ。

3. スキルを身につける

モチベーションとツールの準備ができたら、メンバーは参加のしかたについて学ぶ必要がある。これもペルソナによって異なる。価値を提供するためになにから始めるかを彼らに提供しよう。冗長な言葉の塊なんて、だれも望んでいない。

たとえばmeetup.comは対面の会合を開催するためのサービスだ。彼らのターゲットになるペルソナ、つまりイベントの主催者が、イベントを開くためのステップバイステップの手順や、オーガナイザーガイドのガイダンス集でスキルを身に付けられるようにサポートしている※3。

このガイドや手順で大事なのは、的を絞って簡潔に書くことだ。**メンバーがどのようなスキルを必要としてるのかを理解し、明確なガイダンスを提供することで、メンバーが素早くかんたんにスキルを習得できるようにしよう。**

4．具体的な参加

コミュニティ導入路のこの時点になると、参加者はなにかをする準備ができている。具体的にどんな貢献ができるかについてガイダンスを提供しよう。どの質問に答える必要があるのか？　実施すべきイベントはなにか？　どの機能の構築が必要か？　どうすればコミュニティを外部に対して応援できる？

実際に解決すべき問題と、メンバーがシンプルにつながるようにしよう。メンバーを放り出すのではなく、コミュニティにどんな価値を加えられるか考える手助けをしよう。新しいコミュニティメンバーの多くは、最初になにをすればいいのかがわからない。

例をあげよう。多くのエンジニアリングコミュニティ、たとえばKubernetes,Babel, Nextcloud, React Nativeなんかでは、新しい開発者にまずシンプルなバグレポートから始められてはいかがと提案している（多くの場合で"good first issue"というタグがついている※4）。

サポートコミュニティの中には、まだ回答がない質問のリストが用意されているところもある。きみのコミュニティやペルソナについても、これが使えるのでは？

5．問題解決をする

どんなにいいオンボーディングをしていても、新しいコミュニティのメンバーは、コミュニティに参加する過程で壁にぶつかるし、問題解決のために質問したりする必要がある。新規メンバーが他のメンバーに会ったり、質問をしたり、助けを得たりできる場所を必ず提供しよう。

たとえばこれは、ディスカッションフォーラム、Q&Aサイト、またはその他のサービスなどがあたる。こうした場を提供するだけでなく、**質問は大歓迎**だと伝えよう。多くの新規参加者は、間抜けな質問をすることを恐れてしまう。質問が当たり前になるような文化を作らねばならない。

はじめのうちは、ほとんどの回答は会社のチームが答えねばならないだろう。だが、コミュニティが成長すれば、他のコミュニティメンバーの助けが始まるはずだ。

6. 具体的なフィードバック

最後に、新しいメンバーがなにかの価値をコミュニティに付け加えたら、それを**きちんと祝福**しよう。これまで見てきたように、コミュニティのメンバーになるオンボーディングのプロセスは、ツールのセットアップ、スキルの習得、価値の創造など、いろいろ手間だ。彼らがそれに成功したことに対して感謝の気持を伝えよう。

これは君から個人的に感謝のメールを送るような単純なことでもいいし、大規模なリワード（報酬）体系やゲーミフィケーション（第8章で説明）などの複雑なものでもいい。

読者の中でめざとい人たちは、コミュニティ導入路図の最初の1.と最後の6.には二重丸がついているのに気がついたはずだ。さすがですな。

二重丸の理由は、すべてのペルソナの導入路どれにも、2つ明確なフェーズがあるからだ。**新規メンバーに参加の価値をどのように売り込むか**と、**どうやって彼らの努力に報いるか**。最初のステップはすぐわかるだろう。新規メンバーが悩むことなくステップバイステップで導入路を登っていく方法だ。ステップ6は**見守られているという感覚、パーソナルなふれあい、帰属意識のために不可欠だ。**

もう一度、参加者の立場になってみよう。初めてコミュニティになにかの貢献をしたとき、先輩が背中を叩いてくれたと想像してみよう。よっぽどの冷血漢でない限り、これは気持ちのいいものだ。すると再び貢献する可能性は高まる。やがていつの間にか、貢献が自然に思えるようになるだろう。

導入路の構築にかかる前に、どう検証するかについて頭に置くことが重要だ。導入路は単に人々をメンバーにする効果的な道であるだけでなく、メンバーがそれぞれのステージをきちんと移行できているか検証できるものでなければならない。

導入路の構築を始めよう

さあオーディエンス・ペルソナを用意して、それぞれに独自の導入路を設計しよう。僕のコミュニティ導入路モデルをベースにしてかまわないが、君のコミュニティの目標については君のほうがよく知っているだろうから、モデルにとらわれすぎないように。

それぞれの導入路を作りつつ、どんなツール、ドキュメント、リソースが必要かについても考え始めておこう。また、コミュニティのバリュー・ステートメントを読み直して、新しいメンバーがその導入路を登る中でその価値を最大限に実現できるようなやり方を考えよう。

2つの例を見せよう。

サポートコミュニティの導入路（動画ストリーミングデバイスの支援）

- **なぜ参加するのか？：**
  コミュニティのサイトに、参加のメリット、コミュニティでのポジティブな経験などを載せ、SNS、もっと広いアウトリーチなどを載せる
- **ツールをセットアップする：**
  フォーラムにアカウントを登録し、現在来ている質問リストや、その他ドキュメントなどの場所がわかる
- **スキルを身につける：**
  フォーラムの使い方（トピックへの応答、新しいトピックの作成、回答を求めている質問の見つけ方、外部リファレンスの参照方法）を学ぶ
- **積極的な参加を促す：**
  コミュニティのフォーラム内で、サポート質問を見つけ、回答

し、その回答が受け入れられるようにする

- **問題を解決する**：
  他のコミュニティメンバーから、効果的なサポート方法についてメンタリングが受けられる
- **具体的なフィードバック**：
  最初の回答が受け入れられたことを知らせるメールを送り、コミュニティリーダーからお礼をする

アウターデベロッパーコミュニティへの導入路（モバイルプラットフォームでのアプリ構築）

- **なぜ参加するのか？**：
  このプラットフォームでアプリを作る価値とはなにか、それをなるべくかんたんにするためのツール、リソース、サポートにはどんなものがあるのか？
- **ツールをセットアップする**：
  アプリケーションを作るためのソフトウェア開発キット（SDK）の設定方法とプロジェクトの作り方
- **スキルを身につける**：
  SDKやシステムとのインターフェース（API）の学び方や、プラットフォームにアプリを登録してレビューを受ける方法を記したドキュメント類
- **具体的な参加**：
  アプリを開発し、プラットフォームに登録してレビューしてもらう
- **問題解決をする**：
  フォーラムでのQAの使い方や、ドキュメントの見つけ方
- **具体的なフィードバック**：
  アプリが承認され、公開されると、メンバーはコミュニティリーダーからのメールと、Tシャツやマグカップなどのかんたんな贈り物を郵便でもらえる

君が導入路を設計するうえで、ありがちな地雷は避けよう。そうした

地雷を見てみよう。

期待しすぎてはダメだ。君のオーディエンスが君と同じ情報や、コミュニティの経験を持っていると思い込んではいけない。また**オーディエンスはせっかちだと覚悟しよう**。コミュニティメンバーは望んだ結果をすぐに手に入れたがるから、導入路が素早く効果的で、めんどうな手順がほとんどないようにしよう。

シンプルなことからスタートして育てよう。ときには金槌が電気工具よりも効果的なことがある。導入路の設計では常に「どうすればもっとかんたんにできるか」を考え続けよう。たいていのケースでは方法はある。フランスの作家サン・テグジュペリが言ったように、「完璧とは、追加すべきものがなくなったときではなく、削るものがなくなったときに達成される」※5。

すべてのステップは、次のステップに明確につながっていなければならない。最高の旅と最高の導入路では、すべてのステップが次にどうつながるか、明解になっている。たとえばだれかがステップ3でスキルを学んだら、すぐステップ4で実際の仕事にそれが使えるところにつなげよう。

すべてのステップをできるだけ測定可能にしよう。オンボーディングのどこに問題があるのかを突き止めたい。多くの人がステップ3のあとに脱落しているなら、ステップ3と4の移行部分に問題があることがわかる。ユーザーが各ステップを完了したときに測定する方法を見つけてみよう。そうすれば表面化した問題の解決につながる。

すべての導入路を客観的にテストしよう。導入路の設計を終えたら、ターゲットオーディエンスのペルソナにマッチする人を見つけて、実際にそれを試してもらい、忌憚のないフィードバックをもらおう。彼らが導入路を通っていくのを見て、障害を見つけ、それらを修正しよう。人々が導入路を試しているのを見ると、驚くほどたくさんのことを学べる。

オーディエンスのペルソナを増幅する

さまざまなオーディエンス・ペルソナに対応した導入路の例は、https://jonobacon.com/のリソースにある。

エンゲージメント

僕が出会った大多数のコミュニティメンバーは、明確な指導とガードレールのおかげで成功している。彼らはがんばり屋で頭もよく、意欲があり、成功のために熱心かもしれないが、普通はだれかに正しい方向を示してもらう必要がある。

たとえば企業では、一般的に職員には管理職が割り当てられている。管理職は職員が役割を果たして成功するため頼りにするべき人物だ。これがあまりうまくない管理職もいるが、明確な説明責任は設定されているわけだ。

コミュニティでのしくみはかなりちがう。コミュニティに参加するときに管理職はいない。メンバーの成功に責任を持つ明確な人物もいない。メンバー自身が自分の成功に責任を持つ。だから、コミュニティはメンバーがすぐに便益を感じられるように、最初からできるだけシンプルで直感的にしよう。これは導入路の設計からメンバーとの接触すべてにわたる話だ。完璧な世界では、すべてのコミュニティメンバーにガイドするメンターがつくだろう。でも、そんな世界はスケールしないので、人々が自分で走り出すように促す3つのアプローチを提案しよう。

1. セルフディレクション

これはコミュニティメンバーに適切な選択肢を提供し、彼らがいつも自分の意思で新しいことや、達成すべきことを見つけられるようにする方法だ。テレビゲームにはいつも新しいクエストや目的がある。Fitbitには新しいフィットネスチャレンジがある[※6]。Jeepでは新しいジャンボリーイベントに参加できる※7。StackOverflow（訳注：エンジニアのQAサイト）では回答が必要な興味深い質問が紹介されている※8。メンバーが常におもしろい問題を見つけられる方法を考えよう。

2．ピアサポート

これはメンバー同士が支え合いお互いを導く方法だ。アメリカ物理学会は正式なメンタリング・コミュニティを提供している※9。多くのエンジニアコミュニティでは、コードが受け入れられる前にピアレビューを実施している。僕たちはUbuntu Open Weekで、ピアトレーニングとQ&Aセッションを提供していた※10。メンバーが他のメンバーの作業についてインプットできる方法を構造的に考えるべきだ。

3．インセンティブ

これは人を前進させる具体的なインセンティブや報酬の提供だ。ここでもビデオゲームを例に出すと、プレイヤーがさまざまなチャレンジを達成するにつれて、トロフィーやゲーム内の装備品、新機能などの報酬が与えられることがよくある。インセンティブについては第8章でくわしく説明する。

これら3つのアプローチをすべてコミュニティに統合していく必要がある。チームを集めて、これら3分野それぞれのアイデアをブレイン・ストーミングしてみよう。

さて、コミュニティ参加のフレームワークに戻ろう。

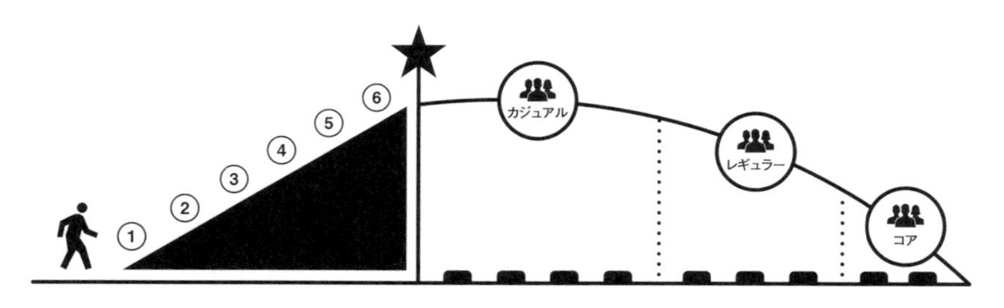

図5.1　コミュニティ参加のフレームワーク

星の右側の部分は、コミュニティでのエンゲージメントの構築に注目している。このフレームワークでは、コミュニティ全体の体験をカジュアル、レギュラー、コアの3つのセグメントに分けている。この区分けは、一般的にコミュニティ内で公にラベルを貼るものではない。ジャックさんはレギュラー、ポリーさんはコアなどと呼んじゃダメだ。これは、君とチームが、さまざまなメンバーの関わり方を内部的に評価するための方法なんだ。

それぞれのセグメントは、人がメンバーとして持っている3つの異なる心理状態を表している。カジュアル、レギュラー、コアの状態ごとに、こちらからの働きかけを適応させる方法を示した。

めざとい人は、3つのセグメントの大きさが実際の数と比例していることに気づいたかもしれない。一般的な法則として、**100人コミュニティメンバーがいれば、70人はカジュアル、30人がレギュラー、1人がコアだ**。この割合が、ターゲットとするコミュニティの規模にどう対応するかは自分で計算できるだろう。そして、もっと広いオーディエンスもいるのだということは忘れないようにしよう。なにかコミュニティに貢献したいとひらめくまで、導入路のまわりをさまよって遠巻きに眺めている人たちなどだ。

最終的な目標は自己決定と他人からの評価、それぞれのインセンティブを適切に組み合わせて、カジュアルからレギュラー、そしてレギュラーからコアへとメンバーが成長し続けるようにすることだ。**だれもが最終的にコアになりたいと思っているわけじゃないが、もしもコアに向かいたい人がいるなら、その移行をサポートする環境を構築しよう**。これらのセグメントをそれぞれ見ていこう。

カジュアル

コミュニティのメンバーが導入路を上がり、自分自身とコミュニティのためになにか価値あるものを生み出したとき、カジュアルメンバーとなる。

カジュアルメンバーは脆い生き物だ。導入路を上がるという最初の成功はおさめたが、コミュニティの人々をほぼだれも知らず、ツールやプロセスにも不慣れで、内輪のジョークも通じない。先は長いけれど、最初の成功が前進のエネルギーを与えている。

第4章のSCARFモデルを思い出そう。人は不確実性を好まない。多くのカジュアルメンバーは、社会的に不安を感じていて、口を開くのもためらってしまうし、まだ自信が持てずにいる（自分が劣っていると思い、それが仲間にバレるのを恐れる）。

カジュアルな参加者のゴールは、彼らが馴染んで落ち着くのを助けることだ。彼らと問題解決をして、自信を築こう。メンタリングとガイダンスを提供しよう。彼らが参加したり、他人を巻き込んだりするためのシンプルなやり方を見つけられるようにしよう。他のメンバーと知り合い、人間関係を築き、友情を育むのを助けよう。

カジュアルメンバーは参加のレベルにばらつきがある（だからカジュアルなんだ）。彼らはまったくの気まぐれで参加しているように見えるが、実際は他人がなにをしているかをしっかり見ていることが多い。参加する人はその前にうろつくものだ。

レギュラーになってもらうためには習慣を身に付けてもらおう。**新しい習慣ができるまでには66日かかるといわれている。君の目標はその66日にわたって参加を続けてもらうことだ**。一度習慣が身につけば、かつては多大な精神エネルギーを必要としていた複雑なことが、もっとシンプルで自然にできるようになる。これはよい食生活や定期的な運動、マインドフルネスなどの日常生活の中で見られることだ。

レギュラー

新しいメンバーが長期にわたり持続的に参加した場合、そのメンバーはレギュラーとみなされる。君のコミュニティの中で、「長期にわたり持続的」とはどの程度なのかを判断するのは君しだいだ。

レギュラーはコミュニティの屋台骨だ。満足感を与え続ければ、レギュラーは何年にも渡って価値ある参加とサービスを提供してくれる。

ここで重要な目標は、**彼らが情報を得て、装備を整え、あれこれめん**

どうな手続きなしに参加できるようにすることだ。多くの企業が、成長するにつれてコミュニティのワークフローに多くのチェック、抑制、承認を導入してしまうという問題を抱えている。これは注意深く監視しておかないと、メンバーたちをウンザリさせてしまう。

レギュラーはコミュニティで多くの経験を積み、他のメンバーから尊敬されるようになり、会社側のチームについてもくわしくなる。多くの場合、レギュラーが他のメンバーを巻き込むことでコミュニティを成長させる。レギュラーは関わりを深めたがり、参加の機会を提供すれば喜ぶようになる。

レギュラーをコミュニティの構造や戦略にますます深く広く組みこむ方法を見つけよう。レギュラーを運営会議に招待し、改善方法について彼らのフィードバックを得よう。レギュラーをイベントに招待しよう。指導を求めよう。個別プロジェクトを手伝ってもらおう。戦略計画に目を通してもらおう。他のメンバーの指導に協力してもらおう。こういうすべてのことが、レギュラーが長期的に参加し続けてくれるための、きわめて重要な**帰属意識**を植え付けることになる。

コア

コアメンバーは君のメジャーリーガーだ。コアメンバーは君のコミュニティの基盤だ。君は彼らの名前を知っていて、彼らがコミュニティに多大な時間と献身を捧げていることにひたすら尊敬を抱いている。みんなコアメンバーをロックスターのように思い、彼らが去ったらどうなってしまうのかと恐れている。

だれがそういうコアメンバーか、どうすればわかるのか？　かんたんだ。個別に拾い上げよう。最も献身的で頼りになるメンバーとしてすぐに思い浮かぶ人物こそがコアだ。その姿形はさまざまだ。僕が働いていたコミュニティの1つでは、コアメンバーの1人は17歳だった。年齢に関係なく彼はすばらしい仕事をしていた。

どのコミュニティにも一握りのコアメンバーがいる。気に食わない人物もいるかもしれないし、批判的でこちらの責任を追及したがる人もいるだろう。それは善いことだ。おべっか使いに囲まれるべきじゃない。それは、君の成長や学びにはつながらない。コアメンバーたちは一生懸命働き、こちらが正直でいるようにして、莫大な価値を与えてくれる。

コアメンバーたちの場合の大きな目標は、コアメンバーがコミュニティのリーダーシップの一部であると感じられるようにすることだ。人は信用されると、もっと頼りになる振る舞いをするようになり、コアメンバーたちの判断はさらに信用できるようになる。可能であれば戦略会議にコアメンバーを参加させよう。彼らにはすばらしい知見があり、コミュニティを別の深く価値のある角度から見ている。君はコミュニティに近づきすぎているので、彼らのメンタリングとガイドを必要としている。

VIP扱いしよう。彼らにふさわしい敬意を持って接しよう。個人的な関係を築き、誕生日にプレゼントを送ろう。相手のキャリアや幅広いさまざまな目標のために、できることをなんでもしてあげよう。ディナーに連れ出し、高価な酒をプレゼントし、常に相手にひたすら敬意を持って接しよう。

コアメンバーを大切にする重要性はどれだけ強調しても足りないが、それよりもさらに重要なのは、彼らの専門知識と指導に本当に頼ることだ。**彼らの言葉を聞き、彼らから学ぼう**。

多くのコミュニティ管理者は、すべてのコミュニティメンバーを部下扱いするというまちがいを犯している。コアメンバーにそんな扱いをしてはいけない。自分の弱さを正直に見せ、彼らに頼り、助けと指導を求めよう。

動機づけ＋適切な報酬＝成長

コミュニティ参加フレームワークの一番下、小さな凸凹の1つに注目してみよう。これはカジュアル、レギュラー、コアへの道のりの途中に君が仕込むインセンティブだ。

これらのインセンティブや報酬は、人々が興味を持ち、参加し続けるためのモチベーションを維持するためのものだ。これらは自動で与えられるものと、特別に開催されるキャンペーンやイベント、招待状などの組み合わせで構成される。

発想は単純だ。カジュアルから始まってレギュラー、コアにいたる道のりに沿ってインセンティブや報酬を配置し、ポジティブな行動や貢献に報いることで、人々は自然と前に進み続ける。

これはフィットネスデバイスのFitbitが、毎日の目標や成果を達成するためにバッジというインセンティブを与えていることや、Coffee Beanのアプリが無料のコーヒーやポイントなどを提供してくれるやり方、航空会社ブランドのクレジットカードを使ってマイルをもらう方法に似ている。どれも人々の関心をかきたて、関係を続けてくれる。

詳細は第8章で説明するので、今のところはこれ以上深入りせず、続きを読もう。

四半期戦略を立てて管理する

この本を読み進め、戦略をふくらませたら、それを実際にやる方法が必要だ。ビッグロックスはもっと広い目的をカバーしてくれる。でも、毎日の細かい仕事に埋もれる中で、細かい実作業をどう管理しようか？

四半期ごとの実施計画へようこそ。項目はこんな感じだ。

四半期	ビッグロック	項目	KPI	担当者	関係者	告知先	ステータス

図5.3　四半期実施計画

これはExcelで作ってもいいし、お気に入りのプロジェクトマネジメントソフトでやってもいい。

発想は単純だ。ビッグロックスをそれぞれ分割し、ビッグロックスの目標を達成するための、個別アイテム／項目の集合にする。項目それぞれについて、明確で測定可能な成果物を提供する、一連のKPIを設定しよう。

これらの項目は、いつ達成可能かが設定され、**四半期**ごとに評価される。これでどのビッグロックスのどの項目がいつ実現するかが明確になる。

この説明責任は必須条件だ。あまりに多くの企業が計画を立てたあとで、具体的にだれがいつなにをするのかについて、口論を始める。事前に計画を明確にするだけでなく、チームのそれぞれが、それを実行するのが自分たちだと理解しているかどうかを確認しよう。計画を無視したり、ちゃんとした理由もなく慢性的に遅れるようなら、計画を立てる意味がない。

それぞれの項目について、項目を達成する責任を持つ1人の担当者がいる。担当者がすべての仕事をするわけではないが、その人がすべての責任を負う。それぞれの項目が時間通りに実現されず、KPIの数値が達成されない場合は、担当者が弁解しなければならない。

担当者に加えて、項目の達成に**関与**することが期待される人やチーム、項目が達成できたときや遅延したときに**告知**される人が追加される。こうした整理や明確化は、さまざまやチームのリーダーや利害関係者が細部まで把握しなくても、全体を把握するために役に立つ。

最後に、四半期の実施計画について、週単位でステータスをチェックして確認できるようにしよう。項目ごとの進捗状況を反映させるために、以下のようなステータスオプションを設定しておくのがオススメだ。

- 未開始：まだその項目にとりかかっていない
- 進行中：今まさに実施中
- レビュー中：項目は達成したが、期待通りか確認するためにレビューが必要
- 完了：項目達成
- 遅延：なにかの理由で項目が遅延している
- 停止：なにかが邪魔をしてこの項目は止まっている。問題解決が

必要
- 延期：この項目は延期される。次の四半期に再開する可能性もあるし、永遠に再開されないかもしれない

四半期実施計画の例をいくつか紹介しよう。

四半期	Q3
ビッグロック	ユーザが結果を予想できるサポートコミュニティを構築する
項目	フォーラムを開設
KPI	フォーラムの要件精査、プラットフォームの決定
	デスクトップとモバイルで利用可能にする
	Google、Facebook、Twitterでのログインを許可する
	主要カテゴリーの設定（総合、Q&Aなど）
担当者	レベッカ・バーグマン
関係者	スチュアート・ラングリッジ 、トム・ドレイパー、 ジェレミー・ガルシア
通知先	エリカ・ブレシア
ステータス	進行中

表5.1　四半期実施計画の例1

四半期	Q4
ビッグロック	予測可能なサポートコミュニティを構築する
項目	中心になるドキュメントの作成
KPI	コミュニティのウェブサイトで利用可能なドキュメント
	スタートガイドの作成
	ベストプラクティスの支援
	FAQのなかにトレーニング素材を備える
	メンタリングプログラムの概要を作る
担当者	リー・ライリー
関係者	マーゴット・マレー、ティム・カーター
通知先	サイモン・ベーコン
ステータス	完了

表5.2　四半期実施計画の例2

この四半期実施計画はコミュニティを管理する唯一の方法ではないが、僕は強くおすすめする。これにより、すべての項目が最終的にもっと広い価値に対応し、リソースが確保され、適切なスケジュールが組まれ、なにを達成すべきかというあいまいさを回避できる。また、進捗状況をだれもが把握し、説明責任を果たせるようにもなる。僕がクライアントと仕事をするときは、この計画は実行担当者向けに作成するが、上層部は見たいときに現状を把握できるのが気に入っている。

この本の残りの部分では各種戦略を取り上げるが、最終的にはこの計画に行き着くだろう。コミュニティ構築によるリスクを減らすには、仕事を慎重に管理し、計測しつづけることだ。

計画を建てるときに取り入れるべき8つの重要な原則がある。

1. 項目それぞれは常にきっちりとビッグロックスと結びついていること

ビッグロックスのどれかと直接の価値のつながりがないものでない限り、戦略に入れたくなっても我慢しよう（ビッグロックスのそれぞれは、コミュニティ・バリュー・ステートメントにしっかりと結びついていることを思い出そう）。しばしばビッグロックスに明確につながらないアイテムが紛れ込むので、注意して検討しよう。それは気を散らせるだけのものかもしれない。

2. チームに説明責任をもたせる

戦略計画を建てるうえで大きなまちがいの1つは、説明責任をうやむやにしてしまうことだ。これは多くの会社で見かけるまちがいだ。戦略を成功させたいなら、項目ごとの担当者が問題や失敗の責任を負わねばならないし、関係者はそれぞれ計画に関与するやり方を計画しなければならない。「A,B,Cのせいで時間がなくてできません、申し訳ありません」と泣き言を言わせてはいけない。この仕事を主導しているなら、**この説明責任（と適切なリソースの確保）を計画に組み込む必要がある。**

3. 達成について現実的であること

必要とされるKPIと、実際に取り組む人、関連メンバーを見よう。彼らは目標としている四半期の終わりまでに、(他の仕事もこなしながら)そのKPIを実際に達成できそうか？　ムリだと思うなら、仕事を縮小すべきだ。「関係者」に同じ名前が複数のタスクにまたがって、たくさん並んでいるなら、それはその人達が手一杯になっている赤信号だ。他の人が手伝ったり、代わったりできないだろうか？

4. これが大事な約束であると確認しよう

計画は全員がそれをきっちり遵守しないと機能しない。計画が気まぐれに変更されたり、無視されたりするなら、計画はチョコレート製のコーヒーポットなみに役立たなくなる。この計画は真摯なものであるべきだ。全員の優先事項として、いつも彼らのWebブラウザで開かれ、毎日見られるものであるべきだ。一回決めた計画を変えるのは慎重になるべきだ。計画変更のやりかたについては後述しよう。

5. 毎週進捗を確認し、問題を解決し、ステータスを更新しよう

多くのプロジェクトに共通する問題として、みんな作った計画をすぐに忘れてしまうということがある。そうならないためには毎週ミーティングをおこない、計画とステータスについて確認してレビューしよう。遅れたり止まったりしている項目の問題を解決しよう。チームのペースを落としている、じゃまになっている問題がないかそれぞれに確認しよう。このやりかたについても後述する。

6. 四半期ごとに見直しをおこない、計画を更新しよう

現実的になろう。ビジネスもコミュニティも人も、常に変化し適応する。ニーズも要件も変化するから、それに対応しなければならない。どの四半期の終わりにも全体の計画を見直し調整する必要がある。

これにはKPIをより精緻化したり、四半期ごとに仕事の目標をみなおしたり、チームメンバーを入れ替えたり、新しい仕事を始めたりすることも含まれる。こうした変更を四半期の途中でやるのは避けよう。そうでないと計画の神聖さが損なわれてしまう(4.を参照)。

7. 未処理分（バックログ）を作ろう

ランプの魔神でも呼び出せない限り、常にリソースよりもやるべきことは多い。だからといって将来に渡ってずっとできないということじゃない。

僕は四半期実施計画の最後に、将来やるべき項目、つまりまだどの四半期でやるかわからない項目を追加することを強くおすすめしている。これによりリソースや時間が空いたときに実施すべき項目をつくれる。

8. 失敗や遅れからチャンスを見つけよう

人生はフローチャートではない。いろいろ邪魔も生じる。なにかが遅れるのが問題でなく、いつ出すことができるかが問題なのだ。

こういう問題が起きたら、**なにが**起きたのかに注目しよう。僕がCanonicalでチームを率いていたとき、6カ月ほどの仕事の塊の中で、メンバーの1人が担当しているアイテムの30%が遅れていた。彼はよく働いていたが、こなせないほどの仕事を抱えていることがわかった。遅れをとがめるかわりに、彼といっしょに次の四半期のために仕事の見積もりをし直したことで、彼は仕事を見事に達成した。ちゃんとシグナルに目をこらせば、**失敗は改善の機会となる**。

しっかり基礎を固めても、手からコテを離さないように

ここまできて、計画構築のための仕事があまりに多くて、少し圧倒されているかもしれない。コミュニティ参加フレームワークは、いろいろ仕事が埋もれているように感じる。そしてその感覚は正しい。やらなければならないことは実にたくさんある。でも、すべてを一度にやらなくてもいいんだ。

コミュニティ参加のためのフレームワークを、造りたいものの設計図だと思ってほしい。家は基礎づくりからスタートして、だんだんと積み上げる。すべての答えを最初から持っている必要はないし、そもそも答えを最初からすべて持つなんて不可能だ。この本を進めていく中で、こ

の基礎のうえに構築していけば、やがてしっかりした土台が得られるだろう。

LinkedInの共同創設者であるリード・ホフマンは、かつて「最初の製品を見て恥ずかしいと想わないなら、立ち上げがおそすぎた」と語った。コミュニティを作るうえで、すべての答えがそろうまで待っていてはいけない。直感にしたがって、なにかを出荷しよう。評価し、発展させ、拡張できる仕事を発表しよう。そうやってみんな改善し、すばらしいコミュニティを築くんだ。

第 6 章

成功とはどんなものか？

なにをおいても、準備こそが成功への鍵だ
—— アレキサンダー・グラハム・ベル

僕が夢想的な思想主義者だったことを打ち明けておこう。

今からは信じられないが、僕が長髪で革ジャンを着ていた18歳の頃、初めてのコミュニティ・ミーティングに参加するために、近くのノーザンプトンまで緊張しながら車を運転していた。そのミーティングは僕が興味を持った技術にフォーカスしたもので、そのグループを立ち上げたすばらしい人の家でおこなわれた。

その夜はいい意味で目が覚めるような体験だった。僕は初めて、同じ情熱をシェアし、かつ1つのグローバルなコミュニティに組み込まれた人々の力を目の当たりにした。僕の心のなかで、人々のもつ本当の力が明らかになった。

だが熱意はリスクでもある。現実のリスクや制約に関わらず、**なんでも**可能だと訴える、多くの自己啓発本の地獄に落ちてしまってはならない。**野心は大胆で勇敢なものであっても、現実に根差したものであるべきだ**。現実的な成功とはなにかを理解すること。それがこの章で伝えたいことだ。

リスクのあるビジネス

はっきり言ってしまおう。コミュニティはリスクが高い。人々をいっしょに働かせるどんな仕事にもリスクはある。人でもプラットフォームでもプロセスでも、くっつけたら、いろいろうまくいかない部分は出てくる。

そのコミュニティは退屈でつまらないかもしれない。人々に興味を持ってもらい、参加してもらうのに苦労することもある。たいした成果が出ず、興醒めの結果を招くかもしれない。人々が口論や仲違いを始めたりするかもしれない。インフラやツールがそろっていなかったり、壊れていたり、うまく動かなかったりする。チームや人々、アイデアへの対応で政治的な問題があるかもしれない。

リスクというのは幅の広い概念で、2つの極を持つ。一方の極は、世界がリスクだらけと考え、そのリスクを避けたり対応したりするだけだ。もう片方の極は、世界を可能性とチャンスに満ちた場所と見て、それを利用して成長しようとする。

このどちらかになってはいけない。両方にならなくてはいけない。リスクを理解し、チャンスに動かされ、この複雑なカクテルの中でなにを成し遂げられるのかを明確な見通しを持つべきだ。その手段は次の4つだ。

1. 生み出したい価値を見定め、理解する
2. その価値を達成するための明確な計画を立てる
3. その達成度をはかるモノサシを見つけ、効果的に測定する
4. 測定した値に基づいて、成功の適切な基準を定義し、必要に応じて戦略を調整する

アインシュタイン並みの頭脳をお持ちの読者諸賢なら、これまですでに1と2にフォーカスしてきたことに気づいただろう。だからこれからは3と4に焦点をあてていく。まずはビジネスやマネジメント全般で

もっとも誤解されやすくまちがいのもとになっている、「効果的な測定」からとりかかろう。

あいまいなものは、ないのとおなじ

1つやってほしいことがある。紙に書いてもいいし、タトゥー屋を予約して刺青してくれてもいいし、飛行機で垂れ幕を出してもいいけれど、次の一節を記憶に焼き付けてほしい。「あいまいなものは、ないのとおなじ」。

僕といっしょに働いたどのチームも、仕事を評価し測定するのが重要だと理解している。だが多くの人はデータに基づいた変化や成功への促進ができるような、**明確な**測定ができていない。ありがちなのがこういう目標だ。

- Webサイトを改善しよう
- 今年は顧客を拡大する
- 顧客の導入をスピードアップする
- 販売プロセスをより効果的にする

こういう**あいまいで主観的な目標はリスクだ**。すべてがうまくいっているならいいが、厳しい結果になりそうな見通しになると、みんなが「改善」「拡大」「スピードアップ」「効果的」といった言葉にこだわって、自分はそういう意味だとは全然思っていなかった、と言い出す。弁解、言い逃れ、言い訳だ。

僕らの商売は言い訳することじゃない。そこそこの成果でお茶を濁すためにこの本を買ったんじゃないだろう？　とんでもないほどの成果を挙げたいから買ったはずだ。それを成し遂げる唯一の方法は、明確な戦略をたて、実行し、そして教訓から学ぶことだ。

戦略的な視点でいえば、本書ではずっと明確さを重視し、コミュニティのミッション・ステートメント、拡大したい価値、ビッグロックス、四半期実施計画を策定してきた。それを実行するために、目的を持って仕事と成果を計測する必要がある。これをうまくやるため、僕は「効果的な測定のための4つのルール」を提唱している。

ルール1　重要な要素をテストする

プロジェクトや活動は、ビジネスでは大きな投資先だ。そこでの重要項目とは、そのプロジェクトや活動を実施するときの有効性を計測するためのキーのことだ。

どの製品、サービス、コミュニティでもそうした重要な要素が存在する。自動車ならスピード、安全性、快適性、積載量などだ。コンピュータなら速度、安定性、ストレージ容量、接続性などだ。コミュニティのほとんどに見られる7つの主要な側面を紹介しよう（順不同）。

- **1. 成長性：**
  何人がコミュニティに参加しているか？　その成長性はどう変化しているか？
- **2. リテンション：**
  コミュニティに参加してくれた人の中で、残って参加し続けてくれている人は何人？
- **3. メンバー同士のエンゲージメント：**
  人々はどのくらい共同作業をしているのか？　お互いに交流していっしょに活動しているだろうか？
- **4. 企業とコミュニティのエンゲージメント：**
  会社のスタッフはコミュニティとうまく関係を築いているか？
- **5. 成果：**
  コミュニティは目的のオーディエンス・ペルソナに対してきちんと成果を挙げているか？　たとえば支援者ペルソナは質問に答えられているか、開発者はコードを開発しているか、コンテンツ制作者はコンテンツを制作しているか。コミュニティは会社のキャンペーンや活動に価値を提供しているか？

- **6. 出席率：**

  対面イベントやオンラインウェビナー、キャンペーンなどの取り組みへの出席率がどのぐらいか？

- **7. 効率性：**

  新規参加、コラボレーションに至るプロセス、問題を解決するまでなどのプロセスが、どのぐらい効率的か？

たとえばビックロックスの1つが「オンラインのサポートコミュニティを作る」というものだった場合、何人が参加しているか（1.成長）、サポートの質はどうか(3.メンバー同士のエンゲージメント)、コミュニティにどのぐらいの期間滞在しているか（2.リテンション）、支援者ペルソナへの導入路がどのぐらい効果的か（7.効率性）などを把握する必要がある。そうすれば道を踏み外さない。

こうした側面は成績を把握するやり方の中核として使ってほしいけれど、仕事を客観的に計測する方法が他になければ、迷わず別の側面を追加すべきだ。でも注意しよう。数値目標があると、みんなその仕事本来の目的を犠牲にして、その数字ばかりにこだわってしまいがちだ。だからこそ、見当すべき重要側面の選択はなおさら重要になる。その指標が全体像ときちんと結びつくようにして、数字工作にあわないようにしよう。

ルール2　アクションとその妥当性の両方を計測する

何カ月か前、僕はできたばかりのオンラインフォーラムに登録した。サインアップすると、n00b(新入りを意味するオタクのスラング）のバッジがもらえる。一段上のcuriousバッジのためには、フォーラムに200のメッセージ投稿、次のレギュラーバッジのためには500件の投稿を要求される。こういうしくみはフォーラムでよくあったし、悲しいかな、インターネットの一部ではいまだに見かける。

ご想像の通り、この仕組はかんたんに濫用される。人々は自分の投稿数を増やすために、社会的に容認される最低限の投稿ばかりするようになる。議論に対して「そうだね」「LOL」「:-)」などの返事しか帰ってこないことがよくあったが、こうした反応は議論にもコミュニティにもまるで貢献しない。情報を減らしてノイズを増やしていた。

問題は、フォーラムに対する**アクション**だけを測定したことにある。**妥当性は計測されていない**。つまりそのアクションがまともかどうかを測定していなかった。すべてではないとしてもほとんどのケースでは、そのアクションがまともかどうかを検証できる、対になるバリデーションがある。たとえばこんなものだ。

- **ユーザーはサインアップ**（アクション）**したあと、なにかをする**（バリデーション）
- **フォーラムに回答が投稿**（アクション）**されたあと、その投稿がよい回答として選択**（バリデーション）**されるか**
- **コードが登録**（アクション）**されたあと、レビューを経てマージ**（バリデーション）**されるか**
- **イベントが実施**（アクション）**されたあと、参加者からポジティブなレビュー**（バリデーション）**を得ることができるか**

一般に、アクションを把握するのは成果やエンゲージメントを測定するいい方法だ。バリデーションを把握するのは、その活動の質を測定するよい方法だ。可能なかぎり両方を把握しよう。

ルール3 「はい」か「いいえ」で答えられるようにしよう

第5章を思い出してみよう。この図に見覚えがあるはずだ。

四半期	ビッグロック	項目	KPI	担当者	関係者	告知先	ステータス

図5.3　四半期実施計画

この表はビッグロックスでの目標を達成するための、具体的な個別作業を追跡するためのものだ。もっとも重要なのはKPIだ。効果的なKPIを定めるやり方については、数え切れないほどの本やセミナーがあるけど、僕はとてもシンプルなものにまとめたい。達成したかどうかは、明確な「はい」か「いいえ」で答えられるべきだ。「たぶん」はいらない。

つまり、具体的で測定可能なKPIにするべきだ。「1年以内に1000人にサインアップしてもらう」とか、「サポートへの導入路は平均2時間で完了できる」みたいな感じだ。

一方で、「しっかりしたコミュニティを作る」「効率的な導入路のサポート」などは「たぶん」が余分にくっついた返事が返ってくる。**具体的で、測定可能**に。すべてのKPIが「はい」か「いいえ」で答えられること。「たぶん」は逃げ口上だ。そんなものの相手をすることはない。すべてのKPIから「たぶん」がなくなるまで新しいKPIを考え続けなければならない。

どのクライアントとの仕事でも、明確で測定可能なKPIがチームのパフォーマンスを向上させる。ほとんどの人には具体的な目標が必要だ。KPIを正しく設定しよう。

ルール4　測定するものを絞る

ちょっと覚悟してほしい。放言モードに入るので。

人間の欠点の1つはうまくいっていると**見せかけたがる**ことだ。成功していると見せかけるために高級車や高い服を買う。官僚は責任を取っていると装うために手続きを増やす。同じように、人々はコミュニティ戦略が正しく実施されていると見せかけるために、指標をガラッと変えてしまう。これは時間とお金とエネルギーの無駄遣いだ。

これまで仕事してきた企業にはすべて、「1つのダッシュボードですべてわかるようにしよう」と話してきた。多くの企業が、将来必要になるかもしれないという理由で、考えられるすべてを測定したがる。

多くのデータを測定しても、特にいけないことはないが、それはそのデータを、実効可能な結果に変換するよう注力する場合に限る。そして、そんなことはできっこない。ダッシュボードに500もグラフがあるなら、500の項目に気を配り、500の会話をしなければならない。そのグラフがすべて重要な側面に対応しているわけではないし、ほとんどはビッグロックスにも対応しない。そんなものは捨ててしまおう。

僕のやりかたを再度いうと、シンプルにすること、シンプルな数式にすることだ。

ビッグロックス+キーになる主要側面=KPI

5つビッグロックスがあり、そのそれぞれで2〜3ずつ重要な側面をトラックしているなら、計測すべきものもそれだ。もちろんこの数にこだわらず、もっと多くのものを追跡するべきかもしれないが、最終的にどの項目がビッグロックスに価値を与えるかは忘れないように。

新しいクライアントの大半に対して、僕はごく少数の重要な側面だけをトラックするよう奨めている。50のメトリクスよりも5のメトリクスに集中するほうがいい。そのほうが集中力を持続し、議論が簡素化し、仕事をするうちに打率も改善されようになる。

足並みがそろうだけじゃいけない——そろった足並みが乱れないようにしよう

人生のプロの言葉：**すべての偉大な仕事には、強固で信頼できる基盤が必要だ**。これは建物の建設、高品質な製品の設計、そしてコミュニティの構築にも当てはまる。

そのために、コミュニティ・ミッション・ステートメント、コミュニティ・エンゲージメント・モデル、コミュニティ・バリュー・ステートメント、ビッグロックス、コミュニティ参加のフレームワーク、四半期実施計画などのツールをつかって強固な基盤を構築してきたんだ。

これらをこれから説明する、「ハッキリした成熟度モデル」と、「繰り返しのケイデンスベースのワークフロー」と組み合わせると、「成功とはなにか」「それをどうやって測定するか」が明確になっていく。混乱している？　迷うことはない。間もなく全部説明するから。
成功をトラックしていくために必要な3つのポイントがある。

1．生産的な参加

強いコミュニティの中心には生産的でハッピーなコミュニティメンバーがいる。すでにコミュニティの価値とオーディエンス・ペルソナを定義した。ターゲットになるペルソナがその価値を達成しているかどうか確認するには、どうすればいいかな？

2．やりとげる！

コミュニティが提供する価値をビッグロックスに分解し、それをもとに四半期実施計画を構築した。戦略がうまくいっていて、達成されるようにするためにはどうしたらいい？

3．組織の力

最終的には君の成功は、コミュニティ戦略とエンゲージメントのスキルを、組織にどれだけ植え付けられるかに直結している。この組織的なスキル開発を計測することが不可欠だ。

この3つのキー領域それぞれを掘り下げてみよう。

成功の定義その1　生産的な参加

かつて「共有サービスにコンテンツを貢献する著者たち」のコミュニティを構築したいと考えている組織と仕事したことがある。彼らはすでにコミュニティ構築をやってみたが、他の多くの企業と同様に、その時点での成果はごく平均的なものだった。
僕が朝のコーヒーをすすりながら「著者たちがコミュニティに参加したら、なにを達成してほしいですか？」と尋ねたとき、答えは帰ってこなかった。運営者は著者たちにコンテンツを制作してほしいと思っていたが、「コンテンツなし」と「コンテンツがたくさんある」の間の段階で**なにを期待すべきか**、イメージできていなかった。

これが、第4章でオーディエンス・ペルソナをつくりあげた理由だ。ペルソナにより、期待するのがどういう形の参加かを明確に把握できる。しかし、今のコミュニティがそうしたオーディエンス・ペルソナにうまく奉仕できているか、どうすればわかるだろう？

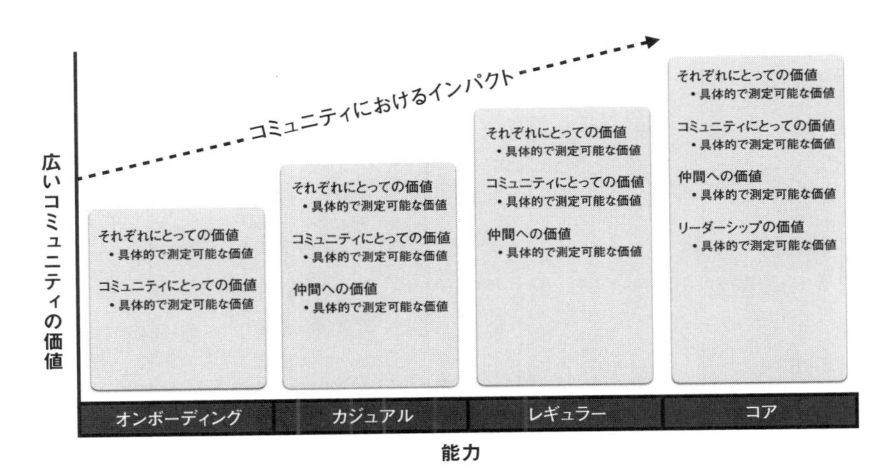

図6.1　コミュニティペルソナ成熟度モデル

その問題を解決するために、図6.1に示すコミュニティペルソナ成熟度モデルを使おう。成熟度モデルに馴染みがない人のために説明しておくと、これはどの段階でどうなれば成功かを定義するシンプルな方法だ。これは髪をガチガチに固めた、高価すぎるコンサルタントがよく使うツールだけれど、残念ながらその多くはあまりに一般的すぎて使い物にならない。このコミュニティ成熟度モデルは（自分で言うのもなんだけど）成熟度モデルのあるべき姿だ。

このキーポイントを覚えておこう：**成熟度モデルはなにを計測すべきかという枠組みは示すが、細部は自分で埋めねばならない。**

ある特定のコミュニティのための、あらゆるペルソナについてなにを期待すべきかを正確に教えてもらえると思っているなら、残念でした。それをやってほしければ、僕を雇うしかない。コミュニティは、それほど汎用的で型にはまったものではない。うまく作られた成熟度モデルは型ではなく、正しい方向からコミュニティを見る参照線を提供する。あとは使う人の状況、期待、野心に応じて細部を自分で埋める必要がある。

この成熟度モデルの使い方を説明するよ。下の軸は第5章で紹介したコミュニティ参加フレームワークのフェーズ、つまりカジュアル、レギュラー、コアの各セグメントを配置し、加えて成功を評価するうえで重要な要素であるオンボーディングも入れた。各セグメントについて、成功がどのようなものかを定義している。これは、いくつかの異なる側面から測定される。

個人的な価値。このペルソナが、ペルソナ自身のために使えるコミュニティの**測定可能**な価値はなんだろう？　たとえば支援者ペルソナにオンボーディング中なら、「コミュニティに質問を投稿し、問題解決になる回答を得た」などが考えられる。

コミュニティへの価値。この人がコミュニティにもたらした**測定可能な**価値はなんだろう？　上の例を繰り返すと、支援者ペルソナにオンボーディング中なら、「コミュニティでメンバーの質問に答えて問題を解決した」ということになるだろう。

仲間への価値。その人が仲間のコミュニティメンバーを助けるために提供した**測定可能**な価値はなんだろう？　レギュラー段階にいるペルソナなら「1対1のレビューを5人以上の違うメンバーにする」といったものが考えられる。また他人の成功を助けるためのドキュメント作成や研修をすること、リーダーシップの発揮なども考えられる。

リーダーシップの価値。その人がリーダーシップを発揮することでもたらした**測定可能**な価値はなんだろう？　コア段階にいるペルソナなら「1年間、コミュニティガバナンス協議会の理事会で代表を務める」といったものがある。

相変わらずめざとい読者は、それぞれの例で**測定可能**という言葉が強調されていることに気づいただろう。前に説明した「効果的に測定するための4つのルール」がピンとこなかった人は、もう一度読んでみよう。さて、公平を期すために言っておくと、ここではちょっと楽をしてもかまわない。こうした価値はKPIほど細かく測定する必要はない。でも、達成されたかどうかについては明らかにできないとダメだ。

コミュニティペルソナ成熟度モデルでは、上に挙げた側面のいくつかは限られた行にだけ表示されていて、他の段階には存在しないのに気がついたかもしれない。これはオンボーディング、カジュアル、レギュラー、コアそれぞれの段階で、評価する方法が違うからだ。

オンボーディングについては第5章で話した通り、自分自身とコミュニティのために価値あるなにかを1つ提供するという目標のままだ。同様にそれぞれのペルソナの中で1つの成果を測定するべきだ。

たとえばエンジニアのペルソナの場合はこんな感じだ。

- **個人的な価値：バグを修正したり、メンバーに必要な機能を追加したりした**
- **コミュニティの価値：プロダクトを改善するコードを貢献し、それが受け容れられた**

カジュアルメンバーの場合、貢献は有意義でもカジュアルな参加になる。小さいその場限りの貢献が積み重なる感じだ。質問への回答、問題の解決、ちょっとしたコンテンツの提供のような感じだ。

支援者ペルソナならこんな例になるだろう。

- **個人の価値：1つの質問に回答し、質問者が感謝のメッセージとともに受け入れた**
- **コミュニティの価値：あるメンバーが直面している問題が1つ解決された**
- **仲間への価値：1人に対して限定的なメンタリングをおこなった**

レギュラーの場合は、より一貫性があって持続的な貢献を提供すべきで、カジュアルメンバーよりも大規模で包括的な作品に取り組むことが多い（なぜならコミュニティに対して確かな信頼を抱いているからね）。

エンジニアのペルソナなら、こんな例になるだろう。

- **個人的な価値：毎月のようにバグを解決し、ニーズに応えるような機能を追加する**
- **コミュニティの価値：毎月着実にコードを共有プロジェクトに貢献する**
- **仲間への価値：他の人の貢献についてコードレビューや技術的なインプットを提供することで、全体の品質を向上させる**

最後にコアのメンバーなら、まずレギュラーの活動がベースにする。そしてレギュラーメンバーよりもいっそう一貫した参加や、高い責任意識、メンタリング、リーダーシップの発揮が重視される。

たとえば著者ペルソナのコアならこうだ。

- **個人的な価値：長期（8カ月以上）に渡って、毎月一貫して記事を書いている**
- **コミュニティの価値：会員から高い評価を得ているコンテンツや教育を毎月一貫して投稿している**
- **仲間への価値：他人の書いた文章を編集したり、指導したりするなどで、毎月一貫したフィードバックを提供している**
- **リーダーシップの価値：全体的なライティングと投稿プロセス、サポートリソース、コンテンツの公開・閲覧方法を計測可能な形で最適化した。また、コミュニティ戦略、問題解決、サポートの他の分野でも会社を支援した**

もっと多くのペルソナ成功例を見たいなら：

https://www.jonobacon.com/ にアクセスして、Resourcesを選んでほしい

成功の定義その2　とにかくやりとげよう!

最高の会社が最高の計画を作ったときでも、チームの何人かのメンバーはその計画の実行に苦労するものだ。さらに計画の調整をするタイミングや状況を見極めるのにも苦労するだろう。人間の本性として、すでに忙しい毎日のなかで新しい取り組みをするときにはそうなってしまう。

これを解決するためにはケイデンス（繰り返し）ベースのサイクルが必要だ。これはUbuntuのためにCanonicalで仕事をしていた時に使っていたもので、うまく機能した。その後他の会社やプロジェクトでも同じアプローチを使っている。図6.2を見てみよう。

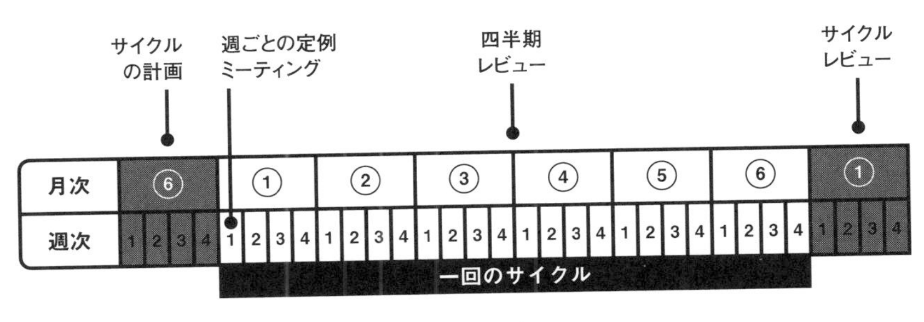

図6.2　ケイデンスベースのコミュニティサイクル

1カ月単位と一週間単位で区切られたタイムラインがある。各サイクルは6カ月、四半期2回分だ。①から⑥までの番号が付けられた月があり、その両側には、前サイクルの最終月と、次サイクルの最初の月が書かれている（図では灰色で表示されている）。

第3章では次の1年に達成したい価値をまとめた「ビッグロックス」を作った。1年とは半年サイクルが2回だ。各サイクルはビッグロックスの仕事の半分に相当する。では図の6.2を見て、それぞれの半年サイクルでなにが起こるかを説明しよう。

サイクルを始める前の月に、サイクルプランニングを実施する。このプランニングでは次の2回の四半期（これがあわさって6カ月サイクルとなる）になにを達成したいか計画する。

ここで第5章、ビッグロックスをもとに計画した、四半期実施計画をマッピングし、それをベースに2回の四半期での成果物とKPIを入れよう。

毎週、この四半期計画にマッピングされた仕事を、滞りなく達成する必要がある。そのためには四半期実施計画の担当者欄に記載されている全員と、毎週電話で連絡を取り合うべきだ。これは、みんなが状況を把握しているか確認し、問題があれば議論し、滞っているものを解決して、前進を続けられるようにするためだ。

最初の四半期の終わりには四半期レビューをする。サイクルの前半が終わったところだが、後半（次の四半期）の計画がいまでも筋が通っているかを確認したい。

四半期実施計画を見直し、しっかり検討しよう。ビッグロックスは今のところ、期待通りの価値を提供している？　そうでない場合は、学んだことをベースに個別項目を調整しよう。KPI、担当者、割当を微調整しよう。ここでの狙いは比較的小さな改良を加えることだ。今もビッグロックスの実現は目指している。ただそのなかで計画を最適化し、まだそれが筋の通ったものであるか確認して、チームとリソースを最大限に利用したいわけだ。

最初のサイクルをすべて終えたら、それまでのすべてに徹底的なレビューをおこなう。このレビューは主要なステークホルダー、他の部門、場合によっては担当役員や投資家などをふくめた広い範囲の会議であるべきだ。レビューの目的は、僕らが**今も適切な戦略にしたがっていて、やみくもに計画に固執していないこと**を確認するものだ。

たとえばこういう質問がされるべきだ。

- **ビッグロックは進んでいるか？　進んでいないなら、なぜ？**
- **それぞれの取り組みは価値を出している？　出していないなら、**

なぜ？
- KPIなどの目標は達成できている？ できていないなら、なぜ？
- コミュニティのメンバーたちは、この活動を喜んでいるか？ そうでないなら、なぜ？
- チームはうまく共同作業できている？ できていないなら、なぜ？
- リソース配分や人員に問題はない？
- この作業でコミュニティの価値ステートメントに書かれた価値が提供され、コミュニティのミッションを進捗させている？

このレビューでは成功も失敗も正直に、身も蓋もなく話す必要がある。チームの仕事の面でもチームワークの面でも、レビューの結果として、**次のサイクルで実施したい改善点が得られねばならない。**

だがもっと重要なのは自分の**成功を祝う**ことだ。改善ばかりに焦点を当てていると、仕事の楽しさが失われてしまう。なにかがうまくいったときはシャンパンを注ぎ、チームを祝福していっしょにお祝いすべきだ。

さあ、**次のサイクルのための計画を作成しよう**。これは年次ビッグロックスの後半の時期に相当する。残りの四半期2つそれぞれの実施計画を作成し、KPIがすべてビッグロックスにつながることを再度確認する。

このサイクルごとのレビューで、実際に四半期ごとに達成が積み上がっていることを確認しよう。

僕はこのケイデンスベースのアプローチが、すべての仕事を軌道に乗せるだけでなく、こうしたさまざまなマイルストーンにみんなをなじませることを何度も実感してきた。このサイクルを数回繰り返せば、君と君のチームは仕事の計画を立てし、四半期レビューをおこない、毎週のミーティングで状況を把握し、各サイクルの成功を元に評価と最適化をするタイミングがわかってくるだろう。

成功の定義3　組織の力

コミュニティ戦略を初めて学ぶ組織の中には、結果を出す小手先の技を学びたいだけのところもある。コミュニティを真に成功させるには、コミュニティでの体験を広げ、それに関与し、最適化するための計画をたてるのに必要なスキルを統合しなければならない。そのためには、単に仕事をこなすだけでなく、組織に新しいスキルを作りあげる必要がある。これが最後の成熟度モデルでの焦点だ。

組織にこうした新しい能力が根付く3つの段階がある。

まず新しいスキルを育成する。リソース、教育、戦略、実行を適切に組み合わせた環境を構築し、それにより（a）組織が新しいスキルを育み、（b）そのスキルをしっかりと身に着け、（c）そのスキルを発揮する支援をおこなうんだ。

もちろん絶対にヘマをするだろう。失敗は必ずあるだろうが、それはかまわない。育成とは**実験によりなにが成功し、なにが失敗するのかを発見することだ**。コミュニティの成長をコントロール（つまりは全体としてのコミュニティ戦略）して成功するためには、こうした実験による失敗を許容しなくてはならない。

次に**意識化に注目する**。育成段階で学んだことを、意図的にやれるようにするんだ。組織にとっての実施基準を作成し、それに基づいてチームの人々を訓練し、チームメンバー自身に頼んでそれを改良・進化させてもらう。そうすることで、積んだ経験に基づき、この仕事をうまくやるための社内ガイドブックができあがる。

最後に**統合する**。このベストプラクティスを組織全体に浸透させる。コミュニティ戦略で失敗する企業の多くは、コミュニティ戦略をタコツボに押し込めてしまう。たとえば僕がいっしょに仕事をしていたあるエンターテインメント企業では、コミュニティプログラムを管理する担当者が1人しかいなかった。この人は結局、実質的にコミュニティ全体の大使となってしまい、他のスタッフはこのコミュニティ担当者が全部仕事をするのだと思いこみ、コミュニティのことはすっかり忘れて日々の仕事に戻れると思ってしまった。

こんなんじゃダメだ。

信じてくれ。こんなのは勝利の戦略じゃない。成功している企業は、製品、エンジニアリング、マーケティング、セールスと整合する形で、ビジネス全体にコミュニティ戦略を統合している。ビジネスと、それがコミュニティと連携する手法は、きれいで、よく整備された機械のようであるべきで、それこそが成熟の最終段階になる。

この3つのフェーズを、選び抜いた専門分野と組み合わせることで、成熟度モデルが浮かんでくる。僕はこれを組織能力の成熟度モデルと呼ぶ（図6.3）。

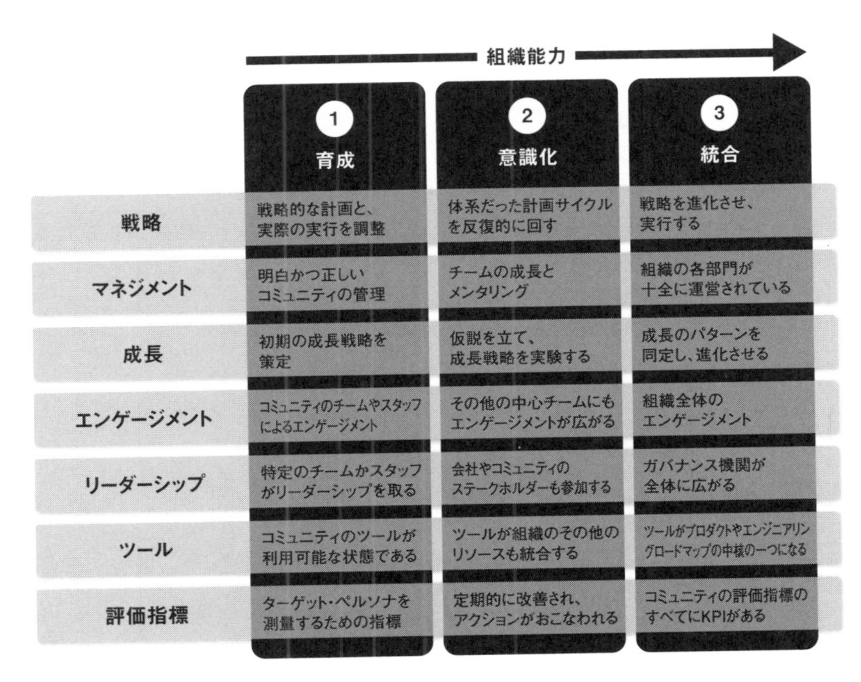

図6.3　コミュニティの成熟度モデル

見てわかるように、7つの行があり、それぞれが専門分野を表している。各分野は3つのフェーズにまたがっていて、フェーズごとに、それぞれの専門分野になにを期待するかを指定できるようになっている。

たとえば戦略の場合、育成の段階では、まとまりのある構造化された計画が含まれるはずだ（本書でこれまで論じてきた通り）。しかし、意識化するというフェーズに移ったら、反復的な計画サイクルがあるはずだ（これまで話してきた通り）。最後の統合の段階では、戦略的サイクルを進化させ、どんな仕事をしたいかだけでなく、その仕事をいっしょにどのように実施したいかについても、洗練させ、最適化していかねばならない。

図6.3に示した図はほとんどのコミュニティにおおむね推奨しているものだが、自分のニーズに合わせて調整しよう。会議を開いてチームに質問しよう。来年の具体的な組織目標に向けて、この組織能力の成熟度モデルでのジョノの基準をどう最適化すればいいだろう？

僕は幅広い組織とコミュニティで仕事をしているけど、この7つの専門分野の重要性は共通している。それぞれを見てみよう。

1．戦略

これはコミュニティ価値提案を実際の、生きて、呼吸しているコミュニティに変換するためのまとまった方法だ。これまでに議論してきたことの多くが組み込まれている——コミュニティのミッション・ステートメント、ビッグロックス、四半期実施計画、さまざまな成熟度モデル、そしてこれらのサイクルをどのように実行し、調整するか。

2．マネジメント

これはコミュニティを運営し、促進していく方法だ。これには、コミュニティ管理、その組織への統合、チームの成長、リソースの管理ほか、組織内でコミュニティを効率的に管理する機能を構築・維持するための要素が含まれる。

3．成長

これは参加者それぞれがコミュニティに関与するうえでの成長と参加

の構築方法だ。**パターンを発見することに注力しよう。成長の法則について仮説を立て、重要なものをコミュニティ全体に統合していこう。** この項目、成長は、コミュニティそれぞれの状況や内部関係、コミュニティそれぞれの状況や内部関係に大きく依存している（つまり、君の組織がコミュニティにどんな戦略や期待を抱いているかによって大きく変わる）。

4．エンゲージメント

これは（結果が）予測可能な形で、親密かつ積極的にコミュニティに関わっていく方法だ。これについては次の第7章でくわしく説明しよう。最初の段階では、特定の数人しかコミュニティに関与していないが、これを組織全体で関与するように広げていきたい。また、エンゲージメントは、楽しく、魅力的で、ダイナミックなものにするべきだ。つまらないあくびの出るようなエンゲージメントにしてはダメだ。

5．リーダーシップ

これはコミュニティをリードし、運営していく方法だ。初期の段階では、このリーダーシップの多くを君が直接おこなうことになるが、コミュニティのリーダーを育て、戦略に組み込もう。最終的には、コミュニティの最善の利益のために、組織から独立してコミュニティ運営のグループを作ることなどもあるだろう。コミュニティから生まれたリーダーたちは、コミュニティに最善の利益をもたらすように客観的なリーダーシップを発揮してくれる。

6．ツーリング

これはコミュニティという機械が機能するために必要なすべてのツール、インフラ、こまごました道具立てを整備する方法だ。

初期の段階では、コミュニティの中で小さなツールから始まるだろうが、成熟してくると、製品チームやエンジニアリングチームと緊密に統合されるツール群となるべきだ。そうすることでコミュニティ・プラットフォームが、組織の提供する製品や体験の一部となっていく。

7．指標

これは組織がコミュニティそのものやその健全性をどのように測定するかの方法だ。また、見たもの、測定したもの、理解したものに基づいて、戦略をどのように進化させるかについての成熟度を高めていく方法でもある。繰り返すけど、コミュニティのパフォーマンスが組織全体で共有され、組織の働きの重要な要素として会社の経営会議で報告されるようにしたい。

この本のすべてと同様、ここで紹介したモデル、フレームワーク、アプローチのすべては、料理本のレシピとしてとらえてほしい。料理を作るためにレシピを見るが、自分の趣味にあわせて調整する。実験したり、新しいことを試したり、専門分野を追加したり、自分に合うように調整してみよう。

組織的能力の成熟度モデルは組織にどこまで深く根付くかで、効果が決まってくる。もし「成熟度モデルをプロジェクタで映して、熱心にプレゼンした後は、忘れ去っておしまい」なら、時間をドブに捨て去るようなもんだ。そんなのを喜ぶ人はだれもいない。

ほとんどの企業はこの5つのルールに従えば、この成熟度モデルを使いこなしていけるだろう。

1．各サイクルの終わりに見直す

各6カ月サイクルの終わりに、組織能力の成熟度モデルを見直し、前進を続けるために短期的な変更が必要かどうか確認する。この確認には業務に関与する最も重要なチームに参加してもらおう。

2．戦略は年に1度、完全に見直しをする

毎年の終わりにリーダーシップチームと主要な部門のスタッフを集めて、組織能力の成熟度モデルを詳細に見直そう。これはどのギャップを埋めるべきか特定するために、根本的に考える会議でなければならない。この主要なギャップについては第10章でくわしく説明する。

3. 組織のすべての層からフィードバックを集める

進捗を確認する際には、さまざまな部門からフィードバックを集めるようにしよう。たとえば、コミュニティのツール・機能分野についての議論にはエンジニアリングチームだけを招待するのではなくて、主要な部門を参加させると、よりいい意見が得られる。この仕事にみんなが乗ってほしいけれど、本気で乗ってくれないとダメだ。多くの会議は、その仕事をちゃんと見ていない人々がうなずくだけで終わってしまう。彼らが本気で合意してくれるようにしよう。

4. 批判的なフィードバックも求めていることを強調する

成熟度モデルを使ううえで一番大きいリスクは、実際に起こっていることが反映されずに、最適化ができないことだ。コミュニティ戦略の主担当者が会社の重役だったりするなら、その時点で実情がわかっていないだろう。多くの人が現場での問題を隠そうとするからだ。批判は大歓迎だということを明確にし、批判してくれた人に**報酬でこたえよう**。

5. 四半期実施計画に改善点を盛り込もう

改善すべき領域を特定したら、それを担当者と具体的な作業に分解して、四半期実施計画で追いかけていこう。

予測不可能な道のりでも、手に負えないわけではない

僕の学業成績はごく平凡だった。18歳でGCSEs(イギリスの中等教育終了時試験) の平均はCだった。Aレベル (大学進学前提の教育) に進んだが、2つのDと、EとNが1つずつあった。Nはうっかり試験用紙に名前を書きまちがえたということだ。

それからの僕の旅路は紆余曲折があった。オープンソースのコミュニティを見つけ、雑誌に記事を書き始め、片手間のジャーナリストになって、そしてある記事のおかげでコンサルタントとしての仕事を得た。そこでいい評判を得て、新進気鋭のスタートアップに入社し、キャリアの

中で芋づる式にいろんなことが起きた。人生のすべてが4段階の計画ですすめられるわけじゃない。

この第6章では、人々のグループをうまく結束させるために、風の強い道で必要なガードレールを提供している。でもあまり法外な期待は抱かないようにしよう。時にはこれらのモデルが実際のコミュニティに完璧に当てはまらない部分があり、そこは自分で走りながら考えなければならないだろう。

それはけっして悪いことではない。繰り返しになるけど、最高のシェフはレシピに盲従しない。レシピを参考にして最初の一歩を踏み出すけれど、実験して独自のスタイルやテクニックを発見する。コミュニティを成功させるアプローチも同じだ。このアプローチはしっかりした基礎になるけれど、本当に驚異的なコミュニティをつくりあげるためにはそれを自分で洗練させ、調整しよう。

第 7 章

人々を結びつけて すごいものを作ろう

偉大なことは小さなことの積み重ねで作り上げられる
—— ヴィンセント・ヴァン・ゴッホ

数カ月前、コミュニティ・リーダーシップ・サミットというカンファレンスの運営を終えた後で、ポートランドのオレゴン・コンベンションセンターをうろついていた。会議場特有の、値段ばかり高い茶色い泥水のようなコーヒーをすすりつつ、コーヒー店の壁によりかかっていたら、見慣れた顔がやってきて「いよう、相棒！」と声をかけてきた。

アダム（匿名）は僕と同じぐらいの歳で、以前コミュニティの仕事をいっしょにしていた。彼は、コミュニティのメンバーがすばらしいフィードバックをくれ、「自分の思い込みを改善する」という難しいことを助けてくれたおかげで、自分がいかにスキルを学び育てることができたかを話してくれた。そしてコミュニティでできた新しい友人たちとの思い出、何人かが結婚式にも来てくれたり、子どもたちと会ってくれたり、別荘で週末長い時間をいっしょに過ごしてくれた話をしてくれた。彼はそれを「コミュニティがなかったら、オレは今日このコンベンションセンターにはいなかっただろう」とまとめた。

コミュニティからのわかりやすい、**ポジティブで、個人的な文化**が彼に影響を与えたんだ。

公開コミュニティに限らず、社内や仲間内のコミュニティにも驚くほどの力がある。僕は2つの違う銀行と仕事をしたけど、どちらもチームの連携が取れておらず、それぞれのタコツボから出てこない状態に悩まされていた。僕はチーム同士がプロジェクトで協働作業をおこなうための共有コミュニティスペースを提供し、ピアレビューをおこない、スキル開発のイベントを開き、発見を共有するのを支援した。結果として生産性が向上しただけでなく、チームがより**楽しく**共同作業ができるようになった。

同じようなことを中国の大手企業でもやった。そこでは共同作業の環境を整えるだけでなく、社員がお互いのいい仕事を認め、評価しあえるようにゲーミフィケーションした。傑出した社員のポスターを会社中に張り出す、みたいなこともやった。この場合も、協働作業の文化を作ることは従業員の望みだったし、結果がそれを裏付けてくれた。

でもここで1つ難問。**文化を理解し、作り上げるのは難しい**。文化というものは**一連の規範が繰り返され、広い集団に受け容れられる**ことでできあがる。だから、コミュニティで文化的な規範を作るだけでなく、その文化が採用され、受け容れられ、発展させてもらえるものにしよう。

この章では、コミュニティの文化を作り上げていく方法と、その成長やエンゲージメントを構築する方法についてくわしく説明する。

文化を構築する

まともな文化を構築するには、体系化され、戦略的なアプローチを取ろう。そのために4つの分野に焦点をあてる。

1. 10種類の文化コアを理解する

音楽、文章、美術、演劇などのアートと同じように、なにかをやるときの物腰は、それが実行されるしくみと同じくらい重要だ。前に書いたように君のコミュニティはわかりやすく、ポジティブで、パーソナルなものでなきゃダメだ。この視点から、コミュニティの物腰、声、アプローチがバランスのとれたものになるようにしなきゃならない。そのガイドとして使える10の文化コアを開発した。

2. 成長戦略を作る

だれもいなければコミュニティは作れない。なぜそのコミュニティが興味深く、参加すべきなのかをみんなに理解してもらうための成長戦略を作らねばならない。これで人々は入り口にやってきて、コミュニティ参加フレームワークに乗ってくる。

3. エンゲージメント戦略を作る

コミュニティができたら、メンバーと関わりを持ち、メンバーのモチベーションや、熱意や、関心を維持する必要がある。そのためには、**生産的で個人的なエンゲージメントを持続的に続けること**が必要だ。

4. 結果を観察し、仮説を立て、実験を続ける

成長戦略やエンゲージメント戦略を実行する中で、目に見える結果を基に実際になにが起きているか観察し、改善や改良のための新しいアイデアを出し、そのアイデアを実験で検証する必要がある。これはコミュニティを常にチューニングするだけでなく、自分や組織のコミュニティ戦略のスキルを高めるんだ。

この4つのステップを実施する中で、これまでコミュニティ戦略に組み込んできたさまざまな部分を活用する。コミュニティ・ミッション・ステートメント、コミュニティ・バリュー提案、オーディエンスのペルソナ、そしてビッグロックスなどだ。やるべきことを同定したら、それをすべて四半期実施計画で追跡しよう。

10のカルチャーコアを理解する

伝説的なジャズミュージシャンのマイルス・デイビスは、「どの音を弾くかよりも、どの音を弾かないかのほうが大事」だと語っている※1。

コミュニティの文化でも同じだ。大事なことは言葉にならない。不文律こそが、もっとも大きなインパクトを作る。

これは僕が企業でトレーニングをするうえで一番難しいところの1つだ。エンゲージメントの物腰とアプローチには、言葉にできない繊細な要素が実に多い。そうした繊細さは教えるのが難しく、身につけるには練習が必要だ。

以下の10のルール（順不同）を君とチームでしっかりと身につけよう。きちんと読んで、消化し、練習しよう。同僚と話し合おう。これが君の価値であり、それがもたらす感触により、コミュニティは親切で思いやりのある魅力的な場所になる。

1 オープンであろう（Be open）

可能な限り常にオープンであること。コミュニケーション、意思決定、各種選択肢の評価、コミュニティを左右する結論に至るまでをなるべく**オープンにしよう**。**オープンに、自由に書き、話し、さまざまな文脈を提供し、過剰なぐらいにコミュニケーションを取ろう**。それは不安を減らし、関係を作り、信頼を築く。そして参加者たちの関与方法についての規範にもなる。

これはいうは易しの典型で、特に会社員だとなかなか難しい。コミュニティに慣れない多くの企業では、「コミュニティに足を突っ込んだら、うっかり機密情報を漏らすのでは」と心配して、消極的なスタッフがいる。組織としてオープン性を学ぶ中で、トレーニングやメンタリングを提供し、処罰されないことを保証しよう。慣れる時間は与えても、このオープン性は必須だ。

オープン性は「正真性」を生む。これはこの本で一貫して追求しているものだ。コミュニティとそのメンバーは正真性を必要としているだけでなく、それを尊重している。これはすべて、公開の場で起こる必要があるものだが、問題が起きている状況ではなかなか難しい。

マイク・シノダは、リンキン・パークの創設者で、7,000万枚以上のレコードを売り上げ、グラミー賞を2度受賞した。マイクは長年にわたって一貫してコミュニティをつくりあげ、仕事への取り組み方のほとんどをオープンにしてきた。彼はまた、とんでもないくらいナイスガイでもある。

2017年、彼のオープン性に決定的な瞬間が訪れた。友人でリンキン・パークのシンガーであるチェスター・ベニントンが急逝し、数百万人のファンが追悼した。マイクは友の死を悲しむと同時に、リンキン・パークのコミュニティにどうアプローチするか、どこまでオープンにするのかという問題に直面した。

彼は、こう思考の過程を説明してくれた。

「大局的に見て、自分が正しいと感じること、真実を伝えること、そして人々にとって重要なことや役に立つことをしなければならない。その点でいえば、チェスターが他界したことで、僕のキャリアや生活は大混乱に陥った。自分個人の感情や反応をどれだけ公表すべきかわからなかった。だから人前に出るのを数カ月避け、作曲や絵画などのアートに集中することで、自分の感情を整理しようとした。結局はそれらの絵画や楽曲が、すべてについての自分の見方を伝える、完璧な手段になった。それを「ポスト・トラウマティック」というアルバムにして発表した。自分の日記を全世界に向けて読ませているような、とても無防備な感覚だった」※2

マイクの対応は完璧だった。自分に必要なだけ時間をかけたが、コミュニティとのつながりも失わなかった。彼は今も僕だけでなく何百万もの人に刺激を与え続けている。チェスターの冥福を祈ろう。

2 実務的であろう(Be pragmatic)

あまりにも多くのコミュニティが、**口先だけで行動を起こさない**。僕が知っているある地元コミュニティでは、新しいWebサイトを作るのにどのプラットフォームを使うのか、半年間も議論していた。決断をして前に進むのではなく、議論そのものに夢中になっていたんだ。

どうでもいい、ダラダラした、非生産的な議論は避けよう。コミュニティは、（楽しい時間を過ごしながら）**結果を出すのが仕事だ**。具体的で実行可能な仕事をして、具体的な成果に変えよう。あいまいなアイデアや無関係なアイデアではなく、測定可能な価値を目指して仕事をしよう。

3 個人的であろう（Be personal）

この図7.1は、コミュニティが成長していくうえでの大きな課題の1つを示すものだ。

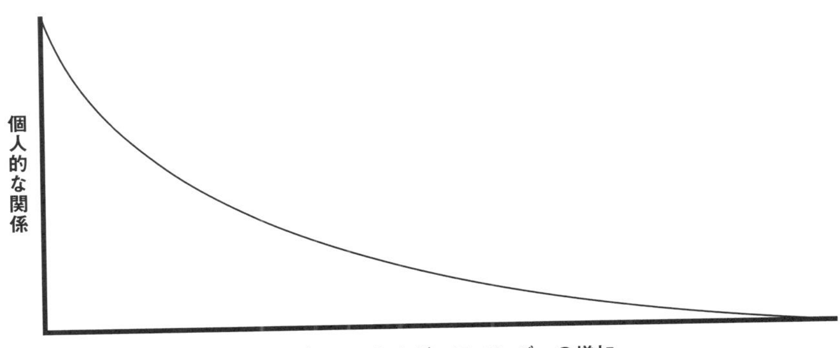

図7.1　コミュニティの拡大と、個人的な関係とのカーブ

コミュニティが成長すると、多くのことを自動化したくなる。一般的なタスク、ワークフロー、エンゲージメントが、自動化された電子メール、フォームなどのコンピュータ仕掛けに置き換わる。これは、コミュニティの成長に伴い、個人的な触れ合いを減らしてしまう。

人がコミュニティに参加するのは、コンピュータと話すためではなく、**人々**と触れ合うためだ。常に個人レベルのサービスと交流を重視しよう。人々、その生活、家族、関心を学ぼう。**量ではなく質を重視しよう**。そうすれば、コミュニティの長期的な健康が保てる。

かつていっしょに仕事していたある大企業では、従業員とのこうした個人的な触れ合いや関係づくりに苦労していた。この問題を改善するために、この企業は従業員に「趣味のコミュニティ」を立ち上げるよう奨励した。すると、ランニング、ゲーム、ダイエット、リーダーシップ、音楽などに焦点を当てたさまざまなグループが生まれた。会社のリソースはほとんど使わなかったのに、社員が共通の興味を持って集まることで、交流がタコツボ化しなくなった。最も強い関係の一部は、このような関心グループから生まれた。

4 ポジティブであろう(Be positive)

物腰がきわめて重要な理由の1つは、他の人もそれを知らないうちに真似るからだ。ポジティブな環境はポジティブな関わりを作る。ネガティブな環境はなんでも否定したがる連中を生み出し、周りにいる気をなくさせる。ポジティブさを保ち、リーダーたちにもポジティブさを保つよう働きかければ、それが他の人にも伝わる。これは君の文章、コンテンツ、メールほかあらゆるものに反映されるべきだ。今日は調子が悪いって？　しっかりするんだ。明るい笑顔を浮かべ、ポジティブな気持ちを持ち続けるんだ。そうすればポジティブな基盤が確保される。

5 協調的であろう(Be collaborative)

コミュニティは、共有と協力という基盤のうえに形成されている。そういう文化から外れると批判される(そして追い出されかねない)。

意思決定がタコツボ内でおこなわれるのを避けよう。人々を巻き込み、フィードバックを集め、直感を検証し、アイデアを裏付けよう。コミュニティのメンバーを調整していこう。計画書についてフィードバックを求めよう。ここでも人々は、決定内容だけでなく、決定方法まで含めて君を判断している。人々を決定に巻き込み参加させれば、必ずいい印象を生む。

どうしても秘密裏な意思決定が必要な場合は、コミュニティ内にそれについての見当を作り出そう。どこかに一線があることを明確にし、その決定がおこなわれた文脈をできるだけ提供しよう。決定の公開日、新機能、ポリシーの変更など、あらゆる情報をなるべく流しつづけよう。

6 リーダーであろう(Be a leader)

リーダーになるのを恐れないこと。新しいコミュニティマネージャーの一部は、人々に敬遠されるのを嫌って、先頭に立つのを恐れる。他の大事な文化である、オープン性や協力を重視していれば、そんな心配は無用だ。ほとんどの人はいいリーダーを必要としている。その1人になろう。

リーダーシップでは厳しい選択も迫られる。みんなの嫌がる**決定を恐れてはならない**。君は悪の親玉ではないんだ。それが正しい決断だったことをできるだけ説明し、コミュニティ内の信頼できる人に、自分の決断を確認してもらい、その厳しい選択に至った経緯をオープンにしよう。そうすれば、不人気な選択をしても、敬意は得られる。

7 ロールモデルになろう(Be a role model)

ポジティブやネガティブな態度がまわりに伝染するように、リーダーシップも伝染する。決定の中身だけでなく、なぜその決定に至ったかも印象に残る。客観的で、親身で、正真な意思決定とリーダーシップを発揮しよう。**自分の理想形を自ら体現することで、他人にとって理想のリーダーになれる。**

8 親身になろう(Be empatheic)

コミュニティはさまざまな背景、経験、専門知識レベルの人々が集まったるつぼだ。こうした差に十分に注意をはらい、親身になる必要がある。本書でも前に、脳を「プライベートブラウジングモード」にしたときにこれをやった。相手の立場になって物事を見てみたときだ。

もしも人々が君と意見が合わなかったり、苦労していたり、問題を抱えたり、こちらを理解してくれなかったりしたら、親身になろう。向こうの視点からものごとを見て、それを相手にも示そう。**意識的にやろう。心の中で相手の立場になるだけじゃダメだ。それを言葉にして、実際に相手に目に見える形で示そう**。これはすべての信頼を築く基盤だ。共感は包含性を作り上げるための強力なエンジンで、包含性はイノベーションのエンジンだ。

MSNBCの辛口で人気なニュースキャスターだったアリ・ヴェルシと初めて会ったのは、XPRIZEイベントを運営していたときだった。彼は政治的な言説にどっぷり浸かった仕事をしているが、大小を問わずコミュニティでは共感と包含性が重要だというのを見ている。

「コミュニティは、人々が本来持っている個別性を否定しない包含的な会話を許容するが、共通点を探るような対話のプラットフォームを提供してくれる」※3。だが彼はこのポテンシャルについて、適切な注意書きをつけている。「帰属意識は個人にとって重要だが、社会としての私たちには礼儀正しさも重要だ」。自分だけが共感を示すのではなく、メンバー全体で「親身さ文化」を発展させていこう。

9 地に足のついた人であれ (Be down-to-earth)

人は「自分と同じレベルだ」と感じた人に共感し、気に入る。つまり、こちらも相手と同じ水準だと自覚し、エゴは捨てて、常に謙虚さを表に出そう。**自慢するんじゃなくて、他人からほめてもらおう。それは向こうの選択で、こちらが押しつけるものではない。**

人間関係を構築し、人々みんなやそれぞれの生活に興味を持ち、どうすれば成功をサポートできるかに焦点をあてよう。なにかを得られそうな人、君にとって「重要そうな」人にだけ注目してはいけない。コミュニティにおいてあらゆるレベルの人々に謙虚さを示すことで信頼は築かれ、ポジティブな体験が共有されていく。

10 不完全であれ（Be imperfect）

完璧な人なんかいない。人は失敗するし、まちがいを犯す。まずこれを認め、失敗を受け入れることに慣れよう。次いで自分の欠点について話し、改善方法について相談し、失敗からの学びを共有しよう。

最悪の振る舞いは、自分がなんでも知っているように振る舞うことだ。そんなヤツはいないし、みんな学び続けているという事実を受け入れたら、もっと尊敬されるだろう。コミュニティを、みんなといっしょに作り上げる体験として扱い、そこに生じるすべての成功も失敗も共有しよう。それがすばらしいコミットメントを築く。

この10のカルチャーコアをもう一度見直してほしい。チームでも見直し、議論し、理解し、また議論しよう。それがより人間的で人道的なコミュニティを作るのに役立つ。

成長戦略を構築しよう

第2章で、紹介ハロー効果の話をした。だれもいないレストランの前を通っても興味を惹かれないが、人々がにぎやかで楽しそうにしているレストランに空きテーブルがあると、入りたくなってしまう。他人が認めたことによるこの紹介ハロー効果があると、自分も同じ決定もしたくなってしまう。一番人気のメニューを注文してしまうようなものだ。

これを実現したのはモメンタム、勢いだ。心理的に、他の多くの人々がポジティブな経験をしているように見えたことで、自分がその場所について抱いた気持が裏付けられた。だからみんなオンラインショッピングサイトのレビューを読むし、ポップミュージシャンが成功すればするほど人気が高まり続ける理由であり、インターネットのミームが広がる理由でもある。勢い、モメンタムを作ることができれば成長しやすい。

まずはコミュニティ立ち上げ、その成長を作る方法を深堀りしよう。

━ 派手にローンチする計画を立てよう

成長のための第一歩はローンチ、立ち上げだ。残念なことに、あまりにも多くの組織がコミュニティのローンチ時にはなにも発表しない。ファンファーレや興奮のないローンチ。**これは重大なまちがいだ。**

ほとんどのローンチに必要な、5つの大事な要素をおすすめする。これらを構築する中で、必ず四半期実施計画に追加しよう。

1. インフラとコンテンツを完成させよう

コミュニティのインフラ、サービス、サイトがすべて稼働していることを確認しよう。また、プロモーション用のコンテンツ（ブログ記事、プレスリリース、ビデオなど）が準備できていることを確認しよう。準備ができていないなら、決まった日までにそのコンテンツを生産する著者を割り当てた、ハッキリしたコンテンツ計画を準備しよう。

2. アーリーアダプター計画を作ろう

必ずアーリーアダプター計画をやろう。これは君が信頼している知り合い10〜20人をコミュニティに招待して、一般公開するローンチの前にプライベートなアクセスを提供し、フィードバックを得るためのものだ。最初にどういう人達を招待するかをきちんと考えよう。いずれコミュニティのリーダーになる可能性が高いのだから。

XPRIZE財団でGlobal Leaning XPRIZEコミュニティを立ち上げたときには、60人のアーリーアダプターを招待した。彼らはコミュニティを改良するのを手伝ってくれただけでなく、50万ドルのクラウドファンディングキャンペーンをおこない、最終的に94万2千ドルを集めたときにも決定的な役割を果たしてくれた※4。彼らはコンテンツをつくり、フィードバックをくれ、応援活動もしてくれた。

アーリーアダプターとは君たちの成功に情熱を持ち、コミュニティに参加したがる人々のことだ。典型的なのは熱心な既存の顧客、ユーザーたち、同僚、友人たちだ。

こうした人たちの招待にはいくつかの重要な目的がある。

第一に、彼らは君のコミュニティを試して、問題点を見つけ、ローンチの前になにを修正すべきかをレポートしてくれる。

第二に、コミュニティのデザインや最適化に参加してもらうチャンスになる。**彼らに質問し、フィードバックをもらい、プロモーションに協力してもらおう**。

第三に、幕をあけてコミュニティをお披露目したときに、(アーリーアダプターたちによって) すでにある程度の勢いが生まれているので、コミュニティがゴーストタウンのように見えることを避けられる。

僕は通常、ローンチの数カ月前に彼らを招待し、コミュニティを形成するうえで重要な役割を果たしてもらいたいと強調している。招待するときには、一般公開の1カ月前にキックオフイベントやウェビナーにも参加してもらう。

そのイベント/ウェビナーではコミュニティへのモチベーションを高めてもらい、目標をシェアし、彼らのフィードバックを受けよう。アーリーアダプターたちになにを期待していて、どのように参加してもらいたいのか、どのようなガイダンスを提供してほしいのかを明確にしておこう。またそのイベント/ウェビナーで彼らがコミュニティにアクセスできるようにして、入り口の部分のデモをしてあげよう。

3. ローンチ1カ月前にはティザーサイトを

ローンチの1カ月前には、ティザーサイトを公開し、人々にあれこれ憶測させよう。創意工夫をこらそう。スマートウォッチのガーミンはミステリアスな時計でカウントダウンをはじめ[※5]、映画会社のヴァージンレッドはリチャード・ブランソンの謎めいたぼやけた動画をツイッターで公開した(そして人々がそれについて議論するためのハッシュタグまで用意した[※6])。人々を興奮させる方法はたくさんある。

4. ローンチイベントを発表

ローンチの数週間前にはローンチイベントを発表しよう。イベントは1時間以内で短くおさめ、かつコミュニティの概要、主要なコンテンツ、デモを紹介し、インタビュー、公開QAをすべきだ。イベント開催と、その内容を発表しよう。

5. ローンチ日

ローンチイベントを実施し、この日にあらゆるプレスへの連絡を調整しよう。これがローンチを見据えた早めのタイムラインだ。

タイムライン	項目
半年前	KPI,責任者、ローンチ日まで含めたローンチ計画を完成させる
3カ月前	アーリーアダプターを招待(10-30名ぐらい)
	ターゲットにするプレスを決める
2カ月前	アーリーアダプターに連絡して 非公開キックオフイベント/ウェビナーに正体する
	コミュニティのシステム、インフラが完全に動作する
1カ月前	アーリーアダプター向けのイベント／ウェビナーをおこなう
	アーリーアダプターをコミュニティに招き、フィードバックを集める
	フィードバックに基づいて改善する
	ティザーを公開する
2週間前	ローンチイベントのアナウンス
ローンチ日	ローンチイベント／ウェビナーで概要を説明し、 インタビューと参加方法を公表する
	プレスインタビューと勢いをつける
	成長計画を始める
ローンチ後2週間	傑出したサービスを提供したアーリーアダプターに報酬を (特別アイテムや記念品、贈り物を送付など)
	初期メンバーで目覚ましい人たちを公表する

表7.1　コミュニティローンチタイムラインのテンプレート

成長計画をつくろう

ローンチは認知とエネルギーの強烈な爆発を生み出すようにデザインされている。一番重視したいのは勢いだから、このローンチを皮切りに明確で一貫性のある増幅作業をおこなって、成長をもたらそう。もしローンチの後で目を離してしまったら、すべてがおじゃんになってしまう。

成長戦略はさまざまだ。成長の構築にはマルチメディア的なアプローチが必要だ。**成長は人々を呼び込むが、居残ってもらうにはエンゲージメントが必要だ**。効果的な成長戦略を検討しよう。こうした個別活動は四半期実施計画でたどろう。

コンテンツと編集

コンテンツは成長を構築するすばらしい手段だ。初期のコミュニティでは一般的に、**認知度のギャップ**（コミュニティや製品がどんなものか人々は学んでいる途中だ）と**スキルのギャップ**（どうやって参加するのか）に悩んでいる。コンテンツはこのギャップを埋めて人々をコミュニティに呼び込める。

でもこれは体系的にやろう。以前に教育プラットフォームの会社と仕事をしたら、「さあ、ブログやソーシャルメディアなどの箱だけを用意して、コンテンツは走りながら作っていこう」と言い出した。

それじゃダメだ。

あれこれ邪魔が入り、彼らは何週間もコンテンツなしの状態が続いた。**コミュニティに人々を呼び込むためには、絶えず一定のコンテンツが追加され続ける必要がある**。12週間（3カ月分）の予定を書いた編集カレンダーをつくろう。このカレンダーは図7.2に示すように、コンテンツがいつ配信され、いつ公開され、だれがコンテンツを制作するのか追跡できる場となる。

図7.2　編集カレンダー

四半期実施計画と同じように、ステータスの列を使って作業の進捗を追跡しよう。

腰を据えて十分にブレイン・ストーミングし、最低限以下に列挙するものを提供できるだけのコンテンツのアイデアを作ろう。

- **オリジナルのブログコンテンツ：週に1本**（題材は君の製品やコミュニティについて）
- **オリジナルのソーシャルメディアコンテンツ：週に3本**（題材は君の製品やコミュニティについて）
- **ソーシャルメディアで宣伝する他の材料やコンテンツ：週に2本**（インタビュー、記事、ポッドキャストなど、ソーシャルメディアで自分が参加していることを紹介するもの）
- **テーマ別キャンペーン：四半期に1つ**（コンテストやキャンペーン、コンテンツのシリーズやその他の取り組み）
- **オンラインイベント：四半期に1つ**（ウェビナー、デモ、QAセッション、その他）

できればプレローンチ、ローンチ、ローンチ後のためのコンテンツを、ブレイン・ストーミングし、承認を取り、担当者をすべてアサインした状態まで、プレローンチ3週間前までに作り上げておきたい。材料ができあがっていなくても、計画の中に入れておくべきだ。

コンテンツをブレイン・ストーミングするときには、ターゲットオーディエンスのペルソナにとって価値がある主要トピックは押さえよう。

それぞれのアイデアを編集カレンダーに入れ、制作する人を決め、納期と公開日を決めよう。制作の担当者は、そのカレンダーが共有されるように招待を出して、コンテンツの締め切りがわかるようにしよう。みんなが期日を守らないと、計画全体が揺らいでしまう。編集カレンダーはパワフルなツールだ。**コンテンツを生み出す方法自体も工夫しよう**。

- **おもしろくて興味深いデモをつくろう**
  たとえば、あるクライアントは自社製品を使って朝の家事を自動化する方法をデモした。コーヒーを淹れる、電子レンジの電源を入れる、音楽を再生するなどだ。
- **他の人のポッドキャストやビデオショーに招待してもらう**
  ゲスト記事を書く、他人のイベントに出るなど（これは、他の人のオーディエンスにも手を差し伸べる方法になる）。
- **カンファレンスやオンラインのウェビナーで興味深く示唆に富んだ講演をする**
- **人々がコンテンツ（記事、ビデオやアプリ）を作りたくなるようなコンテストをおこなう**
  たとえばHackerOneでは、新しいセキュリティ研究者を惹きつけるために、賞品付きでオンラインハッキングコンテストを実施した※7。
- **人々はおもしろいものを作り上げるのが大好きだ。コミュニティや製品・サービスでおもしろいことをする方法を採り上げたチュートリアルを公開しよう**
  DIYを紹介するMake：コミュニティではLEDイヤリングの作り方などでこれをやっている※8。
- **コミュニティのために、短いドキュメンタリーやハウツーもの、ビデオインタビューなど、いろいろ魅力的な小さいコンテンツを作ろう**
- **ブレイン・ストーミングして、すべてを編集カレンダーで結果をトラックしつづけよう**
  忘れるな、コンテンツが勢いを生むんだ！

なにかしらクリエイティブな刺激がほしい?

お安い御用! 公式サイトに例があるよ
https://www.jonobacon.com でResourcesを選ぼう。

対面イベント:

ミートアップ、カンファレンス、ハッカソンなどの対面イベントは人々の認知度を高め、成長を実現するすばらしい方法だ。

くわしくは第9章で説明するけど、イベントはお金がやたらにかかることもある。多くのコミュニティが犯しているまちがいは、コミュニティマネージャーを雇って世界中を飛び回らせ、手当たりしだいにカンファレンスに参加させることだ。これはお金も時間も消費するし、コミュニティマネージャーがあまり現場にいなくなるうえ、時差ボケになりがちだ。

判断力を使おう。イベントは慎重に狙い、最大限の効果を得るように考えよう。くわしくは第9章で説明する。

広告:

コミュニティではほとんど使われていないが、広告は認知度を高める強力なツールだ。特定のコンテンツやイベント宣伝にだけ使い、そのコンテンツから導入路の始まりへと明確なつながりを確保しよう。

オーディエンス・ペルソナがどこで情報を収集しているかを確認しよう(第4章でこれはまとめているはずだ)。それらのリソースのいくつかに対し、限定的なテストをしよう(たとえば特定のSNS上で特定の記事を宣伝するために100ドルを使ってみる)。結果を評価し、どの材料とアプローチがうまく機能するかを見極める。そうしたら別の支出を試して、パフォーマンスを調べる。いいパフォーマンスが得られると思ったら、そこにもっとたくさん投資しよう。

インセンティブと報酬:

明確なインセンティブとそれに伴う報酬は人々を巻き込むすばらしい

方法だ。まだ慌てないこと——これについては8章でくわしく説明する。

エンゲージメント戦略の構築

第5章で紹介した、コミュニティ参加のフレームワークを思い出そう。

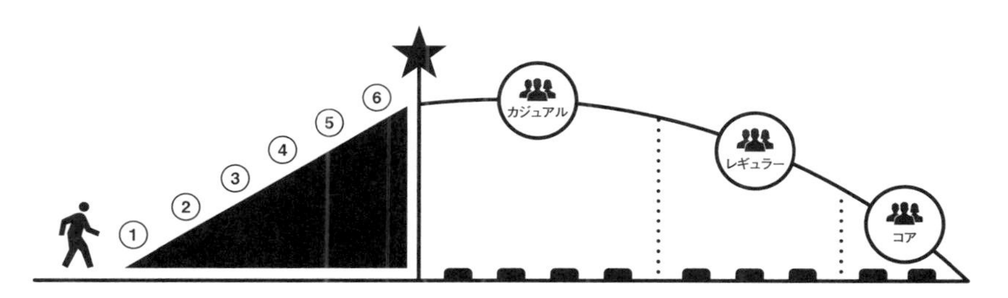

図5.1　コミュニティ参加のフレームワーク

前に話したように、コミュニティの旅は「カジュアル」「レギュラー」「コア」の3つの主要フェーズに別れている。以前、ビジネスマネジメントのプラットフォームを中心にした、コミュニティ構築の仕事をしたことがある。シッダールタと呼ばれる男性が、コミュニティのフォーラムで最初のいくつかの質問に答えてくれ、導入路となってくれた。彼はガイダンスを何度か提供したことでカジュアルメンバーとなった。シッダールタはすごい人で、レギュラーメンバーとして毎日のようにフォーラムに現れ、ヘルプ文書を充実させたり、地域のイベントを企画するなどのさまざまな活動をしていた。やがてシッダールタはコアメンバーとなり、導入路の最適化やメンバーへのインセンティブ提供、メンタリングなどに貢献している。

僕らの目標は、このシッダールタのように**コミュニティのメンバーを前進**させ、カジュアルメンバーからレギュラーメンバー、そしてコミュニティのコアメンバーへと進化させていくことだ。この前進を成し遂げさせるには2つの方法がある。

第一に、この旅への興味を持続させ、やりがいを感じさせ続けられるようなインセンティブを作ろう。これについては次の第8章でくわしく説明する。

第二に、メンバーと関わり、メンバーと交流し、メンバーを知り、関係を築いて、彼らのより広い成功をサポートすることだ。エンゲージメントとはある1つの作業だけじゃない。励ましやサポート、ガイダンスなどが混ざった適切なカクテルを提供することだ。そのエンゲージメントこそが、しかたなくやる単なる仕事と**繁栄するコミュニティのちがいとなる**。

カジュアルからレギュラー、コアへの旅

このカジュアル、レギュラー、コアというフェーズは、メンバーたちのコミュニティの旅において、さまざまな段階でのメンバーの心理やニーズの違いの感覚を理解する手段となっている。

これらのフェーズはほぼあらゆるコミュニティに適用できる。たとえばハードコアな技術コミュニティと、編み物系コミュニティのどちらにもレギュラーメンバーがいる。どちらもレギュラーメンバーとしての特徴、たとえば重要で継続的な参加などは似ている。しかし、テーマは明らかに違う。

それぞれのフェーズと、彼らとの関わり方を見ていこう。

カジュアル

僕らの最大のゴールはカジュアルメンバーたちに**ここが居心地がいいと思ってもらい、成功に向けて支援することだ**。そのためには次の4つがキーになる。

1. すばやく反応し、彼らの問題解決を手助けしよう

何より最も重要な点として、とにかくレスポンスよく。カジュアルメンバーがなにか投稿したら、すぐ反応して会話をはじめよう。彼らが質問したら回答しよう。意見を求められたら、すぐに答えよう。会話が途切れたら話題を変えよう。

コミュニティの初期段階では、勢いを保つのが絶対的に大事だ。はっきり言わせてもらえば、このためにはみんなの苦手な世間話もして、議論とエンゲージメントを作り上げねばならない。少し前にあるスタートアップへのコーチングをしたとき、新しいコミュニティメンバーからフィードバックや提案を求め、コミュニティではなにを成し遂げたいか質問するように頼んだ。さらにブレイン・ストーミングを主催し、興奮できるアイデアを見つけて、それを追求するよう奨励した。6カ月後、そのスタートアップはコミュニティを起爆剤にした、新しいマーケティングキャンペーンとWebサイトを立ち上げた。

レギュラーメンバーへのエンゲージメントは、最初のうちはほとんど君とチームが提供することになる。コミュニティに勢いがついてくると、メンバー同士で会話が生まれ、こちらはアクセルから少し足を離せる（それでもメンバーに注目し続けることは必要だ）。

2. 彼らの貢献を認めて祝福しよう

彼らがなんらかの形でコミュニティに貢献している場合は、その功績を認め、称賛しよう。彼らの仕事がコミュニティにどう貢献しているか、どのように変化をもたらしているか、そして君がメンバーにどれほど感謝しているかについて、言葉にして伝えよう。こうした承認で、彼らが継続的に参加してくれる可能性は大幅に高まる。もしも彼らの仕事が不十分な場合は、肯定的で建設的なフィードバックを与えて、改善を支援しよう。

3. こちらから率先して関係をつくろう

不適切な事情がなければこちらから率先して口火を切り、相手のことを知ろう。これは別に、単なる仕事上のつきあいではない。共通の関心事があればそれについて話してみよう。コミュニティでの大きな目標を

尋ね、それに向けた活動を始めるのを手助けしよう。自分が喜んで手助けすることを**常にアピール**しよう。こうした個人的な接触が信頼を生み、勢いを生む。

4. インパクトあるなにかを見つける手伝いをしよう

多くのカジュアルメンバーはなにかの変化を生みたいと思っているが、どこから手を付けていいのかわからずにいる。彼らができそうなことを躊躇せずに提案しよう。だれかになにかを依頼すると、(それがその人の時間とスキルを有効に使うものであれば) 8割方は喜んでやってもらえる。これは帰属意識と、認められたという感覚を育てる。

一例として、かつて僕はJokosherという、オーディオアプリケーションをコアにしたコミュニティを運営していたことがある。3人の新しいメンバーが参加したとき、あるドキュメントを作ってくれるように頼んだ。別のプロジェクトでは、コミュニティメンバーにモバイルアプリケーションの品質保証のための検証テスト作成をお願いした。どちらのケースでもメンバーはすばらしい仕事をしてくれたし、依頼されたことを喜んでいた。

━ レギュラー

レギュラーに向けての鍵は、**彼らが参加し活動するうえでの、あらゆるストレスや手続きの排除だ**。効率的にコミュニティを楽しみ、価値を生み出すことに専念してもらおう。コミュニティを職場だと考えてみよう。人はシンプルで効果的で共同作業がしやすい職場が好きだ。複雑さ、承認、レビューといった手続きだらけの職場は嫌いだ。

レギュラーとのエンゲージメントでは、重視すべき5つの点がある。

1. 最適化、最適化、最適化!

レギュラーがどのようにコミュニティと関わっているかをチェックし、それをもっとかんたんで、効率的で、楽しくする方法を見つけよう。彼らの活動を観察し、問題を見つけ、問題点を把握しよう。ガイドラインをもっと簡素化できるか？　ツールをもっとかんたんに使えないか？　やりがいを高めるにはどうすれば？　こうした面を常に磨き続けよう。

2．いつもフィードバックを集めよう

レギュラーメンバーと親密な関係を築いて、コミュニティに改善できる部分がないか聞いてみよう。彼らのフィードバックを集め、変更を加え、みんなの体験向上に貢献してくれたことに感謝しよう。レギュラーはチームの一員と考えよう。盲点を見つけてくれる。

3．彼らの成功をアピールしよう

レギュラーメンバーはコミュニティが生み出す価値の屋台骨だ。君のコンテンツ、ソーシャルメディア、イベントなどで彼らを絶賛しよう。だれ知らぬ者のない、尊敬されているミニセレブにしよう。こうして認められると彼らはもっと参加してくれるようになり、他の人達もそれを真似るようになる。

4．チャンスを提供しよう

レギュラーメンバーたちに提供できるチャンスを常に探し続けよう。メンバーが新しい仕事を探している？　君が知っている就職口にメンバーをつなげられないか確認しよう。会社が開くイベントや会合に彼らを招待できないか？　コミュニティの代表として彼らをカンファレンスに派遣できないか？　レギュラーメンバーたちに機会を作ってあげるほどいい。それによって、彼らもチームの一員だと感じるようになる。

5．彼らを信頼される権威ある立場に置こう

レギュラーメンバーの多くは信頼できる人たちだ。そういう人たちをコミュニティ内の権威ある立場に置こう。コミュニケーションチャンネルのモデレーターにしたり、コンテンツをレビューしたり公開したり、インフラを管理したり、イベントを運営したりしてもらおう。**頼りになる人々なら、頼りにしよう**。こちらの負荷が減るし、レギュラーメンバーに新たな帰属意識を与える。

━ コア

コアメンバーになるような人は、自分自身のコミュニティ体験を気にするだけでなく、コミュニティ全体の広い成功や健全な運営にも関心がある。また、彼らは君の用意したコミュニティへの導入路、人々へのインセンティブ、コミュニティがどうコミュニケーションをとり、お互いに関与しているか、などといったことも気にしている。会社がすぐにでも採用したがる（そして、実際に採用する）ような人材たちだ。

コアメンバー全員について実行すべき5つのポイントがある。

1. 常に関係を維持しよう

コアメンバーたちとは毎週のように関係を持とう。定期的に電話をかけて、個人的な友情を築くようにし、指導を求め、彼らのすばらしい仕事を讃えよう。

2. 彼らの働きに総合的に報いよう

君やリーダーシップチームなどとの、非公開限定会食に彼らを招待しよう。感謝の印としてプレゼントや記念アイテムを贈ろう。トロフィーや盾、記念コインなど、相手の名前が入った記念品を贈ろう。コミュニティや他の場所で彼らの活動を認知してあげよう。こうしたすべてが、コアメンバーの参加や献身に対する感謝の気持ちをあらためて表明するのに役立つ。

3. コアメンバーを戦略的なレベルで参加させよう

君のコアメンバーは非常に深い知見を持っている。今あるイニシアチブや、新しく始まるイニシアチブに彼らを参加させよう（部外秘だと理解してもらったうえで）。彼らからフィードバックを得よう。盲点や欠点指摘してもらおう。またコミュニティ全体の改善や高度化にも協力してもらおう。繰り返しになるけど、彼らを社内チームの延長として考えよう。

4. 相手の幅広い目標を理解し、協力しよう

コアメンバーのもっと大きな野心と目標を理解し、できる限りそれに協力しよう。人に紹介し、推薦状を書き、イベントでの講演者として推すなどが考えられる。繰り返しになるけど、コアメンバーが持っている目標に奉仕すると、信頼と参加を促進する。

5. 率直で遠慮のないフィードバックをもらおう

最後に、コミュニティからのフィードバックをどれほど求めても、なかには率直で遠慮のない意見や批判をためらう人がいる。こういうフィードバックをくれる可能性が高いのはコアメンバーだ。コミュニティでの自分の地位を確信しているから、率直なフィードバックをしても安泰だし、むしろ歓迎されると分かるのだ。コミュニティ全体の経験を向上させるために、批判的なフィードバックを具体的に要求するようにしよう。

メンタリングの力

ある朝、立て続けの時差ボケのせいでぐっすり眠れなかった僕は、東京に本社を置く大手電機メーカーの本社へと向かった。1週間がかりのコミュニティ戦略会議が始まった。

この会社には野心的なアイデアがあった。今後数年で5,000人のエンジニアによるボランティアコミュニティを作ろうと計画をしていたのだけど、そのプロジェクトに取り組んでいるスタッフは5人の専属チームだけだった。5,000人のメンバーを目標にしているのに、本気でそれを5人で管理し、関係を作れるんだろうか？　僕は本当にスタッフ1人が1,000人をマネジメントできると思っていたのか？

そのとおり。

いやもちろん、いまのは冗談。そんなことは思っていなかった。ばかばかしいにもほどがある。この問題を解決するためには、メンタリング

についてハッキリした基礎と、仲間同士のサポートが必要だ。コミュニティ参加のフレームワークでカジュアル、コア、レギュラーとセグメントを分けたメリットの1つは、各セグメントの間に明確な関係を作れることだ。

マーカーを手に矢印を書きながら、僕は彼らにゴールを示してあげた。

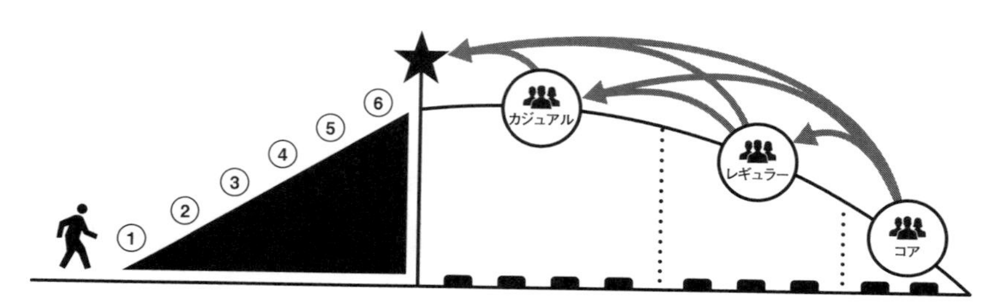

図7.3　コミュニティ参加のフレームワークとメンタリング

スケールアップするコミュニティを作る唯一の方法は、コミュニティメンバーがお互いに助け合うのをサポートすることだ。そのために、新しいメンバーに対してメンタリングや仲間同士のサポートを提供して、コミュニティの旅をすすめるようメンバーを励ます必要がある。

だれかが初めて導入路をあがってきた時を想像してみよう。カジュアルメンバーだけでなくて、レギュラーやコアのメンバーにもその人を手伝ってもらいたい。カジュアルメンバーがやっと進み始めたらレギュラーやコアメンバーに手伝ってもらいたいし、レギュラーメンバーが困難に直面しているときにはコアメンバーに手伝ってもらいたい。メンタリングは、「将来に恩返しをする」文化を構築する。

メンタリングには3つのアプローチがあり、どれも信じられないほどの価値を生み出す。

1. 仲間同士のレビュー

仲間同士のレビューとは、コミュニティのメンバーが他のメンバー作業をレビューし、フィードバックを提供することだ。**仲間同士のレ**

ビューは、メンバーが他のメンバーに対して実行可能なフィードバックを提供する方法をスケールアップさせるための、もっとも強力な方法の1つだ。いい例として、オープンソースのプロジェクトではコードについてレビューがひんぱんにおこなわれている。

テック業界の話にあまり深入りはしないけれど、エンジニアリングコミュニティは、コミュニティのメンバーがプロジェクトにプルリクエスト（訳注：目的の機能を実装、または改善したコードを提案）を提出すると、コードを中心に共同作業をおこなうのが一般的だ。これは今あるソフトウェアコードの、さまざまな場所について別のコードを提案するもので、機能を追加するバンドエイドのようなものだ。

Kubernetes、Drupal、jQueryなど、オープンソースコミュニティでは一般的にプルリクエストは公開されている。提出されたプルリクエストをその後他の開発者がレビューして、フィードバックを提供するが、それも公開されている。他の開発者は、プルリクエストに対して修正や改善を要求したり、「これはすばらしい！」と言ったりするかしれない。プルリクエストが承認されると、1人以上の開発者が承認マークを付け、メインのコードベースにマージされる。

この仕組がパワフルなのはいくつもの理由がある。

第一に、**だれでも、本当にだれでも、プルリクエストを提出できる**。これは、新しい開発者、学生、ティーンエイジャー、その他の人たちにとって、コミュニティに参加するための絶好の機会を提供することになる。

第二に、**このフィードバックはコミュニティのメンバーにとって重要な学習プロセスになる**。それが常にコードの全体的な品質を向上させていく。

第三に、これはオープンな状態でおこなわれるので、単なるオブザーバーも含め、**だれもがフィードバックを見ることで利益を得られ**、プロジェクト構築の歴史を把握できる。

最後に、それは**何百もの貢献を、少数の承認者に負担をかけすぎることなくレビューできる**方法を提供している。

自分のオーディエンスのペルソナを見て、注力したいコラボレーション手法にこれが適用できるか考えてみよう。**文書、ビデオ、サポート資料、応援材料など、コミュニティの作り出す各種コンテンツを仲間同士でレビューしてもらうことはできるか？** 多くの場合、答えはイエスだ。シンプルなワークフローさえ用意すればいいだけだし、これはメンバー同士がしっかりしたメンタリングを提供する優れた方法にもなる。

2. コーチング

メンタリングのもう1つの方法は、あるメンバーが他のメンバーに対して、そのメンバーが自分で決めたゴールに向かえるように、もっと広い範囲のコーチングを提供することだ。これは通常、仲間同士のレビューよりもずっと深く突っ込んだものとなる。

僕は通常、個別に人を選出する場合に奨めている。前にやった方法として、まず一度に選ぶ対象者は、コミュニティで傑出した潜在力を示したと思える3〜5人のメンバーだ。たとえば彼らは潜在的にコアメンバーになる可能性のあるレギュラーかもしれない。

次に僕は、質の高いコーチングを提供できると知っているメンバー（できれば指導やトレーニングの経験があるメンバーが望ましい）を特定し、僕が選出したメンバーたちを指導したいかどうかを尋ねる。同意してくれたら、両者をつなぎ、以下をやるように推奨する。

- 短期的な目標群（具体的な作業内容など）を明確に設定しておく
- その後にどういうスキルをトレーニングし、身につけるべきか提言する。これは実地作業による訓練でもいいし、他のリソースを教えてもいい
- 毎週メンタリングを受けるメンバーに電話をかけて、彼らがその目標を達成し、抱える問題を解決し、自身と能力を高めるのを助ける

コーチングの厄介なところは、コーチングを必要としている人は常に、コーチできるメンターよりずっと多いということだ。だから、コーチはもっとも有望な人に割り振るよう慎重にすること。多くの人にとっ

て、他人の指導は楽しく、やりがいがある。スタッフでもコミュニティのボランティアでも、いいメンターになりそうな人を見かけたら、声をかけてみよう。驚くほど多くの人が、喜んで手伝おうとしてくれる。

3. トレーニング

メンタリングの最後のタイプになる3番目は、これまでの2つよりもっと一般的なものだ。

トレーニングは集団を訓練してスキルや経験を築くのに便利な方法だ。多くの人に影響を与えるすばらしい方法だが、仲間同士のレビューやコーチングにある個人的なタッチを欠いている。

一般的には、四半期に1〜2回は、コミュニティ内でもっとも重要な知識についてのギャップを埋めるトレーニングセッションを実施しよう。これはオンラインのウェビナーでもいい。通常は1時間以内だ。第9章でやり方を説明する。

戦略的に技能や能力を高めたい分野と、関心のある分野を検討しよう。そしてそれらのトレーニングセッションを作成し、人々に参加を促そう。ただの退屈なスライドでなくて、実践的でダイナミックなもの、インタラクティブなものにしよう。質疑応答も認め、質問に答えるためにデモなどもできるようにしよう。このトレーニングは、コミュニティの能力を向上するうえですごく価値のあることだ。

観察し、仮説を立て、実験しよう

この本でいろいろオススメしている戦略を実施するときは、その成果を監視し続ける必要がある。データを収集し、分析してパターンを探そう。こうした活動はその個別活動を最適化するだけでなく、組織として常に戦略を洗練させ、最適化するための技能も養う。それが能力をつくるということだ。

これをやるには次の5つのステップを使おう。例示のために、1つの例をすべて通す形で挙げておいた。

ステップ1．データを観察し、パターンを探す

何事でもそうだが、作業のパフォーマンスを測定し、評価し、問題や潜在的な可能性を示すパターンを見つけよう。

【例】

君が今後数カ月分のコンテンツ計画を作ったとする（対象はエンジニアリングペルソナ）。そして、短めのブログ記事のほうがヒット率も高く、滞留率も高いことに気がついた。

ステップ2．仮説を立てる

パターンを見つけたら、検証すべき仮説を立てよう。たとえばある条件でトラフィックが増加していた場合、その条件を検証する価値があるか？　さまざまなコンテンツ、エンゲージメント、イベントの中で、もっとパフォーマンスを改善できそうで、検証すべきものはないか？

【例】

データに基づいて、ブログ記事が短いほうが、長いものよりパフォーマンスが良さそうに見えた。(a) この仮説が本当かどうかを確認し、(b) 記事の長さが読者数にどういう影響を与えるかを確認したい。

ステップ3．実験を考える

仮説に基づいて、検証のためのかんたんで安価な実験を作ろう。なるべく短時間で仮説を証明または反証できる十分なデータがそろうべきだ。

原則として、実験設計ではそこに (a) 自分の仮説 (b) 検証方法 (c) 実験期間、そして重要な (d) 仮説の証明／否定の場合になにを変えるか　が含まれていなければならない。**コミュニティの中で行動として実施できる変化に対応し、紐付けられないような実験はやめるべきだ。**

【例】

短いブログ記事の仮説を検証するため、今後数週間で6つのブログ記

事を公開する（先と同じく、エンジニアリングのペルソナが対象だ）。そのうち2つは150語、2つは300語、2つは1000語とする。これらの記事を平等に宣伝し、公開後2週間の時点で、各記事のヒット数、滞留率、読者評価を追いかけるものとする。

ステップ4．結果を調べる

実験のデータを調べよう。仮説が正しいか（あるいはまちがっているか）について、知見を与えてくれただろうか？　場合によると、データはどちらとも言えないくらいゴチャゴチャかもしれない。その場合は同じ仮説を検証するために、別の実験が必要なのかもしれない。

【例】

ブログの記事の長さの実験のデータを見ると、短い記事の方が平均して30パーセント多くの視聴者を得て、滞留率が10パーセント改善されていることがわかった。長い記事のパフォーマンスは最悪だった。これで仮説が正しかったことが証明された。

ステップ5．次のステップを決める

実験結果に基づいて戦略を見直し、修正しよう。繰り返すけど、仮説を検証したら、必ずそれに基づいて戦略を修正すること。そうでなければこの作業はすべて時間の無駄だ。

【例】

この場合は今後のコンテンツを短くするように最適化しよう。編集カレンダーの一部である、コンテンツ制作の著者向けガイドラインを修正し、記事のサイズを短くする。また、これらの記事のパフォーマンスをもっと長い時間に渡って追跡し、仮説が成り立ち続けているか調べる。

クリエイティビティとモメンタム（勢い）に全集中

クリエイティビティというのは、みんな勝手な思いこみを抱いているあいまいな概念だ。だれかにとってはクリエイティビティでも、他の人が見るとあくびが出る。でもターゲットオーディエンスをうまく利用して勢いをつけるためには、山ほどのクリエイティビティがいるんだ。

今の世界は、関心をめぐる空前の戦いになっている。君は自分の創りたい**価値がわかっている**。オーディエンスも知っている。成長を生み出してオーディエンスと**関係を作る方法**もわかっている。さて今度必要となるのは、オーディエンスを驚かせ、興味をそそるようなアイデアを考え出すことだ。

いかにもな決まり文句だけれど、枠にとらわれず考えてみよう。Firefoxのコミュニティでは広報のためにミステリーサークルを作った。5万人のコミュニティから寄付をつのり、寄付してくれた人の名前で作ったロゴの広告を『ニューヨーク・タイムズ』にだしたんだ※9。大きなことを考えたことで、人々の注目を集められた。

最高のアイデアは違う頭脳の集まりから生まれる。だからもっと多くの頭脳をプロセスに参加させよう。先のことはわからない。オーディエンスを興奮させるようなアイデアが生まれるかもしれないよ。

第 8 章

コミュニティの人たちを動員する

幸運は大胆な人の味方
―― エミリー・ディキンソン

社会はすごい。考えてみよう、70億人以上の人間で構成されている僕らの生活は驚くほど組織化されている。人間は世界を大陸、国、さらに地方自治体へと区切ってきた。社会に上下水道、電気のネットワークを設置し、それがますます世界中で利用できるようになってきた。

僕らは政府を作り、社会に資金を供給し秩序をもたらすために税金や法律を設けた。もちろん、これらの政府や法律の多くは不完全な部分もあるが、うまく機能しているものも多い。おかげで人々は地球上に足跡を残し、旅をし、貿易をし、地球の裏側の人々の文化を理解する機会を生み出した。

それでも忘れてはならないのは、僕らが動物だということだ。動物界はくまのプーさんの童話とは違う。残忍で暴力的で、殺すか殺されるかの世界だ。人間はインセンティブ（動機づけ）と報酬の強力な組み合わせを生み出す方法を見つけたことで、組織化された社会を作ることに成功した。インセンティブは人間の行動に根本的な影響を与えている。

ひと言で言えば、適切な報酬を適切なインセンティブに紐付けることができれば、人間の望ましい行動を生み出すことができ、ひいては**価値**を生み出すことができるんだ。

幸いなことに人間はインセンティブによく反応する。僕らは給料をもらうために仕事に行くし、常連向けプレゼントをもらうために同じ店で買い物をするし、ビデオゲームでトロフィーを集めるのが好きだし、現金ボーナスや残業代など、なにかを与えることでなにかを得る方法によく反応する。

スポーツジムでトップクラスになる、TEDxイベントで講演する、昇進して職位が上がるなど、ステータスもインセンティブになる。明確な報酬、すばらしい経験、賢い人達とともに働くことができる、新しい成果を達成できることもインセンティブになる。

しかし厄介なことに、インセンティブを作るのは**難しい**。インセンティブのアイデアを考えるのは楽しいアタマの体操になるが、それが予測通り機能するように実装するのはとてもめんどうだ。そのため多くの場合、限られた結果しか得られない高価な実験に終わってしまう。

おなじみの「コミュニティ参加のフレームワーク」に戻ろう。このフレームワークには、インセンティブを決定し、提供する方法についての僕のアプローチが盛り込まれている。

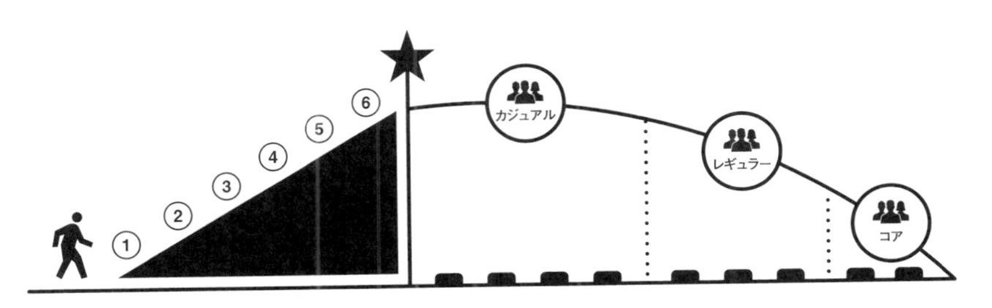

図5.1　コミュニティ参加のフレームワーク

これまで説明したとおり、目標は、オーディエンスメンバーが左から右へと進んでいくことだ。

図の下部にある小さな点がインセンティブだ。望ましい行動を生み出したメンバーにチャンスと報酬を与える。フェーズ（カジュアル、レギュラー、コア）ごとに、メンバーを成長させ続け、勢いづけ続けるために、それぞれの時点でどんなインセンティブが必要なのかを設計しなければならない。

インセンティブは、メンバーに拍車をかけて、具体的なコンテンツや素材、スキルを生み出してもらうためのものだ。インセンティブを考えるうえで重要なことは、コンピュータで測定できるものだけではなく、いい行動、信頼されること、ケアを提供すること、帰属意識構築など、コミュニティ運営チームが観察して判断することでしか測定できないものにも、インセンティブを与えるべきだということだ。この章では、これらのインセンティブとはなにか、どうやって作るのか、そしてそれが生み出す価値がなにかについて説明していく。

インセンティブの力

インセンティブは表面上シンプルに見えることが多いが、その裏に多くの複雑さがある。まずインセンティブについて解剖学的に構造を探ってから、インセンティブの決定方法、提供方法について説明する。

インセンティブの解剖学

コミュニティに適用できるインセンティブは何千もある。いつも参加してくれる人々を公的に認知して賞賛する、というインセンティブもある。初めてナレッジベースに投稿をした人に、カスタマイズされたマグカップを送るのもインセンティブだ。こちらのオフィスに招待してリーダーシップ会議に参加してもらうのもインセンティブだ。

すべてのインセンティブには3つの基本的な要素が内包されている。

1. ゴール:

まずインセンティブを与えたい望ましい行動はなにかを考えよう。質問に答えてほしいのか、コードを書いてほしいのか、イベントを実行してほしいのか、別のことか？

前に作成したオーディエンス・ペルソナ、君のビッグロックスを見て、メンバーになにを達成してほしいか考えよう。どのように参加してもらう形がもっとも重要になるかを考えよう。これでインセンティブごとの目標のリストができる。

それぞれの目標と、その達成を測る方法を考えよう。あいまいさを払拭しよう。具体的に：目標達成を示す測定可能な結果は何だろう？

2. 報酬：

オーディエンスのペルソナに戻って、モチベーションの項目を見よう。どんな報酬や認識が彼らを動かすだろう？　これはペルソナごとにすさまじくちがう。

ここで考える報酬には、大きく分けて2つのカテゴリーがある。

- **外面的なもの：**

これはみんなの大好きな、Tシャツやステッカーやガジェットのような物質的なものだ。既成概念にとらわれず深く考えよう。HackerOneはトップ貢献者を表紙にしたスーパーヒーロー漫画本を作った※1。Mattermost（オープンソースのチャットサービス）は常連メンバーにカスタマイズされたマグカップを贈った※2。Buffer（ペット企業）は、個人に合わせた記念品を作った（たとえば、有名な犬のファンには犬用チュースティックやメモを送った※3）。

- **内面的なもの：**

内面的な報酬は、すばらしい仕事をしてくれた人に感謝し、個人的な満足感と帰属意識を与えてくれる。Webサイト、ブログ、ソーシャルメディアで、メンバーのすばらしい仕事を広めよう。レギュラーメンバーやコアメンバーをチームとの夕食会に招待しよう。コアメンバーには、君のリーダーたちへの直通電話番号を教えよう。

報酬をデザインする際には、常に内面的な報酬から始めよう。直感に反するかもしれないが、内面的な報酬はほとんどの場合、ポジティブな影響を与えるのに対し、外面的な報酬は一瞬の目新しさがあっても忘れ去られてしまうリスクがある。これについては、この章の後半でくわしく説明する。

内面的な報酬は**満足感と帰属意識を高める**。コミュニティの中で相手の自信と満足度を高めるにはどうしたらよいかをよく考えよう。ブログやビデオ、イベントなどの公開の場でその人を認め、表彰するのと同様に、かんたんな感謝のメールを送るだけでも、信じられないほどのインパクトを与えることができる。

外面的な報酬には注意すべきだ。昔ながらの外面的な報酬がいつのまにかデフォルトの選択になってしまい、結果としてどの会社も、Tシャツ、ステッカーといった記念品をコミュニティメンバーに配布したがる。最も重要なのは、**君の記念アイテムを意味のある個人的なものにすることだ**。最低限、個人的な手書きのメモを付けよう。

また、報酬の量や頻度にも気をつけよう。覚醒レベルと成績の関係を示したヤーキーズ・ドットソンの法則※4に刺激を受けて、僕はコミュニティ参加者のパフォーマンスと報酬の配分にも似たような関係があるのに気がついた。これを示したのが図8.1だ。

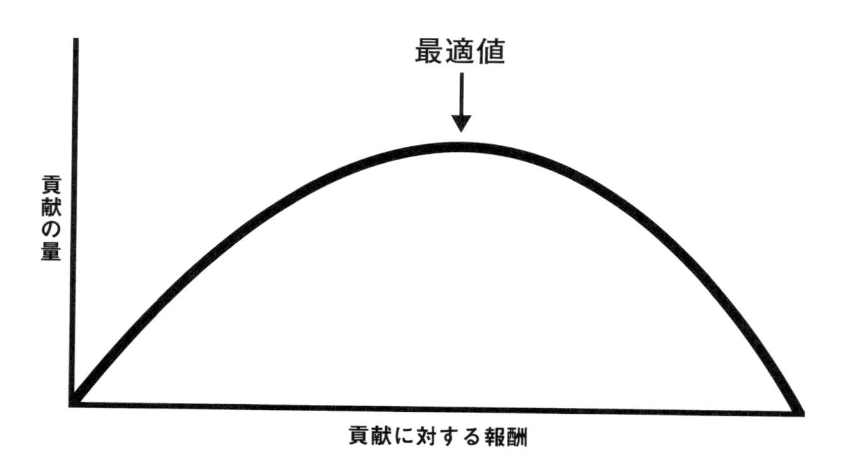

図8.1　貢献への報酬

ひと言でまとめると、業績に基づいてそれに見合った報酬を配分すれば、結果が極大化するようにインセンティブづけできる。でも報酬をやたらに出しすぎると、参加者が報酬の獲得にばかり集中して、すばらしい仕事が二の次になるリスクがある。外面的な報酬を与えすぎないように注意し、常に提供する報酬と業績のバランスを監視して、この報酬過剰によるクオリティ低下が起こっていないか確認しよう。

3．報酬条件：

パズルの最後のピースは条件だ。つまり報酬を達成するために、どのような測定可能な基準が満たされる必要があるだろう？

発想は単純だ。この基準をコミュニティに組み込んでおいて、その達成をトリガーに、なるべく手作業を少なく報酬を提供したい。

君の報酬条件を決めるときに考えるべき4つのポイントがある。

▪ (1) 測定可能であること

まず一般的なルールとして、報酬条件は客観的に測定可能である必要がある。君は報酬条件が達成されたかどうか「はい」または「いいえ」で判断できるか？　繰り返すけど、ここでの辞書に「かもしれない」という言葉はない。「20個の質問に答える」は測定可能だが、「献身的な質問回答者である」は測定不可能だ。具体的に。そして具体性を維持すること。

▪ (2) 対応性を持つ条件であること

この条件は君が見たい行動にきちんと対応したものになっているか？

たとえば、コミュニティ内でヘルプの提供を奨励したいのなら、単にフォーラムに投稿するだけでは品質に対する指標にならない。ほしいのは質の高いコンテンツなので、質問者からの承認（あるいは単純な「いいね！」でも）のほうが、この行動の判断材料として適切かもしれない。前に話したように、インセンティブを設定すると行動が変わり、報酬を得るためにシステムを悪用する人も出てくる。条件設定はそうした悪用に対する保護（たとえば参加基準を設ける、承認や評価を条件にするなど）を働かせ、ろくでもない連中を回避できるものでなければならない。

▪ (3) 難易度がバラエティに富んでいること

その条件の達成がどのぐらい難しいか見極めよう。インセンティブすべてが海兵隊の訓練並に難しいのは困る。難易度の異なる幅広いインセンティブを提供しよう。ありがたいことに、カジュアル、レギュラー、コアというセグメントがこの目安になる。この章の少し先でくわしく説明しよう。

▪ (4)（可能であれば）自動化しよう

できるだけ条件をコンピュータで計測し、対応も自動化しよう。単一の測定値であっても、複数の測定値の組み合わせでも構わない。これらの測定値がなにを識別すべきかを常に明確にしよう。たとえば、コードの提出が承認されたとき、質問に回答したとき、またはメンバーが今月中に10回目の質問に回答したとき（継続的な参加を検出するため）などだ。

前に説明したように、社会的な発展の度合いや相互作用の粒度など、コンピュータでは測定が難しい行動もある。こうした判定の難しい行動の成功基準については、成功のあるべき姿をチームがはっきり理解しているという確証を得たうえで、チームが成功の基準を探し、それを見かけたら反応してインセンティブを与えてもらうようにしよう。

インセンティブ：2つのすばらしい風味

オーケー、インセンティブの価値と成分についてはよくわかったね。ではインセンティブ戦略をどう組み上げていこうか？

基本的な目標は、人々が前進し続けるための一連のインセンティブをプロットすることだ。まずは導入路、それからカジュアル、そしてレギュラー、コアに進んでほしい。戦略的には、ここで列挙したフェーズ間の移行ポイントに最初のインセンティブ群を構築する必要がある。これを示したのが図8.2インセンティブ移行ポイントだ。

図8.2　インセンティブ移行ポイント

このフェーズ移行時点こそは、コミュニティのメンバーがNetflixの新番組なんかに気を取られて挫折してしまう危険性が最も高いときだ。たとえばだれかに初めて導入路に乗ってもらうには、どのようなインセンティブを与えたらいいだろう。シンプルな解決策は、導入路の最後のところで、初めての価値を生み出したときに報酬を与えることだ（多くのコミュニティでは、この成果について認定を与えたり贈り物をしたりする）。

こうした最初の業績をどうやってカジュアルな参加に移行させていこう？　ここでは参加を繰り返すようなインセンティブを与えよう。たとえば新しいスキルを開発したり、新しいコンテンツを投稿したり、他の人の成功をサポートしたりすると、報酬を与えるわけだ。

レギュラーフェーズへの移行では、人々がもっと責任ある役割に自主的に進みでたらインセンティブを与え、報酬を与えよう。ここで重要なことは、この段階でコミュニティのメンバーが率先して、ますますリーダーシップを発揮できる方法を探ることだ。

第1章でエミー賞俳優ジョセフ・ゴードン＝レヴィットの言葉を引用した。彼は創造的なプロセスだけでなく、彼のHITRECORDコミュニティの形成の際も、自発的なリーダーシップの重要性を語ってくれた。

「オープンなコラボレーションのプロセスには、本当にリーダーシップが必要なんだ。リーダーシップは、僕らのプラットフォームとコミュニティ構築の大きな部分を占めている。最初はいつも僕がコラボレーションのプロジェクトをリードしていたけど、何年か経つうちにコミュニティのメンバーが自らリーダーシップを発揮するようになったのはすばらしかった」[※5]

レギュラーフェーズは、こうしたリーダーを見極める機会だ。メンバーが主導し、指導し、主体性を発揮するための、あまり負担にならないチャンスを提供しよう。
最後にコアフェーズへの移行のために、特に優れたリーダーシップを献身的に発揮してくれた人に対し、ずっと狭いが、きわめて価値のあるパーソナルなインセンティブを提供しよう。たとえば新しい取り組みを主導したり、困難な問題を解決したり、コミュニティの重要な要素を改善した場合などにインセンティブをつけよう。
こうしたインセンティブを設計し提供するために、2つの主要なカテゴリーに分けている。

明示的なインセンティブは、コミュニティのメンバーのだれもが獲得するチャンスがあると明確に認識されているものだ。インセンティブの存在がきちんと公表され、明確な基準と報酬がある。たとえば、ゲーミフィケーションバッジ、コンペ、ハッカソン、コンテストなどだ。これらはビデオゲームのクエストに似ている。結果を達成すると、バッジやバーチャルトロフィー程度であっても、なんらかの明確な報酬を受け取ることができる。
暗黙のインセンティブは、公表されたインセンティブの影に隠れた親戚だ。暗黙のインセンティブは、事前に定めておくものだ。コミュニティへのすばらしい参加を見つけたら、人間的でパーソナルな方法でそれを評価し、報酬を渡す。これは一見、ただの偶然に贈られた親切のように見える。たとえばなにかをしたときに受け取る気まぐれな贈り物、最近サポートした仕事についてフィードバックをくれるプロジェクト発起人からの親切なメール、そして参加すればするほど増えるチャンスなどだ。

どちらのタイプのインセンティブも、コミュニティにとって非常に価値のあるものだ。それぞれの詳細と、それらをどう作り出すかを掘り下げてみよう。

明示的なインセンティブ

最近のビデオゲーム、特にマルチプレイヤーやオープンワールドのゲームを見てみると、絶妙に設計されたインセンティブ群が見つかる。たとえば、多くのFPSシューティングゲームでは、各ラウンドの終了時にポイントが付与され、そのポイントを装備や武器などに使える。これらのポイントは、参加者のプレイ状況に応じて分配され、プレイヤーがスキルを向上させるインセンティブとなる。

明示的なインセンティブは、**前もって**明確に伝えられているものだ。ほしい報酬をウィンドウショッピングして、そこに前もって提示された目標を達成すればそれがもらえる。

図8.2の移行ポイントを見て、それぞれの移行点で機能しそうなインセンティブを5〜10個作成しよう。ここにいくつか例を出す（これらはそれぞれ、インセンティブと報酬として公表される）。

【導入路】

-サポートフォーラムで質問への回答を最初におこなったメンバーには、プロフィール画面に表示されるバッジが贈られる
-メンバーが最初のコンテンツ（承認されたもの）をブログに投稿すると、ライティングのベストプラクティス（今後の活動に役立つ）が掲載された無料の電子書籍が贈られる
-メンバーが最初のアプリを投稿し、プラットフォームに承認されると、Tシャツ、キャップ、無料のトレーニング教材、会社オフィスの外にある像にアプリの名前が刻まれるなどの「ケアキット」がもらえる

【導入路　→　カジュアル】

-他の会員の質問に答え、10件の回答が質問者に受理されると、直筆のメモとオンラインショップのギフトカード10ドルが贈られてくる
-メンバーが投稿してくれたコードのうち、5件がレビューを受けて承認されると、コミュニティ内のブログ記事で名前を挙げて配信される

【カジュアル　→　レギュラー】

-コミュニティのプロジェクトのバグを1週間でだれが一番多く修正できるか、というオンラインハッカソンを始めよう。1位・2位・3位の受賞者には賞品が授与され、バグ修正を投稿した全員が記事やWebサイトで名前を挙げられる

-商品について最高のチュートリアルビデオを制作するコンテンツコンテストをおこなう。上位3つの動画（審査委員会の投票に基づく）には、具体的な賞品が与えられる

【レギュラー　→　コア】

-コミュニティのリーダーシップ委員会に投票で選出されたメンバーは会社のリーダーシップチームに直接メールで連絡できる

-評判ランキング上位10名のメンバーを、本社でおこなわれる3日間のミーティングに招待し、旅費・食事、宿泊費などのすべてを提供する

また、コミュニティのメンバーが、人々に報酬を与えられるようなしくみも考えてみよう。以前のクライアントでは、従業員が毎月一定の金額（65ドル）の現金を持っていて、それを使って他の従業員にその場で現金のご褒美を与えるというシステムを導入していた。たとえば、あるデザイナーがプロダクトマネージャーのためにすばらしい仕事をしてくれたので、彼女は彼女の65ドルの予算から10ドルを彼に渡した。興味深いことに、最もお金を稼いでいた従業員は、フロントデスク、受付、管理スタッフだった（会社の中で最も過小評価されている人たちかもしれない）。

こうした報酬は、受け取る側だけでなく、スタッフにもそれを配る力を与えてくれるという点で人気があった。

暗黙のインセンティブ

前章で述べたように、コミュニティが成長していくうえでの大きな課題の1つは、**パーソナルな**つき合いをどう維持するかだ。150人未満の

小規模なコミュニティでは、君とチームがメンバーと直接関わることができるので、これはあまり問題にならない。しかし、コミュニティの規模が大きくなればなるほど、このような個人的なつながりは維持しにくくなる。単純に人数が多すぎてフォローしきれないからだ。

暗黙のインセンティブは、この問題に対処するための1つのツールだ。インセンティブと報酬は事前に設計されており、発動すると、メンバーと個人的に関わる機会を提供してくれる。これにより、規模を拡大しても、個人的なつながりを維持できる。

例を1つあげよう。以前のクライアントはWebプラットフォームを持っていた。ユーザーがプラットフォームを介してコンテンツを投稿すると、その質に応じてポイントを付与していた。そして、これらの評価ポイントを使用して、一連のインセンティブや報酬を提供していた。

こうした報酬の1つは、ユーザーが5回程度コンテンツを投稿した（継続的に参加していることを示す）ときに与えられた。システムは5回目の投稿を検出して運営メンバーに通知し、運営メンバーから個人的なメールでTシャツを送ろうかと通知するというものだ。これは「質の高い投稿を5回するとTシャツがもらえる」という公開されたインセンティブではない。だれかから突然メールが来るだけだ。

サラさん、こんにちは。

最近、私たちのコミュニティで本当にすばらしい仕事をしていることに気がつき、質の高い投稿をたくさん目にしました。特に最近のあなたの投稿に感銘を受け、あなたの[……]にも感銘を受けました。

日頃の感謝の気持ちを込めてTシャツを送りたいと思います。こちらのフォームにお届け先とサイズをご記入の上、送信してください。

また、なにか質問やお手伝いできることがあれば、私に知らせてください。このメールを見れば私のメールアドレスはわかります。

ジョー

重要なのは、この**メールはロボットのメールアドレスから送られたのではなく、会社の実在の人物から送られた**ということだ。これは本物の人間が書いたものだ。たしかに、システムはインセンティブが発動されたことを検知したけど、サポートの申し出は非常にリアルで、メールを受け取った人に合わせてアレンジされていたため、コミュニティメンバーと個人的なつながりを築けた。

もう一度言うけど、これには工夫が必要だ。僕が協力したあるコミュニティでは、レギュラーメンバーやコアメンバーの誕生日を検知して、素敵なメモを送った。別のコミュニティでは、コミュニティメンバーの最初の投稿が承認されない場合を検知し、投稿のクオリティを上げられるようなおすすめコンテンツや無料の電子書籍を送った。**検出にはコンピュータを使用するが、実際のサービスは人に依頼しよう**。

ノア・エヴェレットが創始したTwitpicは、ピーク時には3,000万人のユーザと80万人の利用者を数えていた※6。彼は個人的な触れ合いの重要性を語ってくれた。

「コミュニティの人々と積極的に話したり、交流したりしよう。迅速で誠実な対応を心がけよう。「あなたのことを気にかけているよ」というメッセージが伝わるようにしよう。時間をかけてよりパーソナルなメッセージになるように工夫しよう。たとえば、相手の名前を使ったり、相手が以前に書いたことを参考にしたりとか」彼はそれをかんたんに要約した。「オンラインでのコミュニケーションにおいて、正真であることは極めて重要なこと、いや最も重要なことかもしれない」※7

暗黙のインセンティブはパーソナルな承認（内部的な報酬）を与えるのに特に強力だ。別の会社ではメンバーがトップ100利用者にランクインしたときには、特別なカテゴリのユーザーに追加され、特別なメールアドレスを介して幹部チームに直接アクセスできるようになったと知らせるメールを送信している。昇進し、アクセスの権限も上がったことで、さらに心理的にも大きな効果をもたらした。このメールアドレスを実際に使うことはほとんどなかったが、必要なら連絡が取れることをみんな感謝していた。だれもが時にはバットマンを呼べる電話を必要としている。

暗黙のインセンティブを検討する際、いくつか重要なルールがある。

1. フェアであろう

すべてのインセンティブと同様に、公正でフェアなものにしよう。人々はそのインセンティブについて他の人に話したり議論したりする。その際に、その報酬がまちがいなく客観的な評価によって得られたものにしたい。それに値する活動をしていないのに報酬を得たと思われないようにしよう。

2. レシピは秘密にしておこう

暗黙のインセンティブは秘密にしておくべきだけど、いずれつきとめる人が出てくる。このような場合、コミュニティがちょっとしたインセンティブだらけだと認めるのはかまわないが、どうすればそれが得られるか、レシピはけっしてばらさないようにしよう。驚きが失われてしまうし、人々はそのしくみを逆手に取って報酬ばかり実現しようとする。

3. 明示的な報酬と暗黙の報酬を混ぜ合わせよう

先に説明したように、暗黙のインセンティブは、高く評価し、特別な感謝を伝えるために特に強力だ。このパーソナルなインセンティブは、Tシャツ、マグカップ、トロフィーなどのような物質的な報酬の提供にも使える。しかし、予算が膨らみすぎないように、これらの報酬の適切な数を注意深く見積もろう。

4. パーソナルなものにしよう

メンバーとのコミュニケーションは、けっして事前に書かれた定型メールや通知ではダメだ。**パターンはコンピュータが検出するべきだが、コミュニケーションは人間がおこなうべきだ**。これを守らないなら、メンバーはだまされたと感じる危険性がある。よくある「当選しました！」という胡散くさい営業電話のように。

5. アクセスとエンゲージメントを構築しよう

先に説明したカジュアル、レギュラー、コアのフェーズをみんなが進むにつれて、彼らがリーダーシップを発揮し、コミュニティの運営に参加できる幅をどんどん増やそう。暗黙のインセンティブを使用して、メンバーがコミュニティへの影響力を強くする機会を誘発しよう。たとえば、あるクライアントでは、大きな貢献があったときを暗黙のインセンティブのトリガーとして、CEOが自らメンバーにお礼の電話をするようにしていた。これはとんでもなく強力だ。

6. 小さなことから始めて積み上げていこう

やりすぎないようにしよう。これまで説明してきたように、段階ごとに5〜10の暗黙インセンティブを作ろう。どれが機能し、どれが機能しないかを確認しよう。そして、そこから積み上げていくんだ。以下に、さまざまな移行ポイントにおける例をいくつか挙げよう。これらは暗黙であることを覚えておこう。これはメンバーにサプライズで報酬を生み出すトリガーとなる。

【導入路】

- コンテンツやコードなどの投稿が受理されると、コミュニティリーダーから個人的なお礼メールが贈られる
- 投稿が棄却された場合は、改善要項、次のステップに進むための記事、サポートリンクなどを記したメールが送られる

【導入路 → カジュアル】

- メンバーが投稿された質問に5つ回答すると、コミュニティリーダーからお礼のメールが届く
- 月間で最大のアクセスを達成した投稿をしたメンバーに、オンラインストアで使える25ドルのギフト券が送られ、月刊公式ブログでその作品やコンテンツが紹介される
- メンバーが指摘したバグの70%が有効な報告であれば、ソフトウェア新バージョンへの早期アクセスが可能なプライベート・テストに参加できる

【カジュアル → レギュラー】

- メンバーが25の質問に回答して承認されたら、「コミュニティロックスター」のチャレンジコインが送られる
- メンバーが投稿した機能が次のリリースに含まれる場合は、公式

ブログで彼らの名前がハイライトされ、開発者の中での地位を示す限定Tシャツが送られる
- メンバーが30のコンテンツや記事を投稿した場合には、彼らが自社オフィスの近くまで来た際にコーヒーパーティに参加しないか打診するメールを、いくつかの記念品とともに届ける

【レギュラー　→　コア】
- メンバーが500回目の貢献など重要な節目を達成すると、会社のCEOから電話がかかってくる
- コミュニティ内での評価トップ5 のメンバーには、コミュニティと会社のリーダーシップ・チームとの戦略会合、夕食会、飲み会などに参加するための個人的な招待状が送られてくる（アゴアシつきで）

「評判」をよくするために

インセンティブ戦略を構築する前に、評判、レピュテーションに触れておこう。評判とは、一般的には、コミュニティでの個々のメンバーの参加状況を数値で表したものだ。それは彼らの人格と参加の影だ。Reddit（訳注：アメリカの技術掲示板）ではそれを**カルマ**と呼ぶ。任天堂では**ポイント**と呼んでいる。Discourse（訳注：アメリカのゲームコミュティ）では**信頼度**と呼んでいる。Battlefield（訳注：ゲーム）ではもちろん**キル**だ。

たとえばRedditのカルマは、人気のあるリンクやメンバーが共有したコメントに対して与えられる※8。Redditと同様、ほとんどのコミュニティは、スコア自体は公開されていても、評判スコアの計算方法のアルゴリズムは秘密にしている。

僕が仕事したあるクライアントでは、提出されたいい作業には10点、ひどい作業には0点、そしてこの尺度に基づいて評価が与えられていた。5点が普通、7点がいい、10点が優秀という具合だ。もちろん、点数の基準は主観的なものだけど、どんな評価システムも完璧ではない。

可能な限り効果的に設計しなければならない。この点数はできれば自動的に計算されるほうがいい。

大事なのは、**評判を時間の経過とともに減衰させること**だ。評判スコアの目標は、個々の投稿を単に採点するのではなく、**今現在**すばらしい仕事をしているのはどのメンバーかを示す、総合スコアを提供することだ。参加しなくなったら、スコアを徐々に減らそう。たとえば、活動があるしきい値を下回った2週間ごとに合計スコアの1%を減らすなどだ。

これにより、その評判が昔の話ではなく、現在の姿を表すものになる。評判を減衰させないと、早期に参加したメンバーが不当に有利になる。もちろん、評価の減らし方は少しずつにすべきだ。たとえば出産でコミュニティを離れる母親が不利になってはいけない。

評判スコアを計算することで、(a) 活動度が最低から最高までメンバーの分布を見たり、(b) 活動の傾向を把握したり、(c) ユーザーがカジュアル、レギュラー、コアの各フェーズにどれだけ散らばっているかを判断したり、(d) インセンティブや報酬の条件(以前に説明したやつだ)を決めたりするのに、非常に便利な指標になる。

メンバーの評判スコアを公開すべきかどうかについてもよく考えてみよう。コミュニティが競争的な性質を持つように設計されている場合(ゲームなどはそうだ)、公開するほうが理にかなっているだろう。もっと共同作業的なコミュニティなら(インナーコラボレーターのコミュニティなど)、公開しない方がいいかもしれない。地位は一部の人にとっては強力なインセンティブになるが、他の人は「格が違う」と幻滅を感じかねない。公開・非公開の決定をするときには、コミュニティや組織の人々からのフィードバックをもらおう。

インセンティブマップを作ろう

インセンティブマップは、これまで説明してきたさまざまな段階を通じて、どんなインセンティブをコミュニティに組み込むかを明確に示した計画のことだ。これは四半期実施計画に似ているが、目標にするインセンティブをまとめるためのものだ。次のようなものだ。

四半期	ペルソナ	ゴール	タイプ	条件	報酬	単位費用	推定出荷数	担当者	ステータス

図8.3　インセンティブマップのテンプレート

こんなふうに使う。

▪ 四半期

四半期実施計画の項目と同様に、それぞれのインセンティブがいつ実施され、利用可能になるのかを明確に理解しておくことが重要だ。ここに目標とする四半期を追加しよう。個々の取り組み（コンペなど）となる明示的なインセンティブの場合、これは特に重要になる。

▪ ペルソナ

このインセンティブがどのターゲットペルソナ向けのものかを確認しよう。すべてのペルソナに、図8.2で説明したすべての遷移ポイントについてのインセンティブがあるようにしよう。

▪ ゴール

このインセンティブを得るための行動目標を追加しよう。たとえば、「最初の投稿をする」や「メンバーへのメンタリングを提供する」など。

▪ タイプ

これが明示的なものか、暗黙的なものかのどちらのインセンティブかを書いて、この両者のバランスが適切かどうかを確認しよう。

- **条件**

次に、このインセンティブを得るための測定可能な条件を追加しよう。前に述べた黄金則を思い出そう：これは、測定可能で、再現性があり、自動化されていて、段階（カジュアル、レギュラー、またはコア）ごとに明確に対応した難易度を持っていなきゃならない。

- **報酬**

ここではこのインセンティブで提供される外面的な報酬（例：記念品、ギフトカード）や内面的な報酬（例：認知、感謝）の概要を説明しよう。

- **単位費用**

外面的な報酬を出す場合は、その報酬の単価を追加しよう（平均的な送料と手数料を含む）。これは、予算を計算するのに役立つ。

- **推定出荷数**

外面的な報酬の場合は、四半期ごとに出荷が見込まれるユニット数を追加しよう。これもまた、全体の予算を決定するのに役立つ。

- **担当者**

四半期実施計画と同様に、すべてのインセンティブには担当者が必要だ。この個人は、インセンティブの全体的な配信に責任を持つ。これには、報酬の準備、提供条件の検出の自動化、獲得した報酬をメンバーへ通知する方法の管理などが含まれる。

- **ステータス**

最後に、四半期実施計画と同様に、そのインセンティブがアイデアから実施までのどの進捗段階にあるかを記録する。第5章で説明した四半期実施計画と同種のステータスを使用することをおすすめする：

未開始：まだその項目にとりかかっていない
進行中：今まさにとりかかっている
レビュー中：項目は達成したが、期待通りか確認するためにレビューが必要
メンバーに提供済：項目達成
遅延：なにかの理由で項目が遅延している
停止：なにかが邪魔をしてこの項目は止まっている。問題解決が必要
延期：この項目は延期される。次の四半期に再開する可能性もあるし、永遠に再開されないかもしれない

これは公開・非公開それぞれのインセンティブ例だ。

四半期:	第2四半期
ペルソナ	サポート
ゴール	コミュニティメンバーにサポートを提供する
タイプ	暗黙
達成条件	・メンバーがアカウントをフォーラムに登録する
	・メンバーが他のユーザーの質問に回答する
	・回答が問題を解決していると質問者に承認される
報酬	コミュニティのリーダーから感謝のメールが届く
	ebookが届く
ユニットコスト	$2(ebook)
推定出荷数	80
担当者	サラ・ジョーンズ
ステータス	進行中

表8.1　公開インセンティブの例

四半期:	第2四半期
ペルソナ	開発者
ゴール	プロジェクトに新規機能を追加する
タイプ	明示的
達成条件	プロジェクトにマージされるコードをはじめて書く
報酬	エンジニアのリーダーからメールが届く
ユニットコスト	$0
推定出荷数	50
担当者	デイブ・ロジャーズ
ステータス	メンバーに提供済

表8.2　非公開インセンティブの例

ゲーミフィケーション

少し前、ヨーロッパで開催されたUbuntu開発者サミットにいたときに、仲間たちとちょっとしたゲーミフィケーションのアイデアを検討してみた。発想は単純。さまざまな形で人々がUbuntuに参加したら、バッジがもらえてそれを集められるようにする、というものだ。単純な発想の常としてその水面下には、多くの複雑さが埋もれている。

僕の実験は新しいスキルの開発だけを目指すものだった。この実験はエンジニアリング、ガバナンス、サポート、ドキュメンテーションなど幅広い手法をカバーするものだ。実験では、提供されるバッジのセットを用意した（一部は早い者勝ちだ）。コミュニティのメンバーはバッジを発見し、獲得する方法を学び、新しいスキルを学び始めることができた[※9]。

このしくみは人気が出たが、一部の人はこれが「インチキな貢献」、つまりUbuntuへの貢献でなくてバッジ目当ての貢献を生むのではと懸念した。これはインセンティブと共同作業をどうバランスするかについて、多くのことを学ぶきっかけになった。この例と、他のコミュニティ（たとえばマルチプレイヤーのゲームや、エクササイズのグループなど）でのゲーミフィケーションを観察した結果、以下の重要なルールにしたがうようおすすめする。

1. まず、新しく参加してくれること彼らにスキルを習得してもらうことにフォーカスしよう

たとえば新しいプロフィールを設定する、最初の質問に答える、最初のイベントを運営する、などはゲーミフィケーションできる。定常的な活動（10回目の投稿、100回目の投稿、1000回目の投稿など）に基づいてゲーミフィケーションをするのは、すぐに悪用されかねないのでやめよう。

2. ゲーミフィケーション・プラットフォームの設計で重要なのは発見だ

Peloton（訳注：エクササイズのオンラインコミュニティ）では起動すると新しいチャレンジが出るし、Discourse（訳注：議論をおこなうプラットフォーム）ではユーザープロファイルの写真にバッジが統合されている。プレイステーションではメインスクリーンにトロフィーが表示される。どんなゲーミフィケーションの機会があるかといったことや、それらを達成するための丁寧な説明、サポートを受ける方法などなど、コミュニティメンバーがかんたんに確認できるようにしよう。

3. ゲーミフィケーションでは、前進を明確に支援すること

ゲーミフィケーションを設計するときには、シンプルな連鎖関係を作るようにしよう。たとえばコミュニティにアイデアを初投稿するのをゲーミフィケーションしたいなら、まずアカウント登録をゲーミフィケーションしたらどうだろう。そうすれば、アイデア投稿バッジを得るためには、すでに登録バッジを獲得していなければならなくなる。これで作業を達成する順番について、明確で論理的な前進の道筋ができる。

4. ゲーミフィケーションの設計では、わかりやすい期待値を設定しよう

メンバーが報酬を得るためにすべきことについて、シンプルで段階的な指示を与えよう。

5. システムの裏をかかれないように

あらゆるゲームが作られるたびに、ルール違反の近道を探そうとする人が出てくる。自分のコミュニティメンバーに限ってそんなことはしないと思ってしまうが、必ずそういう人はいる。システムの裏をかくことで報酬を得られることを防ぐべきだ。報酬を適切に獲得してるかを確認の場（自動でも手動でも）を設置しよう。信頼できる人を定期的に招いて、システムの裏をかこうとしてもらい、悪用できないか確認しよう（見つかった欠陥を修正できる）。

6. ゲーミフィケーションのすべてで変な自慢合戦に気をつけよう

バッジなどの報酬、特に目に見える報酬だと、大量に集めるとやたらに自慢したがるようになる人はいる。参加者への働きかけやメッセージでは、ゲーミフィケーションは参加の方法の1つではあっても、価値を高める方法は他にもたくさんあるのだということを明確にしよう。時にはそういう人物と腰をすえて話をして、ちょっと落ち着いてくれとお願いするなど、自慢を抑える必要も出てくる。けっして多くはないが、ときにはそれも必要だ。

どういう方法がいいのだろう？

ゲーミフィケーションを実現するためのシステムや技術プラットフォームは多く存在するが、本書では具体的な例を挙げたりしない。それは(a)人によってニーズがちがう(b)技術の進歩は本より早いので、なにかを推奨してもすぐ時代遅れになってしまう、という理由のせいだ。

自分で研究してみて、行き詰まったら jono@jonobacon.com にメールをください

人と人の触れ合いを大切に

インセンティブはメンバーの興味や関心を維持し、参加を促し、報酬を得るための強力な方法だ。でもこの作業の一方で、常に**個人的なつながり**を前面に出し、中心に置いておこう。コミュニティは個人的な関係性で成り立っている。人々は、自分が追い立てられているようには感じたくない。操られているとも感じたくない。インセンティブの実行は人間関係を育て、認識し、構築するための手段として適切に使わないと、ややもするとわずらわしくてめんどうくさく思われる危険性がある。

ちょっと批判的な目でインセンティブを見てみよう。バランスの取れたものになっているか？　そう感じられないなら、メンバーの成功、検証、関係性をサポートするものになったと感じられるまで、インセンティブを磨き上げていこう。

第9章

オンラインとオフラインの双方でうまくやろう

私達はみな天与の才を持っている。情熱とは、ただそれを注げられるものを見つけ、それに向かって進むことだ。家族やコミュニティの一員となることだ
―― アンジェラ・バセット

テクノロジーの進歩に伴い、ますます多くのコミュニティがデジタル化するだけでなく、デジタルを**中心に**しつつある。ここから考えて、対人イベントやエンゲージメントを本質的なものではなく、「(必須ではないが) あったほうがいいもの」と考えてしまいがちだ。これは大きなまちがいだ。

デジタル環境は規模の拡大を可能にしてくれる。でも対面でのイベントやエンゲージメントのような存在感や個性はあまりない。同じ部屋でいっしょに仕事をすることで、人間関係が生まれ、信頼が築かれ、効率的で結束したコラボレーションが生まれることはよくある。コミュニティ戦略の中で、対面でコミュニティをまとめるのを無視しているなら、それは大きな見落としだ。

が、正直に言ってしまおう：対面のイベントはお金も時間もかかる。うまくマネジメントしないと、予算ばかりかかって、大した成果しか得られない。オフラインイベントできちんと便益をあげるために、対面での取り組みを全体の計画の中に組み込むことができ、かつデジタルと対面の世界をきちんとつなげられる方法について戦略的に考え、的をしぼらなくてはならない。

現実的なイベント戦略の図

多くのクライアントは、自社の製品やサービスに一定の成果が出てくると、自分でイベントやカンファレンスを運営しようとする。ところが**多くの組織は、しっかりとしたイベントの実現にどれほどの作業が必要かを理解していない**。おかげで質が悪く、リソース不足で価値のないイベントになってしまう。

小さな子供と同じで、小さな会社やコミュニティは、走る前にまず歩き方を学ぶ必要がある。これを示したのがイベント進化経路の図だ。

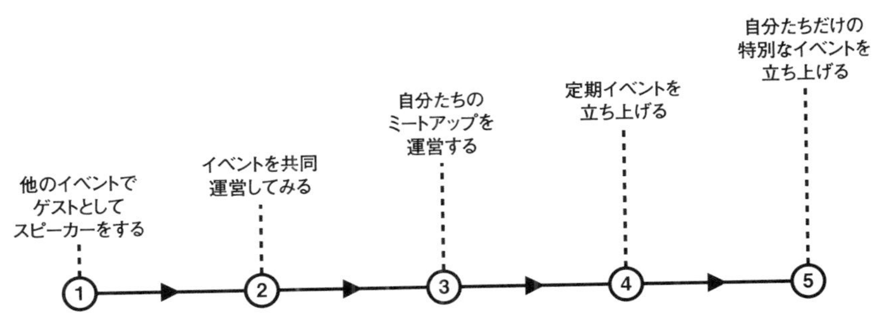

図9.1　イベント進化経路

まずイベントやミートアップに参加し、自分がゲストスピーカーとして登壇できるように依頼やイベント開催を始めよう。たいした投資はいらないし、人前に立つ機会ができる。そういうときには製品の宣伝やコマーシャルをしてはいけない。世間一般の関心を持った人々に向けて、自分が学んだ経験を共有することに専念しよう。練習をして、制限時間を守り、いい仕事をしよう。そうすれば他のイベントにも招待されるようになる。これをできるだけ多くの、種類はちがうが関係のあるイベントや聴衆に対して続けよう。

次は**他の組織と共同で小さなイベント**（ミートアップなど）を企画しよ

う。たとえばSCORECastの映画音楽コミュニティは、カリフォルニア州アナハイムで開催されるNAMM音楽ショーで、毎年ミートアップをおこなっている※1。シンプルなものにしてコンテンツの質を重視しよう。講演は少な目に、Q＆Aはそれなりに、ネットワーキングの機会は大量に提供しよう。飲み物とおいしい食べ物を（健康的なものを多めに）提供しよう。コミュニティでイベントを広く宣伝し、ポスターを貼ったり、ソーシャルメディアで宣伝したりして、多くの参加者を集めよう。それをなんどか何度か繰り返そう。

コミュニティが大きくなってきたら、独自のミートアップを企画しよう。前の段階でのアプローチを繰り返すわけだけど、規模も中身も改善しよう。もっと内容を掘り下げ、しっかりとした（できれば知名度の高い）スピーカーを用意し、食事や飲み物、ネットワーキングを充実させよう。無料のイベントでは、当日になると**50%の聴衆がキャンセルすることもある。だから集客は嫌というほどがんばろう**。

続いて別のカンファレンスとの併催で、もっと専門的なイベントを企画しよう（カンファレンス目当てで、人々はすでに街に来ている）。たとえば僕は大規模なオープンソースカンファレンスの隣でコミュニティ・リーダーシップ・サミットを開催している※2。このようなイベントだと、これまでよりずっと多くの参加者、複数のスピーカーやトラック、スポンサー、出展者などが集まるだろう。ここでも宣伝を死ぬほどがんばろう。失敗するイベントは、宣伝が足りない（または十分に興味をそそられない）。宣伝の量も中身も外さないようにしよう。

最後に、究極のステップは、自分たちだけの**専用イベントを開催すること**だ。この時点で、まちがいなく出席してくれるとあてにできるコミュニティと聴衆たちをすでに持っていなければならない。これは絶対に成功させなければならない。このイベントの評判や出席者数は君や君の評判、コミュニティにも影響する。

原則として、イベント進化のプロセスの次のステップに進むのは、前のステップを完了した場合のみにしよう。僕がイベント進化のプロセスをこのように設計した理由の1つは、スキル、専門知識、人々が集まるかどうかの見積もり、障害物について、知識を徐々に構築していくためだ。段階をとばさないように：単に君と君のコミュニティが直面するリスクが大きくなるだけだ。

また同時に、すべてのコミュニティが独自イベント開催まで行く必要はないことを覚えておこう。コミュニティごとに、イベントに期待するものは違う。それはそれでかまわない。

では、コミュニティとの対面エンゲージメントのさまざまなやり方について探っていこう。

カンファレンスへの参加や講演

コミュニティを構築する際には、認知度を高めたり、コミュニティのメンバーと会ったり、パートナーシップを構築したりするために、イベントに参加する必要がある。

さまざまなイベントに参加するのは、組織にとって莫大なコストがかかる。チケット代や交通費だけではなく、イベントに参加するまでの時間、参加している時間、帰宅するまでの時間、そして参加中にうつされた病気からの回復時間もかかる。イベントの間はメール対応や他の仕事も止まるので、イベントの翌週には必ず「たまったメールの山を処理」期間も必要になる。いい時代ですねえ（ウソ）。

どのイベントに参加するかを決めるときには、(a) ターゲットとなるオーディエンスのペルソナが来るかどうか、(b) 戦略的な利益があるイベントか、(c) 達成したい事柄の費用対効果分析で判断しよう。参加することで得られる明確な価値がなければいけない。「なんか行ったほうがよさそうだ」ではダメだ。

イベントに参加を決めたら、最大限の価値を引き出そう。次のカンファレンス・チェックリストを必ず確認しよう：

講演とコンテンツ提供に専念しよう

原則としてイベントに参加するのは、自分が講演できる場合のみにしよう。これは聴衆に演説する重要な機会を提供してくれるだけでなく、コストを下げることにもつながる（スピーカーの参加チケットはカンファレンス側が負担してくれるはずだ）。カンファレンスで講演できない場合（例：スピーチ申請が選ばれなかった）は、直接的な価値があるカンファレンスにのみ参加すべきだ。

カンファレンスでの会合や地元の機会を事前に計画しよう

少なくともイベントの2週間前には、イベント、基調講演、出席者、企業を見て、戦略的に重要な人に連絡して会合を予約しよう。イベントの現場ではみんな忙しいから、事前に予約を入れておくのが大事だ。

廊下での活動を重視しよう

イベントでは他の参加者との時間を最大化したいものだ。よほど必要でもない限り、セッションなんかで時間を無駄にしないこと。廊下、展示会、ソーシャルイベント、その他人が集まる場所で時間を過ごそう。会話が生まれるのはそういう場所だ。プレゼンテーションをだまって見ている部屋ではない。

名刺やコミュニティの概要カードを持参しよう

相手がもっと話を聞きたいと思ったときに、なにか渡せるものを必ず持っておこう。まず最低でも名刺はいるが、加えてコミュニティの概要と参加するための最初の3つのステップを書いた、名刺サイズのカードを作ろう。相手はイベントの後に名詞を整理する際に、コミュニティに参加するのに必要な情報が記載されたこのカードを見つけるだろう。

死ぬ気で人とのつながりを構築しよう

特に交流イベントではがんばろう。カンファレンスやミートアップでの夜のイベントは、おもに社交目的で、場合によっては大酒をくらうための場でしかないという誤解がある。おかげで多くの人は夜のイベントをスキップして、昼間のコンテンツに集中している。**夜のイベントこそ**

は人間関係をつくる場だ。仕事と個人的な議論を混ぜこんでお互い共有することで、人々は腹を割って信頼を築き、次に（もっと突っ込んだ）会議をする可能性を高める。僕のビジネスは、バーやレストラン、ランチ、交流イベントなどで築かれた人間関係のうえに成り立っている。お酒はなくてかまわないので、お酒を飲めない方も安心しよう。

手分けして攻めよう!

カンファレンス／イベントでよく見かける問題は、同じ会社で働いている人たちが一日の大半をいっしょに群れて過ごしてしまうことだ。

徒党を組むのはダメだ。手分けして攻めよう！　会議に2人で参加しても、ほとんどの時間をいっしょに過ごしてしまうと、人との出会いの可能性を狭めてしまうだけでなく、まわりに「君との関わりは禁止されている」というシグナルを送ることになる（他の人とではなく同じ会社の人といっしょに過ごしているということは、そうじゃない人とは関わりづらいというシグナルだ）。

イベント後に、フォローするミーティングを入れよう

どんな会合でも主要な目標は、話に価値があったら会話をもっと続けることだ。困ったことに、多くの人はイベントから戻ったらフォローアップを忘れ、名刺を紛失してしまう。イベントから戻ったら、**記憶が残ってるうちにフォローアップしよう**。電話や直接会って話をする時間を増やし、(a) 自分がなにを求めているのか、(b) 自分がなにを提供できるのか、という明確な目標を持って面会に臨むようにしましょう。

研修とスキルづくり

君自身も、コミュニティも、組織も、いいスキルこそが力だ。自分も、チームも、コミュニティメンバーも、スキルや能力を高めるよう、常に考えねばならない。スキルベースが広ければ、それだけコミュニティが価値を生み出す能力も大きくなる。

マーケティング／アドボカシーの方法、各種の製品／ツール類の使い方、イベント／ミーティングの運営方法、リーダーシップトレーニング、紛争解決など、コミュニティの研修用に、十分に検証されたコンテンツがたくさんある。僕は研修にありがちな退屈さを軽減するために、2つのアプローチを使う：**オンライン研修と対面研修のワークショップだ**。それぞれを見てみよう。

メソッド1 オンライン研修

これはオンラインでおこなわれる研修だ。なにかトピックやスキルを学ぶための、登録制の1時間のウェビナーにしよう。重要なのは、ターゲットオーディエンスが受講できる時間にスケジュールを組むことだ。グローバルな聴衆が相手なら、太平洋アメリカ時間の早朝はいい時間になることが多い（アメリカとヨーロッパのほとんどが対応できる）。

CasinoCoin（訳注：仮想通貨サービス）では、定期的にコミュニティのQ&Aやロードマップセッションを開催している[※3]。そこではめんどうな相手への対応や回避可能なキャリア上のミスなどについての研修ビデオを配信している[※4]。Adobeは、Photoshopのすぐ役立つヒントや小技を紹介する「Magic Minute」ビデオを配信している[※5]。教育をおもしろく配信するためのクリエイティブな方法はたくさんある。

セッションの最初の4分の3は、研修そのものに費やそう。セッションの途中に、人々が質問できる場所をあちこちで提供しよう。研修の途中でも、質問がセッションの文脈の中で意味のあるものであれば答えるようにしよう。スライドを見せるだけではなく、デモやインタラクティブな事例を提供しよう。そして最後の15分で残った質問に答えよう。

セッションが完了したら、その録画をコミュニティで公開しよう（そして、重要な礎となるコンテンツとしてコミュニティに広く宣伝するんだ）。

メソッド2 対面研修

研修ワークショップ

対面研修を実施する場合は、対象者が出席可能な日時と場所でスケジュールを組むようにしよう。カンファレンスにあわせてトレーニングセッションのスケジュールを組むのはとてもいいやり方だ。受講者は少なめにしよう。理想的には30人以下がいい。

ワークショップを宣伝する際には、参加者がどのようなメリットを得られるかを明確にしよう。どのようなスキルを学ぶのか？　そのスキルをどのように応用し、活用することができるのか？

研修セッションを、重要なトピックをカバーする一連の個別授業に分割しよう。各授業は、45分から1時間以内に終了するように。

基本的なことを10分から20分ほど教え、聴衆が十分に理解していることを確認する。次に聴衆を小グループに分け、内容に関連したタスクを与え、一定時間内にそれをやってもらう。たとえば、ソーシャルメディアの研修なら、ソーシャルメディアのキャンペーンのサンプルを考えてもらおう。

その作業を無理なく達成するだけの時間は与えよう。時間になったら、各グループに自分たちの発見したことを他の研修グループと共有してもらう。これにより、全員がアイデアの恩恵を受け、他の参加者とのネットワークを構築し、話がその場だけで終わらずに済む。

コミュニティ・サミットの運営

Canonical社で働いていたとき、10年近くにわたり、半年ごとにUbuntu Developer Summitと呼ばれるイベントを開催していた※6。毎回500人以上の参加者が集まり、ヨーロッパ、南北アメリカなど遠く離れた場所で開催された。それは単に意思決定をする場所ではなく、人々がいっしょに食事をし、いっしょに飲み、友人関係を築き、困難な時期にはお互いを慰め合う場所になった。僕はこのイベントのおかげで、年に一度メインのコミュニティ・サミットを開催する価値を発見したんだ。

僕がおすすめするイベントフォーマットはシンプルだ。朝には（インスピレーションを与えられるように）一連の短い基調講演をする一方で、ほかの大半は参加者への研修や、アイデアの議論や、計画立案を、対面でテーブルを囲んでおこなうセッションにする。こうしたサミットはチュートリアル的な内容だけでなく、新しい取り組みやプロジェクトの計画を建てることもできる。

どのセッションにも明確な目標がある：**あるスキルやテクニックを教えるか、今後数カ月で実施すべき明確なタスクや推奨される目標を決めること**だ。たとえば後者の場合、セッションが「コミュニティのためのニュースレターの作成について」であれば、「ニュースレターの計画を実施するためのタスクリスト」を完成させてセッションを終えるべきだ。

この方式が多くのクライアントとそのイベントでうまく機能している。この方式はコミュニティを構成する人々が、(a) コミュニティとの関係を構築し、(b) プロジェクトの足並みをそろえ、(c) スキルや人間関係を高めて成長する方法を提供している。具体的に僕らがどのように運営しているのかを説明しよう。

ステップ1　サミットの構成を決める

僕は、朝には短くてキレのある基調講演をして、イベントの大部分を実践的なディスカッションに集中させるのが大好きだ。そうすることで人々が活発になり、身が入り、参加しやすくなる。だからこういう構成をおすすめする。

- **午前中：2〜4程度のキーノート、15分以内**（それぞれスキルと教育を提供するためのもの）
- **午後：3〜5程度のディスカッションセッション、それぞれ40分程度で、15分の休憩を挟む**

- **夜：最後に少なくともメインの交流イベントを1つと、できればそれ以外にもいくつか非公式の交流イベントを用意したい**

初日の朝はイベントの目標を説明するオープニングの基調講演、事務連絡、Q&Aから始めよう。イベントの最後には、全員が次のステップを明確に理解して帰れるように、各セッションでの決定事項を要約してイベントを締めくくろう。

ステップ2 コンテンツと参加者を選ぶ

サミットの成功は、生産的で建設的な議論がおこなわれることにより、次のステップがどう変化するかにかかっている。そのためにコミュニティのメンバーと組織の人々の適切な組み合わせを考えよう。

初めてのイベントは、シンプルで少人数のものにすべきだ。20人以下の参加者でも、莫大な価値を提供できる。招待された人は全員、積極的なコミュニティ参加により招かれるだけの活躍をしているようにしよう。招待するのは、レギュラーとコアメンバーだけだ。意見があるだけではなく、すでに価値を証明している人を招待しよう。将来のイベントはだれでも参加でき、ずっと多くの参加者を集めてもいいが、最初の数回は量よりも質に重点を置くべきだ。

自分が好きな人ばかり招待するのはやめよう。付加価値をもたらす人でも、君や君の決断、アプローチにいつも反発する人は、最も価値のある参加者の1人かもしれない。エコーチェンバーを作ってもしかたない。目を見開いて前進する環境を求めている。

主要なコミュニティのメンバーを招待したことで、彼らは自分のスケジュールや仕事から時間を割いて参加する。だから経費は負担すべきだが、贅沢をする必要はない。多くのスポンサーシップは、エコノミーの航空券、ほどほどの日当を出し、みんなビジネスホテルで、（適切なら）相部屋だ。

さあ、それではみんなに議論のテーマを提案してもらおう。そのときには次のようなアプローチをしよう。

▪1. 次年度の目標テーマを公表する

人々は自分の提案するセッションが、コミュニティ／プロダクト／サービスなどの注力ポイントと関係したものになるためのガードレールを求めている。イベントの3カ月前には、次年度のおもなターゲットとビッグロックスについて自分のアイデアをまとめたブログ記事を公開しよう。それにより人々がなにについてセッションのアイデアを出すべきかについて、重要な文脈がわかる。

▪2. セッションのアイデアを提出できる場所を用意する

これはWebフォームのようなかんたんなものでも、紙の提出システムのような複雑なものでもかまわない。一般的なカンファレンスにありがちなプレゼンテーションではなく、ワークショップ的な議論セッションだということははっきり伝えよう。募集期間は少なくとも3週間。

求められるセッションの種類は、新しいスキルの開発や新しい取り組みやプロジェクトに焦点を当てたものだ。たとえばコミュニティに新しい機能を追加、新しいチームの立ち上げ、リーダーシップ委員会の改良、導入路の最適化、インセンティブの改良、新しいコンペ実施、多様性の改善、地域イベントの実施などが挙げられる。本書で議論したことはすべて、セッションのすばらしい材料になるだろう。

▪3. セッションを決定し、ガイダンスを送る

イベントの総合的な目標に合致し、サミットに最も価値を提供できるセッションを選ぼう。スケジュールを公開して、コミュニティのだれもが、なにが議論されるかを確認できるようにしよう。

各セッションリーダーに、セッションの準備と運営のためのガイダンスを送ろう。図9.2のサミット・セッション構造を使うのがおすすめだ。

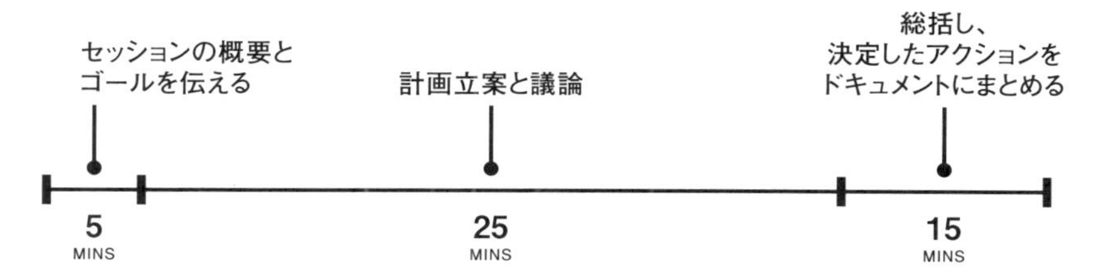

図9.2　サミット・セッション構造

強調すべき第一のゴールは、「次のステップを明確に定める」ということだ。このイベントの目標は、どんな作業がおこなわれるのかだけでなく、だれがそれをおこなうのか、いつまでにおこなうべきなのかを明確にすることだ。各セッションで最後の15分は、これらのアクションをしっかりまとめるためのものだ。

すべてのセッションがこれを達成できるわけではないし、達成できなかったとしても、その場にいたコミュニティのメンバーにあまり厳しく接するべきではない。でも、こうした次のステップを、セッションの標準的な目標として設定しておこう。

理想的には、イベントに参加していない人でも理解できるように、これらの行動は公開Webサイト（wikiなど）でまとめるべきだろう。そうすればイベントが終わってからも、これらのアクションを実行し、コミュニティメンバーが作業をおこなう際に追加のサポートを提供できる(四半期実施計画に組み込むこともできる)。

ステップ3　イベントの実施

こうやって短期間に一気に会議をする大きなリスクは、アイデアや話ばかりになって、具体的な行動がないことだ。イベントをファシリテートする際には、みんながいっしょにいる時間を最大限に活用するように促そう。重要な決定や討論をおこない、新しいアイデアを探求するのもいいけれど、全員が行動に集中するようにしよう。**この集中会議を終えた人たちには、達成感と充実感を持って帰ってもらいたい**ものだ。

可能であれば、**イベントに参加できない人もリモートで参加できるようにしよう**。そうすることで広いコミュニティにイベントを開放して包括的なものにできる。できる限り3つの主要なサービスを提供しよう（優先順位の高い順）。

▪ 1. ライブ配信を提供しよう

イベントの外からオーディエンスが聴けるようにしよう。これは音声配信やビデオ配信になる。これらの配信はスケジュールからリンクされているようにして、参加者がかんたんに参加できるようにしよう。

▪ 2. リアルタイムのチャットチャンネルを提供しよう

会場内外のどの参加者も参加できるようにしよう。各ディスカッションやセッションルームごとに、参加者がセッションを聞きながら対話できるように、別々のチャットチャンネルを作成しよう。

▪ 3. そのセッションルームのチャットチャンネルをプロジェクターで表示しよう

これで参加者は、会議外の人がディスカッションに貢献する意見がないか確認できる。

こうして対面参加とリモート参加を組み合わせることで、対面コミュニケーションを活用しつつ、オンラインも含めてだれでもアクセスしやすくなる。

イベントの仕上げとして、参加者がみんなでがんばった大量の仕事を祝い、楽しみ、憂さを晴らせるクロージングパーティーを開こう。僕はUbuntu開発者サミットで使ったアプローチは、ライブバンドを仕立てることだ[※7]。だれでもそのバンドに加わり、好きな曲をいっしょに演奏できる。これは永続的な友情と仲間意識を育てるのに役立った。それに友達と「Freebird」を演奏したくないヤツなんかいないだろ？

ステップ4 イベント後のフォロー

ここが重要なポイントだ：全員がイベントに多くの時間を投資したんだから、それを定着させよう。イベントで作られたすべての計画を見直し、実施作業を約束した人々が、ちゃんと実行してくれるようにフォローアップしよう。決められたことを実行し、最新の進捗情報を提供し、問題や障害を分解して解決しよう。

これらのイベントは、コミュニティが実行可能な計画を立てなければ無意味だ。すべてが実行されるわけではなくても、合意された作業の大部分は実行されるべきだ。これはイベントが全員の時間に見合うものであったかどうかだけでなく、イベント自体がコミュニティに価値をもたらすようにするためにも重要なことだ。

フュージョン（融合）させよう

フュージョンの結果として、人生の中で最高のものが生まれることがある。フランス料理とタイ料理、ジャズとメタルミュージック、クエンティン・タランティーノがひねりを加えたシェイクスピアの物語など、どれもおもしろいものばかりだ。フュージョンはうまくいくこともあれば、うまくいかないこともある。重要なのは実験だ。

対面とデジタルの領域はフュージョンの恩恵を受けるが、これも同じように実験しなければならない。新しいアイデアを試そう。イベントをデジタルコミュニティにもっとうまく結びつけるにはどうすればいいのか？　もっと広いコミュニティがライブイベントに参加するにはどうすべきか？　セッションの運営方法をどう改善すべきか？　セッションリーダーや基調講演者のもっといいサポート方法は？

幸いなことにこうしたフュージョンは技術のおかげでどんどんかんたんになる。でも、この実験を推進するのはリーダーである君にかかっているんだ。

第10章

統合・進化そして構築

成長はけっしてただの偶然では起こらない。さまざまな力がいっしょに働いた結果なのだ
―― ジェームズ・キャッシュ・ペニー
（訳注：大手小売チェーンJCペニーの創業者）

人生は、なにもないところで起こるものじゃない。精一杯トレーニングをしても、一度もボールを蹴らず、レースにも出ず、コンペで競争することもないかもしれない。痩せようと計画をたてただけで実際にランニングマシンに乗らない人もいる。つまるところ計画は**実行に移さなければクソほども**意味がない。

本書ではずっとコミュニティのための強固な基盤と戦略を構築してきた。君たちが価値を構築するために、正しい観点からアプローチし、細部のすべてがもっと広範な戦略的目標に対応するように設計した。でもはっきり言おう：**それを組織にしっかりと統合し、実施のために適切な人材を雇い、そして最も重要なこととして、組織能力を構築する必要がある。**

組織に筋肉のように能力をつけると、外部に頼らずに済む。戦略的な発展で実施計画は立てられるけど、組織能力を構築するには、その戦略を組織に統合し、実行して、その経験から学ぶしかない。この章ではその方法を説明しよう。まず適切な人材の採用を検討し、それから戦略を組織に統合する方法を取り上げていく。

コミュニティ運営スタッフの採用

君の取り組みが全体的として成功するためには、しっかりしたコミュニティ運営スタッフを雇うことが不可欠だ。残念ながらこれは計画に難問をつきつけかねない。一般的にコミュニティを専門にしている人のほとんどは、以下の3つのどれかに分類できる。

1．コミュニティディレクター

これは、この業界で最上級の人たちだ。彼らは本書で議論しているレベルで業務をおこなうことができ、ビジネス要件を理解し、コミュニティのための価値提案をおこない、それを実現する戦略を構築できる人たちだ。また洗練されたコミュニケーション能力を持ち、他のチームやステークホルダーと協力して戦略を実現した経験があるはずだ。またコミュニティと直接関わり、人間関係を構築し、文章と会話の両方で優れたコミュニケーション能力を持っていなければならない。

悲しいことにこうした人達はあまりいない。大多数は、すでに十分に報酬のあるポジションで働いており、転職してもらえるのは（a）おもしろそうなチャンスで（b）報酬が高く（c）組織内できちんと影響力を持てる場合だけだ。もし君がそういう人物をみつけられたら、天の恵みだ。

2．コミュニティマネージャー

この業界でやや経験が少ないし、そんなに上級職でもないが、きっちりと仕事をこなしてくれる。彼らは通常、戦略的というより戦術的な性質を持っているが、優れたプロジェクト管理のスキルを持っているはずだ。実施を重視し、仕事をこなし、メンバーに対応し、コミュニティ内の多くの関係性を同時にバランスさせられる。なかには非常に技術的な人もおり、元エンジニアの人達もいる。コミュニティのメンバーは、メンバーたちに時間を割いてくれるコミュニティマネージャーと強い関係を築くことになる。

3. コミュニティエヴァンジェリスト

エヴァンジェリストたちは通常、コミュニティやそれ以外に対する、情報や知識の提供にフォーカスしている。おおむね魅力的で活発な性格であり、天性のひけらかし屋だ。優れたライターやスピーカーで、通常、君のコミュニティの人々と話をして、顔をあわせ関係を作るために、大いに旅をする。

アウトリーチと認知獲得だけにフォーカスしているため、多くのエヴァンジェリストはあまり戦略的ではない。だから注意しよう。いくつかの会社は、エヴァンジェリストたちが戦略性を持って動いてくれると思って雇ったのに、彼らの技能や価値がまったく別物だということを思い知らされてきた。

たしかに、こうした各種の技能水準が入り混じった人も多いから、こうした分類をあまり杓子定規にとらえないでほしい。またこうした役割にはいろいろ変種もある。たとえばDeveloper Relations、Community Specialist、Community Associateなど。でもこれはおおむね上記の3つの分類が割合を変えてミックスされたものだ(一部には専門性が含まれている)。

原則として新しいコミュニティを始めるなら、きちんとしたコミュニティディレクターやコミュニティマネージャーの獲得を重視すべきだ。経験に応じて戦略的なサポートやメンタリングで彼らをサポートする必要があるかもしれない(僕がクライアントのためにやる仕事はこれが多い)。十分に戦略が構築されたと感じ、成長とエンゲージメント構築が主眼になったらエバンジェリストを雇おう。

こんな人を探そう

はっきり言おう。**コミュニティリーダーシップスタッフを雇うのはイヤになるほどめんどうだ**。他の職業(ソフトウェアエンジニアなど)が単一の分野(エンジニアリングなど)だけが中心となるのに対し、コミュニティリーダーシップスタッフは、ワークフロー、エンゲージメント、テクノロジーなどの複数の分野にまたがる能力が必要だ。

コミュニティディレクター、コミュニティマネージャー、コミュニティエバンジェリストのいずれを探している場合も、ここでは3つの側面で判断しよう。

自分の領域の専門知識

この人材は貴社の製品／サービス、市場、または他のなにかなど、貴社の個別分野についての専門知識を持っているか？　技術的なコミュニティといっしょに仕事をする人が必要な場合、その人材はその技術を理解しているか？　さらに重要な点として、その技術をつかうエンジニアや愛好家たちのニーズを理解しているか？

人間力

この人材は他の人々といっしょに仕事をしたがり、ワクワクしているか？　人間関係を構築し、貢献者と関わり、人間的、対人的なレベルで驚きと喜びを提供するのが大好きか？　人を無理に人間好きに仕立てるのは非常に難しいので、本能的にそれに興味を持つ人が望まれる。ただ面接で愛想がいいからといって、本質的に人間力があるわけじゃない。その人の仕事の動機について核心を探ろう。その核心に人間体験があるのか？

成長する喜びを感じているか

最後に、自分の技能について謙虚で、失敗を前向きにとらえ、成長しようとしているか。コミュニティの戦略とリーダーシップは、手法も知見も急変していて、個々のコミュニティと組織が持つ特定の文脈や、運営のしかたに大きく依存している。どんなに優れたリーダーでも、すべての答えを持っているわけではない。創造的に考えることができ、常に前進して磨きをかけ、改善できて、なんでもわかったつもりにならない人が必要だ。謙虚さと成長意欲が重要な要件になる。

厄介なことに、これらの要素をすべて持っている人はほとんどいない。成長する意欲があって、人間力のある人を見つけることを優先しよう。これは内在的な人間の本能で、後から教えるのが難しい。優れた専門知識を持っていたのに、どうしてもうまく人づきあいができない人を採用したことがある。悲しいことに、僕は彼をクビにするはめになった。

その分野の専門知識が不足している人を採用する場合は、その人がどのくらいの速さで学習できるか、その学習意欲があるかを評価しよう。コミュニティの焦点（製品、サービスなど）に情熱のある人が必要だ；そうすれば、その専門知識を素早く身につけるだけのやる気が出る。コミュニティの焦点にまるで興味がない人をトレーニングするのは難しい。

コミュニティディレクターを雇おうとしているのであれば、考えるべき要素がもう1つある。**戦略的に考えられ実行力があること**。会社が望む価値、より広いビジネスやコミュニティの目標、他のチームや利害関係者にうまく整合する戦略を構築する能力が求められる。部署を超えて仕事ができ、協力的であり、やりぬく根性がある人が必要だ。抵抗されても冷静でなければならない。さまざまな障害物に直面することになるから、それを乗り越えることができる人材が必要だ。

そういう人材はどこにいる？

まず業務指示書を作成し、他のコミュニティで同じような役割の人を採用したことのある知り合いのリーダーに渡してみよう。その人に求められる業務をきちんと説明して、適切な種類の人々が集まるようにしよう。残念ながら、業務指示書の書き方を説明するには紙幅が足りないが、https://www.jonobacon.com からリソースを選択すればテンプレートがある。

求められる役割を広く宣伝して、候補者をがんばって集めよう。**でもリクルーターには注意しよう**。人材紹介会社は昔からいつもこうした役割の細かい部分をまるで理解できず、使い物にならない人ばかり連れてくる（そして使い物になる人たちを遠ざけてしまう）。**自分の知り合いを活用して、いい人たちとつながっていそうな人たちに問い合わせ、紹介し**

てもらおう。

人を見つけるにはおもに2つの方法がある。片方は費用がかかるが、早く結果が得られる。もう1つの方法は、費用は安いうえに、永続的なコミットメントを構築できる。

1. 引き抜く

優秀な候補者は、気に入った企業で十分な報酬を得ている。A級の人材を採用する可能性を高めたいのなら、そういうマネージャーを引き抜いてみよう。そのためには彼らのいまの報酬パッケージ以上のものを提供し、キャリアを継続的に成長させられるエキサイティングな機会を提供する必要がある。ほとんどの人は同じ仕事でもっと多くのお金が欲しいだけではなく、キャリアの成長とより有意義な仕事を望んでいる。

この方法のメリットはしっかりとした基盤を手っ取り早く持ち込めることだ。

2. メンタリングして育てる

時間はかかるが費用は安くなる。標準的な採用プロセスを実行して、先ほど説明したような能力の最高の組み合わせを持っている人を見つけよう。これはまだ経験はないけれど、まばゆいほど熱心で、高い給料を必要とせず、学び成長する機会に興奮している候補者を見つけられる可能性がある。ここでのもう1つの選択肢は、既存の社員を見つけて配置転換することだ。

このアプローチで重要なことは、明確なメンタリングプログラムを用意しておくことだ。この人が入社してきたとき（または社員なら配置転換した場合）、先に説明した要素のうち、どの要素（この分野の専門知識、人間性、成長意欲、戦略的思考と実行力）に最も焦点を当てて育成すべきかを明確にしておくべきだ。

その人々が最初の6カ月間に達成すべき明確な目標をきちんと用意し（ここで「四半期実施計画」の出番だ）、候補者が成長するように指導し、サポートしてくれる人を用意しよう。たとえば、僕もクライアントにメンタリングを提供することが多い。

このメンタリングがうまくできれば、驚異的なまでに献身してくれる人が育つ。新規採用者は、会社が自分に投資してくれたと感じ、長年にわたって集中して貢献し続けてくれる。

どの部署に配属するか

これは厄介な問題だ。僕はさまざまなコミュニティマネージャーと仕事をしたことがあるけれど、その人たちの配属先はマーケティング部門だったり、エンジニアリング部門だったり、CEO／CTO直轄だったり、さらにはプロダクト部門の人もいた。

CEO／Founder

コミュニティが組織の決定的な構成要素であり、重要な投資を伴うなら、理想的には、コミュニティ関係は独自の予算を持つトップレベルの部署であり、マネージャーは経営会議に参加し、その業績はCEOまたは創業者が判断するようにしたい。これはおもに戦略的なフォーカスを持つコミュニティディレクターの場合にのみ推奨され、さらに小規模企業やスタートアップには推奨できる。

マーケティング部門

コミュニティが消費者コミュニティや応援団タイプであれば、マーケティング部門に配属するのが自然な流れだ。マーケティングチームがコミュニティの価値をどれだけ理解しているか、また、この活動をサポートする意思があるかを慎重に判断しよう。

残念ながらマーケティングリーダーの中には、コミュニティが自分たちにとって脅威となると深く恐れている人や、マーケティングとコミュニティの力学を理解していない人がいる。そういう人がうっかり採用の邪魔をしないようにしよう。このリスクを減らすためには、マーケティング担当者を試そう。彼らにこの本を読んでもらって、どれだけ話が理解できるかを見てみよう。

エンジニアリング部門

もしコミュニティがコラボレータタイプや技術的な性質のものであれば、エンジニアリング部門に配属するほうがいいだろう。僕のクライアントの多くは、最初はCEO／創業者直属から始めて、後にCTO(エンジニアリングの責任者）の下に配属するようになった。コミュニティのスタッフがエンジニアリングのリーダーとミーティングをおこなえば、(a) エンジニアたちのワークフローやニーズをよりよく理解でき（これはコミュニティメンバーに影響を与える)、(b) エンジニアのチームと緊密な関係を築ける。

プロダクト部門

一部の企業、特にテクノロジー企業では、プロダクトチームが顧客／ユーザーとプロダクトの橋渡し役となっている。オーディエンスとそれをサポートするコミュニティの価値をこのように明確に理解しているという条件さえ整えば、この部門に配属するのが論理的だ。

どこに配属するにしても、その部門と足並みがそろっている必要がある。このためにさっき構築した戦略が重要な役割を果たす。全員が成果や協力方法について、同じ方向を向いているようにするんだ。

コミュニティ戦略を事業に焼き込む

「コミュニティへ参加することは、究極的には我々のDNAに組み込まれている。我々はオープンソースがエコシステムだということを認識しており、恩返しの重要性も理解している※1」

RedHatのCEOであるジム・ホワイトハーストは、企業とコミュニティのニーズのバランスをめぐる教訓について、こう語ってくれた。

Redhatは自分たちが商用製品を持っていない分野であっても、何十ものオープンソースコミュニティに貢献している。これはRedHatが活動しているオープンソースコミュニティにとって重要な分野であり、その分野で作業が必要だからだ。Redhatは直接的な見返りがなくても、貢献することそのものに価値があることを理解している。これは私たちの成功の理由の一部なんだ。

ジムは、コミュニティが自分の組織のどこに位置するかや、彼のチームに期待されること、そして企業とコミュニティとの一線についての明確なビジョンを持っている。この一線は必ずしも明確ではないし、特にコミュニティ構築に慣れていない企業にとってはなおさらだ。そこで5つの重要なやりかたでこれを明確にして、戦略が崩壊するリスクを減らそう。

1．だれにとってもコミュニティが優先事項

マーティン・ミッコは、「だれもがハッカーを知る必要がある」と熱っぽく語っている。コミュニティでリーダーシップを持つスタッフだけでなく、コミュニティと関わりのあるすべての人が、コミュニティのニーズを理解し、コミュニティに関与することが重要だと考えているよいリーダーシップは組織の下部にも影響する。**リーダーシップを示すべき人々がいいコミュニティの習慣を示せば、スタッフもそれを真似る**。

理想的には、リーダーシップチームは、週に2〜3回であっても、定期的にコミュニティプラットフォームに参加するべきだ。チームにも参加してもらうようにお願いし、その期待を表面に出そう。チームがコミュニティに参加できるように研修を提供し、参加を毎日の習慣にしよう。スタッフがコミュニティへ室の高い貢献を示した場合には、それをほめて報酬を出そう。

やりすぎに思えるかもしれないけど、理想的にいえば部門長は、業績評価になんらかの形でコミュニティへの関与を組みたい。明確な業績要件（および説明責任）をみんなによく理解してもらおう。製品やビジネス面で業績評価をするのだから、コミュニティ面も評価してよいのでは？

同様に、企業活動のあらゆる場所であらゆる場所で、コミュニティが重要である意識と、コミュニティを重視する姿勢を浸透させよう。会社の価値観でも、会社の戦略計画でも、マーケティングでも、これを体現しなければならない。僕のクライアントでもっとも成功してる会社は、製品会議のたびに「この製品はコミュニティに付加価値を与えられる

か」と質問する。

これはどれもたいへんだ。でも組織の文化にコミュニティの重要性を組み込むことで、成功の可能性を大幅に高めることができる。

2. 各部門の足並みをそろえる

ありがちなこととして、足並みをそろえて同じ問題を解決しているつもりが、実はみんなの解釈が微妙にちがっていたりする。これに気がつくまでぼくもずいぶんかかった。

各部門はコミュニティ戦略の初期の構想段階では話に乗ってくれるのに、いざ実行する段階になると崩壊してしまう。だからこそ「ビッグロックス」と、詳細な「四半期実施計画」を早い段階で作ったのだ。この2つの文書は、**なにをするのか、どのような結果を期待**しているのか、そして最終的な責任は**だれに**あるのかを明確に定義している。

コミュニティ戦略を実現するうえで、各部門がどのような役割を果たすのか、明確に足並みがそろっているようにしよう。この点はそれぞれに対して明確に具体的に伝わるように議論しよう。ビッグロックスのそれぞれの責任を果たすために、各部門は時間とリソースを確保できるか？　そうでない場合は、リソースを拡大するか、目標を控えめにするしかない。いずれにしても（a）結果を出すことへのコミットメント、そして（b）**できませんでした、という選択肢はない**ことを理解してもらうことが必要だ。

僕が見る限りコミュニティ戦略（他の分野でもそうだが）で失敗している企業は、きっちりと合意された目標を達成しなくてもかまわないという文化を持つ。それを今すぐなおそう。**できませんでした、ではダメだ**。目標を再評価したり、仕事を細分化したり、それに基づいて調整していこう。ビジネスやコミュニティを運営していく上で現実を見て、目標を見直したり、業務量を減らしたりなど、調整するのはOKだ。でも目標を達成できなかったあとで、言い訳を連発するのはだめだ。

3. ケイデンスサイクルで運用しよう

第6章でケイデンスに基づいたコミュニティサイクルを紹介した。

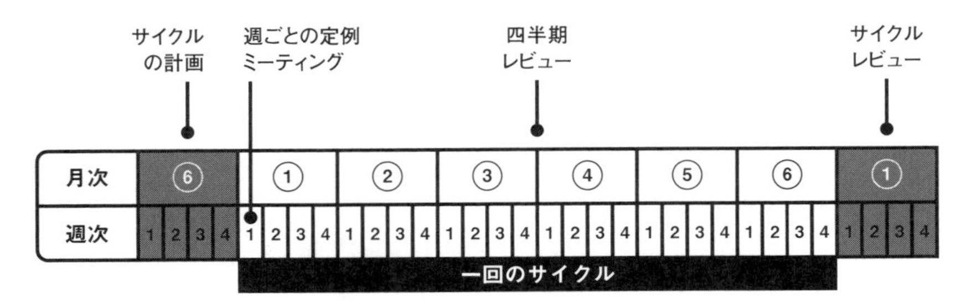

図6.2　ケイデンスベースのコミュニティサイクル

そのとき話したように、繰り返しに基づく戦略サイクルを構築すると物凄く役に立つ。それは組織のスキルと最適化を促進してくれる。また、戦略がきちんと進捗するように、適切なタイミングでさまざまな人や利害関係者を引き込むチャンスにもなる。こうしたサイクルは、ぼくの多くのクライアントやPop!_OS、Fedora、Ubuntu(訳注：いずれもLinuxのディストリビューション）などのコミュニティで成功している。

こんな感じだ。

項目	誰がそこにいるべきか?	フォーカス
サイクル計画	主要なステークホルダー	主要な作業分野を最終的に決定し、コミュニティのメンバーから意見を聞き、関係者から承認を得て、各部門の責任と成果物を明確にする。
	部門のリーダー	これにより次の2四半期に向けての準備が整う。
	キーのコミュニティメンバー	
週次すりあわせ	各項目の責任者	四半期実施計画に基づいての週次レビュー。問題点の解消、部門/コミュニティチーム間の連携点の明確化、その他の問題点の解決に注力する。
	実行するスタッフ	
	関係するコミュニティメンバー	

四半期レビュー	部門リーダー	四半期ごとに各部門のリーダーを集めて、達成実績を振り返り、問題点を特定し、仕事をブロックしている問題を洗い出して解決方法を決定しよう。
		進行中のプロジェクトに基づいてKPIを微調整しよう。
サイクルレビュー	主要なステークホルダー、部門別のリード、関連スタッフとコミュニティメンバー	サイクルの終わりに主要なステークホルダー、部門責任者、部署のリーダーなどを集めて以下をレビュー。
		a)達成した仕事の価値
		b)達成の良し悪し
		c)次のサイクルにむけて改善できそうな部分

表10.1　コミュニティサイクルの例

君のスケジュールと計画にこのケイデンスをガッチリ統合しよう。今すぐこれらの会議を設定して伝えよう（そうしないと、みんな旅行や休暇をそこに入れてしまうから）。

ここでは組織の力を構築するのだ、ということをお忘れなく。君の体に筋肉をつけるのと同じように、習慣づけないと成果はでない。定期的なトレーニング、予定された食事時間、決まった就寝時間......それらはすべて、厳格さと予測可能性を作り上げていき、最終的に一貫した習慣と目に見える結果が得られる。このケイデンスサイクルでも同じことをしよう。サイクルを実行するたびに最適化の方法を学び、毎回より効率的なものにしていこう。

4. トレーニングとメンター

多くの企業のコンサルティングをしてきて学んだ大きな教訓の1つは、「コミュニティは多くの人にとってひたすら異様なだけ」ということだ。そういう人は、コミュニティを始めたり、参加するのに苦労する。社員は最初のうちは参加に消極的で、（特に公開コミュニティでの）失敗を恐れ、なにをすべきなのか混乱することも多い。ここでの解決策は、**教育**と**メンタリング**だ。

なぜこの仕事が重要なのかを、みんなにとって明確にしよう。これをやれというだけではダメだ。その仕事の**価値**を理解する手助けをしよう。ミーティング、全社的なメモや掲示物、全員参加型のセッションなどあらゆる場所でいつも、コミュニティがみんなの組織、仕事、将来の可能性をどのように豊かにしているかについて、常に指摘しよう。コミュニティはなぜ仕事をおもしろく、充実し、価値あるものにしてくれるのか？　それを実働メンバーに納得させ、そこに参加できて喜んでもらおう。

ここで育んだビジョンとインスピレーションは、スタッフが実際に取り組める実用的な方法に裏打ちされたものでないといけない。期待する成果を明確にしよう。具体的な要求を出そう。 君のチームになにをしてほしい？

これはある意味でかんたんだ。スタッフに四半期実施計画を提示すればいい。でもその一方で、どうやって彼らにコミュニティ参加してもらおうか？　どのツールを使おう？　どんな問題を解決してもらおう？　毎日どのくらいの時間をかけてもらおう？（僕は1日あたり最低でも15分を推奨している）。コミュニティのメンバーにどういうふうに関わってほしい？（例：励ます、問題を解決する、など）

なにを期待しているのかを常に明確にし、**達成すべき非常に具体的な目標**を示そう。

たとえば、僕がコミュニティを作る時によく利用しているツールの1つであるDiscourseには「信頼モデル」があり、人々が効果的に参加してるか、かんたんに確認できる※2。メンバーの信頼度は、コンテンツを読むだけでなく、文章を書いたり、プロフィールを記入したり、自分のコンテンツを「いいね！」してもらったりと、積極的に参加すればするほど高くなる。従業員に目標（ある水準以上の信頼度を達成するなど）を与え、毎日の参加とコミュニティ参加に必要な時間について期待値を設定することで、従業員がコミュニティへ参加し、そこで活動することを習慣化できるようにしよう。

みんなに正直であろう：みんな絶対に失敗する。失敗にどう対応するか（たとえば、うっかりした開示や機密コンテンツの削除など）を明確にし、この組織ではミスが想定内だと明らかにすべきだ。従業員がコミュニティへの参加について学んでいる間は、ミスでいちいち責められることはないのを明確にしよう。

スタッフが助けを求められる方法を常に用意しよう。スタッフがよくある質問に答えられるように、スタッフ向けの文書を提供しよう。ほとんどの人は自分からは助けを求めないので、定期的に外から確認をしたり、あるいは肩をたたいて直接聞いてみたりして、手助けできることがないかをチェックしよう。

これまで書いてきたような分野をカバーするために、スタッフがしたがうべきゴールと、ゴールした先の次のステップまでが明確になっている研修を、少なくとも3〜6回は実施したい。たとえ1日15分でも、毎日コミュニティに参加してもらいたいと全員に伝えよう。カレンダーにその予定を入れてもらおう。習慣を身につけるには66日間同じことを繰り返す必要があることを忘れずに。毎日コミュニティに参加する習慣を身につけてもらおう。

トレーニング後に備えて、わかりやすいメンタリングプログラム（通常はコミュニティディレクター、コミュニティマネージャーといっしょにおこなう）を設定しよう。コミュニティには必ず参加しなければならないけれど、参加して成功するための十分なサポートとガイダンスがあるのだということを、適切なバランスの取れた形で伝える必要がある。

5. 実行し、レビューし、繰り返す

実際に作業を始め、ケイデンスサイクルの初期で説明したミーティングをおこなう。物事がうまく進むかを観察しよう。**成果物が出てくるだけで満足しないこと。彼らがどんな具合に達成したか、直面している問題はなにかを判断しよう**。自分たちの弱点や落とし穴を把握して、チームをもっとサポートし、将来の問題を解決できるようにしておこう。

四半期レビューとサイクルレビューで、こうした弱点や落とし穴についてあけすけにオープンに話し合おう。将来的な修正方法について、感情に流されない会話をしよう。うまくいったのは何だろう？　なにがうまくいかなかったのか、その理由はなにか？　改善すべきプロセスやチームの問題はあったか？　リーダーシップチームがスタッフをもっとサポートする方法は？　すべての問題を将来の改善の機会として捉え、

それらの変更をどのように実施するかについて合意を得て、次回の四半期レビューやサイクルレビューで再度確認しよう。

重要なのは、欠点だけに焦点を当てないことだ。**成功を誉めよう**。達成された仕事、開発されたスキル、チームやコミュニティが享受している成功を誉めよう。

完璧は不可能でも、追求し続けるべきだ

読者の中の企業経営経験者は、すべてが計画通りにいくことはないのをご存じだろう。予定していたより早く意思決定を迫られるし、想定よりも少ないリソースしかない。問題はいつも束になってやってくるし、極度の苦境に陥っているときには、チャンスはなかなか見つからない。

多くのビジネス書がダメなのは、付加価値を高めるためのあれこれを提言するのに、身の回りの現実世界の事情を都合よく無視しているからだ。そういうのはやめたい。

完璧な戦略を持つ必要はない。戦略を完璧にビジネスに統合できなくてもかまわない。でもいくつかキーになるスキルはある：**計画をまとめ、実行し、経験に基づいて改善することだ**。実行によって学び、学んだことを実行しよう。あらゆる問題は成功へのアプローチを改善する材料として扱おう。自分の仕事を感情抜きで論理的な連鎖として考え、常にその論理最適化する方法を探そう。これが組織にスキルを焼き込む真の方法だ。

第11章

さらに前へ、さらに上へ

いい道連れがいると、旅が短く感じられる
―― アイザック・ウォルトン

お疲れさま！　ずいぶん多くの話をカバーしてきて、残るは仕上げだ。

この本を書くのはいささかややこしい活動だった。生産的なコミュニティを作る価値、機会、アプローチは、やろうと思えば10冊の本にもなる。いや、100冊かかってもおかしくない。

この旅の中で最も役立つ要素をつまみ食いして、さまざまな組織にマッピングできるような実用的な方法論としてまとめ上げる――多くは語らないけれど、けっして楽な仕事ではなかったとはいっておこう。本書が、背表紙にある価格に見合った価値にとどまらず、読むために投資した時間にも見合うものだと感じてくれればなによりだ。

本書を通じてわかってほしかったことが1つあるとすれば、それは僕がおためごかしとは無縁の人間だということだ。では、おためごかしではない正直な話をもう1つ。**君はまだ駆け出しで、ここから成果を得るためには常にアップデートされるコンテンツ、方法、専門知識に深入りする必要がある。**

このトピックに関する専門技能の総和は、この本に書かれた以上のことだ。僕はいくつものキーアイデアや法則を入門者のためにまとめてはみたけど、最重要なのは**君が続けること**だ。人間は、自分が直面したアイデア、アプローチ、経験しか使えないのだから。

だから本書の終わり近いここでは、君が前進する勢いをキープする方法と、これからも学び続ける方法について、いくつかオススメしよう。

学び続ける方法

学び続け、成長し続け、君とチームがコミュニティの構築を成功させるために理解すべきこととして、重要なものは5つある：

1. この本をもう一度読み直そう。真剣に

冗談かと思うかもしれないが、本気だよ。最初にこの本を読んだとき、多くの情報を吸収したが、その大部分は初耳だったはずだ。寝る前にベッドに寝転んで読んだり、あるいはビーチや通勤電車の中で読んでいたかもしれない。すると脳は気が散り、物事を見落とす。

本書には多くのディテールがある。もう一度読むことで、すでに学んだことだけでなく、なにを見落としていたのかを知る「2回目のスキャン」となる。また、最終的にどんな話になるのかわかった状態で、本の最初の部分を再読できるというメリットがある。こうすると本当に、脳内に本書の原則をしっかりと落とし込むのに役立つ。

2. 新しいアイデアに囲まれよう

僕はキャリアの初期、このテーマについてほぼ見切ったと誤解していた。仕事をやめて別の仕事で働き始めたとき、まだ学んでいないことがたくさんあると気づいた。

他の本や記事を読もう。この本を読んだことがある人を見つけて、その人たちと意見交換したり、議論したりしよう。僕が提示した材料の理解を広げ、新しいアイデアやアプローチでそれを補強する立場に身を置こう。僕の方法をハックし、改善しよう。これはすべて君自身のアプローチを形成するのを助け、材料を一式そろえるのに役立つ。

3. さまざまな人と面談をして、質問をしてみよう

成功したコミュニティにも失敗したコミュニティにも、何千人もの参加者がいる。こうした分野に馴染みがなければ、ベテラン（もちろん若い人からも！）から学ぶのが一番いい。

こちらから連絡を取り、電話をかけ、質問をし、彼らの経験を理解しよう。コミュニティの人々は話好きなので、君の電話に出てくれるだろう。彼らのアプローチの中から、自分の仕事に活かせる要素を見つけ出そう。こうした議論の中で、コミュニティの旅の要素が明確になって「わかった！！」という瞬間が何度も訪れるはずだ。

4. 自分の思い込みを何度も試してチャレンジしよう

この本を読み進めるなかで、いろいろわかったつもりになったはずだ。その理解には正確なものもあれば、そうでないものもある。これはまったく正常なことだ。

その理解を**仮説**に変換し、検証して、そこから学ぼう。ソーシャルメディアは時間の無駄なのか？　人々は君のコミュニティのためにコンテンツを作りたがらないか？　出張はお金の無駄か？　年に一度のビッグロックス計画なんて無理なのか？　すべては検証のための条件だと思おう。そうすれば心を閉ざすことなく、現実をしっかりベースにできる。

5. 文書化し、シェアし、議論しよう

本書を通して、僕はコミュニティについてオープンであることと、透明性の重要性を説いてきた。このテーマに沿って、君ができる最善のことの1つは、コミュニティを構築した経験をシェアすることだ。ブログでもポッドキャストでもビデオでも、どこか他の場所でもいい。

君の仕事について話し、さらなるフィードバックを集め、進化し続けよう。jono@jonobacon.com で君がなにを成し遂げたか、僕に報告することもお忘れなく！　僕はいつも読者のみなさんがどうしたかを聞くのが大好きだ。

弱みを見せよう。なにがうまくいったか、なにがうまくいかなかったかをシェアしよう。だれも完璧ではない。弱みを見せることは、いっしょに仕事をしている人たちから尊敬されるだけでなく、新しいアプ

ローチやアイデアを議論する機会を与えてくれる。オーディエンスにフィードバックやコメントを提供してくれるよう頼もう。

進み続けよう

初めてコミュニティの可能性を発見した時のことは忘れられない。1998年、兄のサイモンがLinuxというオタクっぽい、当時はまったく無名のコンピュータOSを紹介してくれた頃だ。当時僕は本屋でアルバイトをしていたので、従業員割引を利用してLinuxの解説書を買った。

その本の中で僕はLinuxやもっと広いオープンソースのエコシステムのほとんどが、ボランティアのグローバルなコミュニティによって構築されていると知った。たしかに技術的にもおもしろかったのだけど、それがグローバルコミュニティがいっしょに働いているという部分こそが、僕の頭にピカーンとひらめきを与えてくれたのだった。

僕はまだ10代のできの悪い頭で、これらのしくみのすべてのニュアンスを理解し、他の人々にもこれらのコミュニティの価値を理解し、活用してもらうことを自分のライフワークにしようと決めた。

だからこの本はこのライフワークの一部にすぎない。利用可能な追加のリソースは他にもいろいろ用意している。それを活用するには、https://www.jonobacon.com にアクセスして、次の3つのステップを実行してほしい。

ステップ1：僕のサイトのリソースを使用する

僕のサイト https://www.jonobacon.com/ メニューから「リソース」を選択すると、この本の内容をサポートする多くのリソースが表示される。サンプルのペルソナ、導入路、仕事の説明、インセンティブ、コンテンツのアイデアなどだ。

ステップ2：僕のブログを読む

メニューの「ブログ」をクリックするかタップして、僕の記事を読もう。僕は毎月、コミュニティ戦略、インセンティブ、評価指標、行動経済学、ツールとプラットフォーム、ソーシャルメディア、リーダーシップなどを扱った、実用的な提言付きの新しいコンテンツを書いている。この本はしっかりとした基礎で、この毎月のコンテンツは、君の経験と能力を拡大し、成長させ続ける応用だ。

ステップ3:会員登録をする

最後に「参加する」をクリックまたはタップして、会員登録を検討しよう。会員登録は完全に無料で、新しい資料が直接配信される、会員限定のコンテンツ、イベント、僕とのマンツーマンワークショップ、新しい本やプロジェクトへの早期アクセスなど、さまざまな特典がある。

大事なこととして、僕はメンバーを大事にするし、スパムを送ったり、君の情報を売ったりはけっしてやらない(そんなことをする連中は人間のクズだ)。会員登録は常に最新の技術と経験を身につけるには最適な方法だ。

ソーシャルメディアで僕をフォローするのもいいかもしれない。

- Twitter—https://www.twitter.com/jonobacon
- Facebook—https://www.facebook.com/jonobacon
- LinkedIn—https://www.linkedin.com/in/jonobacon
- YouTube—https://www.youtube.com/jonobacon
- Instagram—https://www.instagram.com/jonobacongram/

もしこのどこでも僕をフォローしてくれたら、ぜひ声をかけて!

最後に、僕は読者からの意見を聞くのが大好きだ。なにをやっていて、本書をどう思ったか、jono@jonobacon.com までメールをどうぞ。

いっしょに働くには

この本を書き始めたときに設定したおもな目標の1つは、自分のコンサルティングサービスの広告まがいのものにしないということだった。その手のビジネス書にはあまりにたくさんお目にかかってきた。本はアイデア、経験、洞察力を共有するためのものであって、商業的な野望を押しつけるためのものではないはずだ。そもそもコンサルタントを名乗ること自体がすでに恥ずかしい（世の中はホラ吹きコンサルタントばっかりなので）。そうした本の形を取った宣伝クズ本の山にこの本を追加するのは、絶対にいやだった。

さはさりながら、組織のコミュニティを構築することを助けるにあたり、自分がどういう仕事をするか書かないのも片手落ちだろう。そういうのを本当に知りたい人もいるかもしれないし。だからそういう話をシンプルかつ簡潔に、本書の最後の数ページで書いておく。興味のない人は読み飛ばしてかまわない。

ひと言でいえば、僕はクライアントといっしょに、公開製品やサービス、プラットフォームを中心としたコミュニティや、起業や組織内のコミュニティ構築を支援している（多くの場合、組織内コミュニティは、情報がサイロ化するのを打破し、チームの連携方法を改善するためのものだ）。

多くの場合クライアントと協力してコミュニティ戦略の構築を支援し、その実行と実践のためのチームの指導と研修をおこなっている。また、講演（企業や会議での講演）、研修、サポートもやる。僕のアプローチは、単に組織が戦略をまとめるのを助けるだけではなく、それを自分たちでおこなうスキルをチームに植え付け、最終的には僕がいなくても成長し続けられる状態を作ることだ。

僕のコンサルティングサービスの詳細については、https://www.jonobacon.com/consulting を見てほしい。いっしょの仕事についてもっと相談したい人は、jono@ jonobacon.comまでメールを。

バイバイ

サンフランシスコからエジンバラへ出張に行く途中の高度3万フィートでこれを書いている現在、初めてコミュニティに触れてから20年が経った。この20年間は、**なぜ、どのように**してパワフルで活気のあるコミュニティが構築されるのかについて、できるだけ多くのことを吸収しようとする旅だった。僕はノイズの中から意味ある信号を理解し、ふるいにかけるように努力してきた。すべてのことがそうであるように、これは絶え間なく続く旅だけど、その旅はとても楽しいものだ。

この20年の間に、僕も君たちの多くも、圧制的な政権、無用な対立や戦争、ますますナルシスト化するオンライン文化、政治的緊張などなど、人類の闇の要素を目の当たりにしてきた。ニュースをつければ、人間の本性に対するポジティブな信仰に疑問を持ちたくなり、僕が本書で共有してきた可能性が楽観的な夢でしかないのではと疑いたくなるだろう。

でもそんなとき僕は、この本の冒頭で話したアフリカの若い友人、アバヨミのことを思い出す。世界中の人々が協力することで生み出された技術のすばらしい進歩、コンテンツ、経験、アイデアの豊かなタペストリーについて考える。他人の成功を創造し、指導し、サポートし、応援するために毎日がんばる無名のヒーローの大群に思いを馳せる。一個人のなしうる以上のパワーが発揮されたことで、何千人ものキャリアが築かれ、起業され、夢が現実のものとなった。僕の頭の中には、何年もかけて出会った何千人もの人々、コミュニティの環境に支えられて自分がなりたい人物にまで成長してきた人々の、思い出のアルバムが浮かんでいる。

人は驚くべき能力を持っている。僕たちは皆、優しさや助言、勇気などの驚くべき能力を持っていて、同じような特徴を持った人たちに囲まれると、もっといい人間になる。**人間の本性は、恐怖、怒り、分裂状態ではない。人間の本性は社会的で助け合うものだ。僕らはともに繁栄する生き物だ。**

本書をその人間の本性に捧げる。大きな夢を描き、その実現に向かう道のガードレールを敷いたら、世界は僕らの思いのままだ。それこそがこの本に込めた願いだ。読者みなさんがなにを成し遂げるかを楽しみにしている！

幸運を祈る。なにをしたのかをぜひ知らせてほしい。僕に手伝えることがあればいつでも連絡を。みなさんがなにをやっているにしても、その成功と繁栄を祈っている。

Rock on!

日本語版解説:Code for Japanはどのようにコミュニティを運営しているのか

※本書の内容を、日本のコミュニティに当てはめるとどのようになるのか？　その一例として、日本を代表するコミュニティである一般社団法人コード・フォー・ジャパンの代表理事、関治之さんに執筆をいただいた。

Code for Japanは「ともに考え、ともにつくる社会」の実現を目指し活動している、シビックテックコミュニティです。シビックテックとは、シビック（市民）とテクノロジーを組み合わせた造語で、市民がよりよい社会づくりを主体的におこなうためのさまざまなテクノロジー活用のことを指しています。市民が、地域の課題解決を行政に任せきりにせず、立場を超えてともに考え、ともに解決策を考え、ともに実践的につくっていくような場作りをおこなっています。私がCode for Japanを2013年に立ち上げてから8年経過した2022年1月現在、Code for JapanのSlackチャンネルには6,000人以上のメンバーが参加しています。

オープンソースコミュニティとオープンガバメント

Code for Japanでは、多様な人々が組織の垣根を越えてオープンにつながり、社会をアップデートするコミュニティづくりを目指しています。ボトムアップ型のネットワークが特徴で、日本国内の地域版Code for コミュニティ（Code for Sapporo、Code for Okinawa、Code for Kanazawaなど）や海外のg0v（台湾）やCode for Koreaなどとも連携したり共創したりしながら、さまざまな課題に取り組んでいます。1人のリーダーが引っ張るのではなく、共通の目的を持った人たちが集まり、さまざまなレベルで共同作業をおこないながら少しづつ前進していく。まさに本書に書かれているような、自律的なグループとして機能しています。

市民側でこのような動きが進む一方で、政府や自治体でも、行政に対し市民がさまざまな形で参画できるようにする、「オープンガバメント」という考え方が広がりつつあります。

シビックテックコミュニティの流れは欧米から始まっています。オバマ大統領は2009年1月の就任直後に「透明性とオープンガバメント(Transparency & Open Government)」と題する覚書を各省庁の長に対して発出しました。その書簡の中で「透明性」、「国民参加」、「協業」の3原則に基づき、開かれた政府を築くことを表明しています。それに足並みを合わせるかのように、同年にCode for Americaが立ち上がり、オープンデータの活用や、行政組織にIT人材を派遣するフェローシップなどの活動が活発化していきました。

行政が市民と共創するにあたり、オープンソース的なボトムアップカルチャーが重要になるのは当たり前の流れでした。トップダウンで仕様を決め、それに対して企業がシステムを作るような関係ではなく、多様な市民が参加し、行政とともに課題を解決していく関係が生まれたのです。オープンソースコミュニティと違う点は、技術者だけでなく、非技術者や課題当事者など、参加者層がより多様であったことでした。

日本では、2011年に発生した東日本大震災を契機に、オープンデータやシビックテックの考え方が広がっていき、2013年からCode for Japanが正式に活動を開始しています。

筆者が、2013年にCode for Americaのメンバーだったキャサリン・ブレイシーに会いに行き「Code for Japan を立ち上げようと思うがどうしたらいいか」と相談をしたところ、「Why not? 許可なんていらないから、ぜひ日本で始めてみてよ。今ちょうどCode for Allというインターナショナルコミュニティも準備中なので、始まったら連絡するね。日本での動きを楽しみにしているわよ」と、まさに草の根のコミュニティらしいおおらかさを感じたことを覚えています。

以下、Code for Japanの活動を例に取りながら、本書で示されている内容を補足していきたいと思います。

コラボレーター・コミュニティとしてのCode for Japan

本書ではコミュニティのエンゲージメントモデルとしてコンシューマー、チャンピオン、コラボレータの3つが示されていますが、Code for Japanはコラボレーター・コミュニティに分類されるでしょう。特定のサービスを提供しているわけではありませんし、シビックテックに関するコンテンツ自体を参加者自らが作り上げていくタイプのコミュニティだからです。

「ここでは、熱狂的な参加者は、単に個別に独自の機能を追加するだけではなく、共有されたプロジェクトのためのチームとして能動的に協働作業する。これは文字通り、世界そのものを変えるようなチャンスにつながることもある（第2章）。」

と本書で書かれている通り、熱心な参加者達は、だれかから指示されたわけでもないのに、日本中で主体的にさまざまな価値を生み出しています。たとえば、以下のような側面を上げるとわかりやすいのではないでしょうか。

各地のCode forコミュニティ、ブリゲイド

各地に存在するCode forコミュニティは、それぞれが独立したコミュニティです。シビックテックを推進するという同じゴールに向かい、それぞれが自由に活動をおこなうネットワークとして機能しています。

Code for Japanでは、各地のコミュニティが活動しやすいように、パートナーシップを組んでいるCode for コミュニティ（ブリゲイド）に対して、サーバ環境や交流イベントの運営や参加のための交通費など補助を行ったり、Code for Japan Summitなど、発表や学び合いの機会としてイベントを主催したり、各地の活動をレポートとして報告したりしていますが、各地域のコミュニティとはフラットな関係で、指示系統はあ

りません。

だれでもプロジェクトが立ち上げられる、ソーシャルハックデー

Code for Japanは、ソーシャルハックデーと呼ばれる1Dayハッカソンを毎月おこなっています。シビックテックに関係することであればだれもがテーマを持ち込むことができ、その場で仲間を集め、そのまま夕方までもくもくと共同作業をおこないます。

アイデアだけの段階から仲間を集めて少しづつ進んでいくプロジェクトもあれば、すでにローンチ済みのサービスのテストや改善を求める求めるプロジェクトや、NPOや企業のお悩み相談など持ち込まれるテーマもさまざまです。

もちろん、Code for Japan自体がおこなっているプロジェクトについて参加できる場でもありますが、人々の共感さえ集められれば、だれでもコンテンツを作る側に回れます。

インターンが発案した、Civictech Challenge Cup U-22

新型コロナウイルスの猛威によって学校が臨時休校となった時期、多くの学生がインターンシップの機会を奪われました。また、OB訪問なども難しく就職活動にも多くの制約がでてしまいました。そこで、Code for Japanにインターンとして参加していた学生が発案したのがCivictech Challenge Cup U-22という、22歳以下を対象としたシビックテックのプロトタイピングコンテストです。学生同士でチームを組み、社会課題解決のためのプロダクトを考え、夏休みの期間を使ってプロトタイプを開発し、協賛企業や審査員の前でデモをおこないさまざまな賞を獲得するものです。ここでいい成績を残せれば、就職活動のためのアピールにもなりますし、継続開発を希望するチームは、その場で出会った人たちや地域の人たちと実証実験など実装フェーズまでチャレンジしていくこともできます。

このコンテストの発案から実施まで、すべてインターンの学生チームが中心になってすすめています。

Code for Japanコミュニティにおける インナーとアウター

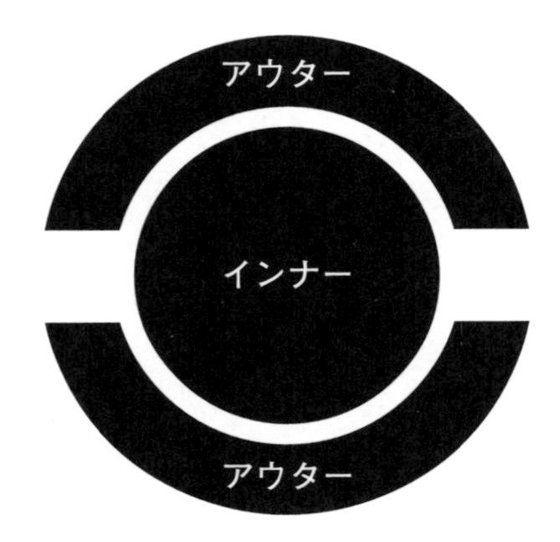

図2.2　コラボレーター・コミュニティにおけるインナーとアウターの図

図2.2に、インナーとアウターという概念が出てきます。

Code for Japanも、おもに一般社団法人コード・フォー・ジャパンとして企業活動をおこなうインナーコミュニティと、フラットでオープンに活動をおこなっているさまざまなアウターコミュニティが混ざり合っています。その境目はあいまいではありますが、たとえば以下のように分類されそうです。

図12.1　Code for Japanの場合

全体のMission／Vision／Value や Code of Conduct(行動規範)、プロジェクトごとのビジョンなどのアウター向けのガバナンスに比べ、インナー向けのルールには就業規則、セキュリティ基準、チームごとのビジョンなどが定められています。

━ 6つの原則を当てはめて活動を振り返る

さて、本書ではコミュニティについての6つの原則が語られています。それぞれを、私の過去の経験に当てはめ理解してみたいと思います。

1. 価値のある資産を築く、シンプルなところから始めよう

ごちゃごちゃと議論をすることに時間を費やすのではなく、Minimum Viable Product(MVP) から始める。私もこれは常に意識していることです。特に、Code for Japanのようなコミュニティ活動では、ボランタリーな関わりも多く、人々が活動に費やせる時間は多くありません。さっさとアウトプットを出して活動の勢いをつけていかないと、必ず活動が停滞します。私がCode for Japanのキックオフを行ったときには60名ほどが集まりましたが、そのメンバーでワークショップをお

こない、なにを目的に集まったかをみなさんに伺い、2時間であるべき姿を仮ぎめし、興味ごとにチームを分けてすぐに動き出しました。

当初の活動内容もシンプルで、まずは各地で自由に独自のCode forコミュニティを始められるようにすること、活動したい人向けにワークショップをおこなうこと、イベントをおこない米国の事例などを紹介することくらいで、必要なものはWebサイトとSNSくらいでした。

その後、自主事業として、自治体向けのデータ活用ワークショップや、企業の従業員が研修のために自治体と共創する地域フィールドラボといったプロジェクトが生まれていきましたが、まずは最低限できることのみでスタートし、いっしょに活動することを通じてさまざまなステークホルダーをコミュニティ側に巻き込んでいきました。

2. 明確で客観的なリーダーシップを持とう

結果的に言い出しっぺの私が代表理事になりましたが、技術者だった私には行政の経験もまちづくりの経験もありませんでした。最初は、とにかく活動をしていて集まってくるいろんな人の話を聞くことを重視しました。その中で、大きなビジョンを持っている人に協力し、彼らのやりたいことをテクノロジーで実現するための方法をいっしょに考えました。そして、いっしょに活動することで徐々に信頼関係を作り上げていきました。当時は行政やパートナー企業側でいっしょに事業を作っていたメンバーが、今ではインナーコミュニティのリーダーとして活躍していたりもしています。

Code for Japanのリーダーに求められることは、能力の高さよりも、透明性と傾聴力です。いくら優秀でも、多様な人の意見を尊重し、ともに考えることができない人がコミュニティ活動のリーダーシップを発揮するのは難しいと感じます。

3. 文化と期待をハッキリとさせよう

Code for Japanのビジョンは「ともに考え、ともにつくる社会」です。このビジョンは設立当初のワークショップから生まれたタグラインでした。活動する中でこの言葉が最も活動をうまく表すことができることがわかり、正式にビジョンとして固まっていきました。

不特定多数の人間が参加する場ですので、みなさんに安心して参加してもらえることはとても大切です。

今では技術系のイベントでもよく見られるようになったCode of Conduct（行動規範）も早い段階で設定していますし、イベントの際にも毎回読み上げています。

行動規範には、互いに敬意を払うこと、意見を聞き価値を認め合うことやハラスメントの防止などについて書かれています。

もう一つ具体的な例として、Code for Japan が東京都の委託を受けて開発した、東京都新型コロナウイルス対策サイトをご紹介します。このサイトは、GitHub でオープンにコントリビューターをつのったために大きな話題となり、300名以上が開発に加わってくれました。

このサイトの開発が決まり、初日にまず定めたのが、以下の、「行動原則：CODE_OF_CONDUCT.md」という文章でした。

我々はなぜここにいるのか
* 都民の生命と健康を守るため
* 正しいデータをオープンに国内／海外の人に伝える
* 正しいものを正しく、ともに作るプロセスの効果を具体的に示す

サイト構築にあたっての行動原則
* User perspective

情報は人に届けてこそ意味がある。UX（ユーザエクスペリエンス）を大切にする。

アクセス解析や検索語の分析、SNS分析などの数値分析を行い、数字で対応を判断する

* No one left behind

国籍や年齢、障害の有無にかかわらず、誰もが快適に利用できるサイトを目指す

ユニバーサルデザインに関するガイドラインに準拠する

* International

海外の人にも直感的にわかるような表現をする。
多言語で展開する
* Be open
オープンソース：ソースコードやサイト構築に関するノウハウは可能な限り公開し、他の自治体でも利用できるようにする
オープンデータ：わかりやすいデータ形式で、誰でも使えるような形でデータを公開する。
* Build with people
都庁の人だけではなく、様々な人々とともに作る
市民エンジニアの貢献を歓迎する
情報を求める人達とともに、サイトを育てていく

このように、どのような行動を期待するのかを定めておいたことは、顔の見えない多数のメンバーとやり取りをするにあたり、大きな助けとなりました。

何のために活動しているのか、参加する人々になにを期待しているのかをはっきりさせることは、運営側にとっても参加者側にとっても重要だと感じます。

4. 人間関係と信頼、関係づくりに集中しよう

Code for Japanの活動がここまで広がった最も大きな理由が、信頼と関係性づくりだと思います。実は、活動開始当初、テクノロジーを活用することに偏っていたプロジェクトがいくつかあり、それらはあまり長続きしませんでした。たとえば、市税を可視化するための、Where Does My Money GO？　というプロジェクトがありました。海外のオープンソースツールをローカライズして、日本の自治体のデータを使って税金の使いみちをわかりやすく表現するものです。オープンソースで公開したところ、多くの人たちの手で複製され、100以上の自治体のバージョンが生まれました。当時新聞に取り上げられるほど話題にはなりましたが、残念ながらそこで止まってしまうのが大半でした。今思えば、このサイトをみた後に市民にどのようなアクションを期待するのか、そしてこのサイトを使って自治体とどのような関係性を作っていき

たいのか、職員に対しなにを期待し、どのように働きかけていくのかといった、その後の戦略がなかったことが大きいと思います。

また、オープンデータを推進する活動でも、一方的にオープンデータの良さを自治体の方々にアピールし公開を求めるだけでは、あまり活動は広がりませんでした。しかし、一方的にオープンデータ推進を叫ぶのではなく、自治体の現場の人たちと地道なデータ活用をおこなうワークショップをおこない始めたところ、徐々にデータ公開の数も増え、自治体の方たちとの活動が広がっていきました。

「ともに考え、ともにつくる」ことは、立場を超えた共創関係を生み出し、信頼や関係づくりにとっても重要だったのです。たとえ活動の成果がすぐには生まれなかったとしても、その活動の中で培われた関係は失われません。そういった信頼貯金が、いざという時に活きてくるのです。

技術者としては、すぐになにかソリューションを作りたくなってしまうのですが、その作業をおこなうことで、関わる人たちやコミュニティメンバーとの関係性が向上するのか、新しい学びがあるのか、仮説検証に結びつくのか、といったことをしっかり考えないと、せっかく費やした時間が無駄になるどころか、悪い効果を生んでしまうかもしれません。

5. 常に敏感で洞察的で辛抱強くあろう

「答えはオーディエンスの頭の中にある」と本書で書かれていますが、シビックテックの活動がボトムアップであることの理由がまさにここにあります。すべての課題に通用する銀の弾丸はありません。似たような課題に思えても、同じソリューションが通じるとは限らないのです。特に地域のコミュニティというのは本当に多様です。

シビックテックには、Build with, not for という言葉があります。だれかのためのサービスを一方的に作るよりも、当事者とともにサービスを作るほうがよりニーズにあったものができるというニュアンスです。オープンソーステクノロジーは、このような場合にも役に立ちます。あるソリューションのいいところを取り入れつつ、現場の多様性に合わせたカスタマイズを可能とするからです。

Code for Sapporoが開発した、さっぽろ子育てマップというアプリがあります。保育園や幼稚園を地図上でかんたんに探せるようにしたアプリケーションですが、開発を主導したのは、子育て中の母親でした。自分の子供を通わせる保育園を自治体のWebサイトから探すのがたいへんだった、という実体験から、自治体のWebサイトをクローリングして、「自分が欲しい」サイトを仲間と作り上げたのです。

まさに、Build with を体現した出来事だと思いました。現在は札幌市が地図で保育園を探す機能を提供していたりするためこのサイト自身は稼働していませんが、オープンソースとして公開されたこのツールは、他のブリゲードコミュニティによってカスタマイズされ利用されています。

なにかインパクトのあることをおこなうチャンスは突然やってきますが、そのチャンスを見逃さず、対応ができるようになるには、普段からの活動が重要です。コミュニティとともに活動をし続けることで、いざ打順が回ってきた時に対応できる力がついてきます。本書にあるように、まずは走る前に歩くことを学ぶ必要があります。

6. 意表を突こう

ポジティブな驚きは創造性の元でもあると思います。Code for Japanは毎年 Code for Japan Summitというイベントをおこなっていますが、企画メンバーの創造性には毎回驚かされます。講演内容をグラフィックでリアルタイムに表現する「グラフィックレコーディング」を2014年という早い段階で取り入れたり、全セッションで字幕を入れたり、毎回創意工夫があります。停滞や退屈を防ぐための工夫は歓迎されますし、何より楽しいです。

シビックテックの活動には、地道で地味な作業も多いです。地域課題や社会課題は、市場原理では解決できない、つまりビジネスとして成り立たせるのが難しい分野も多いからこそ、意表をついたアイデアが必要になります。

「BADオープンデータ供養寺」は、世の中にあふれる、機械可読性の悪いオープンデータをデータクレンジングで供養するというコンセプトのプロジェクトです。Code for Japan Summitのセッションとから始まったプロジェクトでたいへん人気があり、Webサイトも公開されています。データクレンジングという地味な作業をネタとして昇華し、エンターテインメント化することで、より多くの人に、正しいデータを公開することの大事さを楽しみながら知ってもらうことができます。

図12.2　BADオープンデータ供養寺トップページ

https://bad-data.rip/

オンボーディングとエンゲージメント

本書のコミュニティマネジメントの理論は、実にわかりやすくまとまっています。

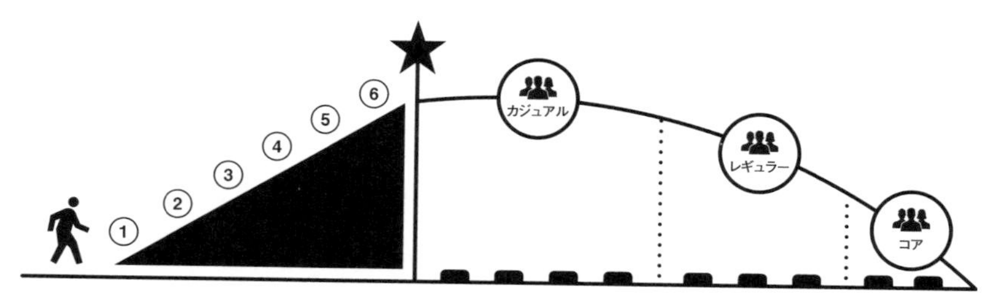

図5.1　コミュニティ参加のフレームワーク

オンボーディングプロセス、エンゲージメントプロセスの視点から、Code for Japanのコミュニティについて検討してみます。

オンボーディングプロセス

Code for Japanでは、さまざまなチャンネルから新規の参加者が入ってきます。シビックテックの裾野は広く、各地域で活動をしたいと考える参加者には、お近くのブリゲイド（Code for コミュニティ）をご紹介しています。各地のコミュニティでは、参加方法はさまざまですが、定例会などを開催して参加機会を設けているところが多いです。

Code　for Japanでは、たとえば以下のような機会があります。

シビックテックの初心者向けの参加手段をまとめた記事なども公開しています。

https://www.code4japan.org/news/how-to-join

・Slack

もっとも気軽に参加できるのがSlackワークスペースです。だれでも参加でき、いろいろなチャンネルがあるので興味に応じて関連するチャンネルに参加できますし、、イベント情報なども共有されます。新規参加者はまずintroチャンネルでの自己紹介を推奨されます。

新型コロナウイルス感染症が広がる前には400名程度だった参加者は、執筆現在で15倍の6,000名を超えています。

・ソーシャルハックデー

毎月開催している1dayハッカソンです。1回限りで終わるハッカソンとは違い毎月おこなっているため、継続的にチームが参加し、少しづつプロジェクトをブラッシュアップすることができます。すでに動いているプロジェクトへの参加もできますので、新規参加者にとっては興味のあるプロジェクトを見つける機会にもなります。

新規の参加者向けには、疑問にお答えするためのガイダンスや相談コーナーも設けています。

・シビックテックライブ

シビックテックライブは、「シビックテックの活動についてもっと知りたい」あるいは「自分たちの最近の活動を紹介したい」という人のためのイベントです。毎回テーマを決めて、そのテーマに沿った活動をしているゲストをお呼びしてトークをおこないます。

学生インターンが中心となって企画運営をおこなっており、インターンにとっての活動の場所でもあります。いきなりハックデーに参加して手を動かすのは想像できないなという方にとっては安心してまず知ってもらう機会にもなるかもしれません。

・各種オープンソースプロジェクト

Code for Japanでは、プロジェクトをできるだけオープンソースソフトウェアとして公開するようにしています。東京都の委託を受けて開発した新型コロナ感染症対策サイトもその1つです。このプロジェクトは、Code for Japanの活動を大きく世の中に知らしめるきっかけにもなりました。

GitHubというサイトでソースコードを公開し、一般開発者が自由にアイデア出しや機能改善に貢献できるようにしましたが、これまでの累計参加者は300名を超えています。初めての人でも参加しやすいように、READMEファイルを作ったり、プロジェクトの目的や行動規範を示したドキュメントを整備したりしました。

参加者に期待することを明確にしておくことにより、大きなトラブルもなく多くの人が参加できています。

海外のシビックテックの活動に目を向けてみると、活動のヒントを知ることができるCivicTech Field Guide、Youtubeによる紹介コーナー、毎週おこなっているプロジェクト推進ミーティングのCivicTech Night、シビックテックプロジェクトのガイドブックであるCivicTech PlayBookなどなど、多彩な情報源が見つかります。

技術者だけでなく多様な参加者が必要なシビックテックだからこそ、初心者向けのオンボーディングはとても大切だと感じます。

Code for Japanではまだ、本書に書かれているような明示的なKPIなどは決まっていないので、ぜひ本書を参考にプロセス定義をおこなってみたいと思います。

エンゲージメントプロセス

カジュアル層の活動は、Slackでの書き込みやTwitterやブログ記事のシェア、プロジェクトへのスポット的な参加などが当てはまると思います。また、シビックテックライブやソーシャルハックデーなどイベントへの単発参加も入るかもしれません。

また、年に一回開催されるCode for Japan Summitには1,000人を超える方に参加いただいています。こういったカジュアルな機会に参加して、興味のあるプロジェクトや地域の活動の雰囲気を知ってもらい、次のアクションにつなげてもらう形になります。

また、サミットは、活動をおこなっているレギュラー層にとっても他の地域のノウハウや経験を学ぶことができる場となっています。

参加したい活動が見つかったら、ソーシャルハックデーなどに参加してサービス開発をしているチームに入ってみたり、隙間時間を使ってすでにあるサービスの改善を行なったりしながらレギュラー化していきます。各地のブリゲイドも定例会などをおこなっており、そういった場への参加も推奨しています。

また、前述のCivictech Challenge Cup U-22も、仲間を見つけたり、テーマを決めたりしながら、シビックテックの世界に踏み出すいい一歩になっています。

さらに活動に深くコミットしているのがコアメンバーです。Code for Japanの社員やプロジェクトのパートナー企業の社員のように、仕事としてプロジェクト活動をおこなっている人たちもいますし、ソーシャルテクノロジーオフィサーとしてNPOの中で働く人たちもいます。インターンとしてイベント運営やコミュニティ運営に関わっているメンバーも多いです。

━ 意味のある価値があってこそのコミュニティ

ここまでいろいろ書いてきましたが、本書で述べられているように、コミュニティにはさまざまな形があり、同じ方法が常に通用するわけではありません。コミュニティと一口にいっても実態はさまざまですし、その時々で参加する人たちの属性も違いますし、タイミングによってもモチベーションに違いが出てきます。

本書を読んであらためて感じたことは、「意味のある価値」を作ることの重要性です。コミュニティの参加者は、給与などの金銭的価値を対価として活動をするわけではありません。たとえば本書の中に、以下のような記述が出てきます。

「**意味のある価値**を作り上げることと、その**消費を促す**ことの両方にフォーカスする必要がある。それにより、この勢いが本当に活用できる(第2章)。」

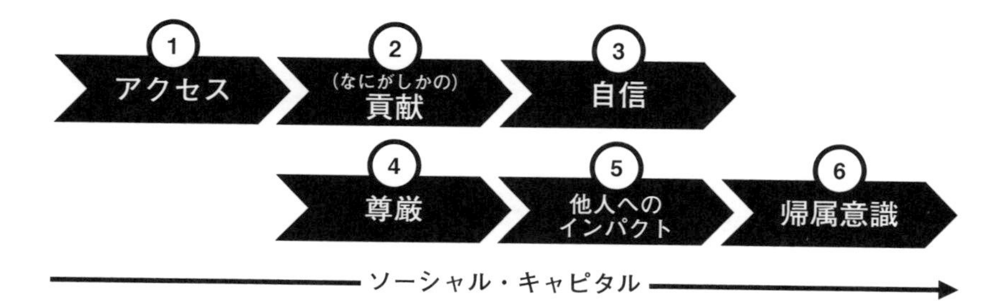

図1.1　人間がコミュニティに帰属するまで

有意義だと感じられることに参加し、その結果自らも成長する、その結果として居場所が作られていく。自分が好きな場所だからこそ、その場の価値を高めることに貢献したくなる。そのドライバーが「意味のある価値」です。

「意味のある価値」をどのように作り、届けていくのか。そのプロセスの中にどのように参加してもらい、一体感を感じてもらうのか。

コミュニティを始めることはかんたんですが、そのコミュニティを育てながら、かつ参加者が自律的に活動するような場所にすることはかんたんなことではありません。しかし、その努力自体は私たちに貴重な学びをもたらしてくれるでしょう。

本書には、コミュニティを運営するうえで重視すべき事柄や、実践的なプラクティスが詰まっています。あなたの、コミュニティ運営という深淵な旅のガイドとしてとても役に立つと思います。

それでは、いい旅を！

原著出典一覧

謝辞

1. “Become a Member,” Jono Bacon, accessed January 9, 2019,
   https://www.jonobacon.com/join/

序文

1. Charles Lindbergh, Spirit of St. Louis (New York: Charles Scribner’s Sons, 1953), 25, 34, 77, 102

2. Michelle Evans, “5 Stats You Need to Know About Connected Consumers,” Forbes, August 22, 2017
   https://www.forbes.com/sites/michelleevans1/2017/08/22/5-stats-you-need-to-know-about-connected-consumers-in-2017/#7909aeec1962
   Peter Diamandis, “4 Billion New Minds Online: The Coming Era of Connectivity,”Singularity,July 27, 2018,
   https://singularityhub.com/2018/07/27/4-billion-new-minds-online-the-coming-era-of-connectivity/#sm.000qnxowz119ye48z0y104iujpn9p

3. Tibi Puiu, “Your Smartphone Is Millions of Times More Powerful Than All of NASA’s Combined Computing in 1969,” ZMEScience, February 15, 2019,
   https://www.zmescience.com/research/technology/smartphone-power-compared-to-apollo-432/

第1章

1. “What Was It Like to Be Online During the 80s?” Gizmodo,September 25, 2014,

https://gizmodo.com/what-it-was-like-to-be-on-the-internet-during-the-80s-1638800803
Benj Edwards, "The Lost Civilization of Dial-Up Bulletin Board Systems, " The Atlantic,November 4, 2016,
https://www.theatlantic.com/technology/archive/2016/11/the-lost-civilization-of-dial-up-bulletin-board-systems/506465/

2. "Textfilesdotcom," Text Files, accessed March 1, 2019,
http://www.textfiles.com/
3. "About the GNU Project," GNU, accessed March 1, 2019,
https://www.gnu.org/gnu/thegnuproject.en.html

4. Calvin Reid, "Random House Acquires Figment," Publisher's Weekly, October 29, 2013,
https://www.publishersweekly.com/pw/by-topic/childrens/childrens-industry-news/article/59745-random-house-acquires-figment.html

5. "Lego Ideas: Community," LEGO.com, accessed November 2, 2018,
https://ideas.lego.com/community?query=&sort=most_submissions

6. Asher Madan, "Xbox Live Grows to 59 Million Active Users," Windows Central, January 31, 2018,
https://www.windowscentral.com/xbox-live-grew-59-million-active-users-last-quarter

7. "SAP Community Home," SAP, accessed November 2, 2018,
https://www.sap.com/community.html

8. Jagdish N. Sheth and Rajendra S. Sisodia, Does Marketing Need Reform?:Fresh Perspectives on the Future (London: Routledge, 2006), 111

9. Rose Eveleth, “How Much Is Wikipedia Worth?,” Smithsonian, October7, 2013,
https://www.smithsonianmag.com/smart-news/how-much-is-wikipedia-worth-704865/

10. “Community and Collaboration,” Open Source Initiative, accessed March 2, 2019,
https://opensource.org/community

11. Javelin VP, “The Power of Collaborative Media,” Medium, January 31,2019,
https://medium.com/@JavelinVP/power-of-collaborative-media-d6c32e617f71

12. Juliana J. Bolden, “Video: Joseph Gordon-Levitt on ‘HitRecord on TV’ on Winning an Emmy Award,” Television Academy, August 14, 2014,
http://www.emmys.com/news/industry-news/video-joseph-gordon-levitt-hitrecord-tv-winning-an-emmy-award

13. Joseph Gordon-Levitt, telephone interview with Jono Bacon, November 7, 2018

14. Kate Clark, “Joseph Gordon-Levitt's Artist Collaboration Platform, HitRecord Raises $6.4m,” TechCrunch, January 31, 2019,
https://techcrunch.com/2019/01/31/joseph-gordon-levitts-artist-collaboration-platform-hitrecord-raises-6-4m/

15. “Star Citizen by Cloud Imperium Games Corporation,” Kickstarter, accessed November 1, 2018,
https://www.kickstarter.com/projects/cig/star-citizen
P. Ariyasinghe, “Star Citizen Hits $150 Million in Crowd Funding,”

Neowin, May 20, 2017,
https://www.neowin.net/news/star-citizen-hits-150-million-in-crowd-funding/

16. Lizette Chapman and Eric Newcomer, “Software Maker Docker Is Raising Funding at $1.3 Billion Valuation,” Bloomberg, August 9, 2017,
https://www.bloomberg.com/news/articles/2017-08-09/docker-is-said-to-be-raising-funding-at-1-3-billion-valuation

17. Johana Bhuiyan, “Drivers Don’t Trust Uber. This Is How It’s Trying to Win Them Back,” Recode, February 5, 2018
https://www.recode.net/2018/2/5/16777536/uber-travis-kalanick-recruit-drivers-tipping
Chris Matyszczyk “United Airlines Was Just Ranked Lower Than America’s Most Controversial Airline in Customer Satisfaction,” Inc., May 30, 2018,
https://www.inc.com/chris-matyszczyk/united-airlines-was-just-ranked-lower-than-americas-most-controversial-airline-in-customer-satisfaction.html
Tom Chandler, “The Death of MySpace,”Young Academic, March 31, 2011,
https://www.youngacademic.co.uk/features/the-death-of-myspace-young-academic-columns-953
Charles Arthur, “Digg Loses a Third of Its Visitors in a Month: Is It Dead?,” The Guardian, June 3, 2010,
https://www.theguardian.com/technology/blog/2010/jun/03/digg-dead-falling-visitors

18. Emily Richardson, “Globally Offensive: Let’s Talk About Abuse in CS:GO,” Rock Paper Shotgun, July 17, 2015,
https://www.rockpapershotgun.com/2015/07/17/cs-go-abuse/

19. "Support," Fractal Audio Systems, accessed March 2, 2019, https://www.fractalaudio.com/support/

20, "Axe Change—The Official Site for Fractal Audio Presets, Cabs and More," Axe Change, accessed March 2, 2019, http://axechange.fractalaudio.com/

21. Dan Ariely, "What Makes Us Feel Good About Our Work?," TED, October 2012, https://www.ted.com/talks/dan_ariely_what_makes_us_feel_good_about_our_work

22. "Salesforce Customers List," Sales Inside, accessed May 2, 2018, https://www.salesinsideinc.com/services-details/salesforce-customers-list

23. "Salesforce Trailblazer Community," Salesforce, accessed February 25, 2019, https://success.salesforce.com/

24. "Firefox Crop Circle,"FirefoxCropCircle.com, accessed November 30, 2018, https://firefoxcropcircle.com/circle/; "SpreadFirefox," Mozilla Firefox, November 2013, https://blog.mozilla.org/press/files/2013/11/nytimes-firefox-final.pdf

25, "Pebble Time—Awesome Smartwatch, No Compromises," Kickstarter,accessed November 25, 2018, https://www.kickstarter.com/projects/getpebble/pebble-time-awesome-smartwatch-no-compromises/description
"Exploding Kittens," Kickstarter, accessed November25, 2018, https://www.kickstarter.com/projects/elanlee/exploding-kittens/description

26. Haydn Taylor, "Minecraft Exceeds 90m Monthly Active Users," GamesIndustry, October 2, 2018,
https://www.gamesindustry.biz/articles/2018-10-02-minecraft-exceeds-90-million-monthly-active-users

27. Minecraft Forum, accessed January 9, 2019,
https://www.minecraftforum.net/forums
Minecraft Wiki, accessed January 9, 2019,
https://minecraft.gamepedia.com/Minecraft_Wiki

28. Alex Sherman, and Lora Kolodny, "IBM to Acquire Red Hat in Deal Valued at $34 Billion," CNBC, October 28, 2018,
https://www.cnbc.com/2018/10/28/ibm-to-acquire-red-hat-in-deal-valued-at-34-billion.html

29. Jim Whitehurst, email interview with Jono Bacon, November 26, 2018

30. Desire Athow, "Linux Costs USD 10.8 billion to Build Says Linux Foundation," IT Pro Portal, October 23, 2018,
https://www.itproportal.com/2008/10/23/linux-costs-usd-108-billion-build-says-linux-foundation/

31. Paul Sawers, "WordPress Now Powers 30% of Websites, VentureBeat,March 5, 2018,
https://venturebeat.com/2018/03/05/wordpress-now-powers-30-of-websites/

32. Liz Lanier, "'Star Citizen' Reaches $200 Million in Funding From 171 Countries," Variety, November 19, 2018,
https://variety.com/2018/gaming/news/star-citizen-reaches-200-million-1203032223/

第2章

1. “The History Of Iron Maiden—Part One,” 1:30:33, YouTube video, October 13, 2017,
https://youtu.be/qDc5Px5f0OE?t=4308

2. Tom Hanks, A League of Their Own, directed by Penny Marshall(Culver City, CA: Columbia Pictures, 1992)

3. xprize.org. (2019). Mojave Aerospace Ventures Wins The Competition That Started It All. [online] Available at: https://www.xprize.org/prizes/ansari/articles/mojave-aerospace-ventures-wins-the-competition [Accessed 29 Mar. 2019]

4. “The Trek BBS,” TrekBBS, accessed May 17, 2018,
https://www.trekbbs.com/

5. “Ardour—The Digital Audio Workstation,” Ardour, accessed May 25,2018,
https://ardour.org/

6. “/r/science metrics (Science),” Reddit Metrics, accessed May 9,2018,
http://redditmetrics.com/r/science
“/r/Sneakers metrics(Sneakerheads Unite!),” Reddit Metrics, accessed May 9, 2018,
http://redditmetrics.com/r/Sneakers

7. Internet Archive, “The Long Tail,” Wired Blogs, September 8, 2005, https://web.archive.org/web/20170310130052/http://www.longtail.com/the_long_tail/2005/09/long_tail_101.html

8. “PSY–Gangnam Style,” 4:12, YouTube video, July 15, 2012,
https://www.youtube.com/watch?v=9bZkp7q19f0

9. “Study Finds Our Desire for ‘Like-Minded Others’ Is Hard-Wired,”University of Kansas, February 23, 2016,
https://news.ku.edu/2016/02/19/new-study-finds-our-desire-minded-others-hard-wired-controls-friend-and-partner

10. “Market Brief—2018 Digital Games & Interactive Entertainment Industry Year in Review,” SuperData Research, accessed May 25, 2018,
https://www.superdataresearch.com/market-data/market-brief-year-in-review/

11. IGN Boards, accessed May 25, 2018,
http://www.ign.com/boards/

12. Alexander van Engelen, interview with Jono Bacon via forum private message, May 10, 2018

13. “Kubernetes/Kubernetes: Production-Grade Container Scheduling and Management,” GitHub, accessed March 2, 2019,
https://github.com/kubernetes/kubernetes

14. Gilbert Schacter et al., Psychology (New York: Worth Publishers,2011), 295

15. L. Chapman, and E. Newcomer, “Software Maker Docker Is Raising Funding at $1.3 Billion Valuation,” Bloomberg, accessed May 10, 2018,
https://www.bloomberg.com/news/articles/2017-08-09/docker-is-said-to-be-raising-funding-at-1-3-billion-valuation
Red Hat Fact Sheet,
https://investors.redhat.com/~/media/Files/R/Red-Hat-IR/documents/q218-fact-sheet.pdf

"Red Hat Reports FourthQuarter and Fiscal Year 2018 Results," RedHat, March 26, 2018,
https://investors.redhat.com/news-and-events/press-releases/2018/03-26-2018-211600973

16. "Tensorflow," GitHub, accessed January 4, 2019,
https://github.com/tensorflow/tensorflow

17. "TensorFlow Case Studies and Mentions". (n.d.). TensorFlow.[online] Available at:
https://www.tensorflow.org/about/case-studies [Accessed 29 Mar. 2019]

18. "Ubuntu Search Growth," Google Trends, accessed May 25, 2018,
https://trends.google.com/trends/explore?date=2004-01-01%20 2008-01-11&geo=US&q=ubuntu

19. "AC/DC—Touch Too Much (Official Video)," 4:26, YouTube video,March 7, 2013,
https://www.youtube.com/watch?v=JGftIcp2SC0

20. "Seasoned Advice," Stack Exchange, accessed May 26, 2018,
https://cooking.stackexchange.com/

21. "Mathematics," Stack Exchange,
https://math.stackexchange.com/
"Music," Stack Exchange,
https://music.stackexchange.com/
"Homebrewing," Stack Exchange,
https://homebrew.stackexchange.com/, all accessed May 26, 2018

22. "Build Anything on Android," Android Developers, accessed May

26,2018,
https://developer.android.com/

23. “Civilized Discussion,” Discourse, accessed May 26, 2018,
https://www.discourse.org/
“Choose Freedom, Choose Fedora,” GetFedora, accessed May 26, 2018,
https://getfedora.org/

24. Lanco News, “GOP Presidential Hopeful Ted Cruz Gets Booed on Colbert,” 0:31, YouTube video, September 22, 2015,
https://www.youtube.com/watch?v=4NgmpZ2aXtE

25. Jim Zemlin, email interview with Jono Bacon, November 28, 2018

26. Zemlin, interview

第3章

1. “Definition of Value,” Merriam-Webster, accessed November 26, 2018,
https://www.merriam-webster.com/dictionary/value

第4章

1. Michael I. Norton, Daniel Mochon, and Dan Ariely, The “IKEA Effect”:When Labor Leads to Love, (working paper, Harvard Business School,2011),
https://www.hbs.edu/faculty/Publication%20Files/11-091.pdf

2. Daniel Kahneman, Thinking, Fast and Slow (New York: Farrar, Straus& Giroux, 2011)

3. Colleen Walsh, “Layers of Choice,” Harvard Gazette, February 5,

2014,
https://news.harvard.edu/gazette/story/2014/02/layers-of-choice/#pq=v10mwP

4. David Rock, "SCARF: A Brain-Based Model for Collaborating with and Influencing Others," NeuroLeadership Journal, June 15, 2008, http://web.archive.org/web/20100705024057/http://www.your-brain-at-work.com/files/NLJ_SCARFUS.pdf

5. Rock, "SCARF."

第5章

1. Ben Sillis, "The Greatest Video Game Opening Levels of All Time,"Red Bull, October 5, 2016, https://www.redbull.com/us-en/the-greatest-ever-video-game-opening-levels

2. "H.O.G. Members Site," Harley-Davidson, accessed January 9, 2019, https://members.hog.com/

3. "The Organizer Guide," Meetup, accessed January 8, 2019, https://help.meetup.com/hc/en-us/categories/115000229871-The-Organizer-Guide

4. "Search: Good First Issue," GitHub, accessed January 5, 2019, https://github.com/search?q=good-first-issue&type=Issues

5. Antoine de Saint-Exupéry, The Airman's Odyssey (New York: MarinerBooks, 1984), 39.

6. "Adventures," Fitbit, accessed January 15, 2019, https://www.fitbit.com/challenges/adventures

7. “2019 Event Schedule,” Jeep Jamboree USA, accessed January 15,2019,
https://jeepjamboreeusa.com/tripsregister/

8. “Top Questions,” Stack Overflow, accessed January 15, 2019,
https://stackoverflow.com/?tab=interesting

9. “Mentors,” APS Physics, accessed January 15, 2019,
https://www.aps.org/programs/minorities/nmc/mentors.cfm

10. “Ubuntu Open Week,” Ubuntu Wiki, last updated March 18, 2014,
https://wiki.ubuntu.com/UbuntuOpenWeek

11. “How Long Does It Take to Form a Habit? (Backed by Science),” James Clear, accessed November 26, 2018,
https://jamesclear.com/new-habit

12. Nick Saint, “If You’re Not Embarrassed by the First Version of Your Product, You’ve Launched Too Late,” Business Insider, November 13,2009,
https://www.businessinsider.com/the-iterate-fast-and-release-often-philosophy-of-entrepreneurship-2009-11

第7章

1. “Miles Davis Quote,” AZ Quotes, accessed November 30, 2018,
https://www.azquotes.com/quote/636581

2. Mike Shinoda, email interview with Jono Bacon, October 28, 2018

3. Ali Velshi, email interview with Jono Bacon, November 3, 2018

4. Jono Bacon, “Global Learning XPRIZE,” Indiegogo, last updated April

9, 2015,
https://www.indiegogo.com/projects/global-learning-xprize#/

5. Richard Read, “Garmin Launches Cryptic Teaser Campaign, We Unravel It, Motor Authority, August 19, 2011,
https://www.motorauthority.com/news/1065202_garmin-launches-cryptic-teaser-campaign-we-unravel-it

6. Virgin Red (@virginred), “What's @richardbranson burying on Necker Island? All will be revealed in just a few short days! #VMarksTheSpot,” Twitter, July 25, 2016, 4:21 a.m.,
https://twitter.com/VirginRed/status/746634493704929280

7. “Hack the World 2017,” HackerOne, accessed January 10, 2019,
https://www.hackerone.com/hacktheworld/2017

8. Clare Mason, “Light Up the Room With These LED Earrings,” Make, May 9, 2018,
https://makezine.com/projects/light-room-led-earrings/

9. “SpreadFirefox,” Mozilla Firefox.

第8章

1. John Leyden, “Like My New Wheels? All I Did Was Squash a Bug, and They Gave Me $72k,” The Register, July 11, 2018,
https://www.theregister.co.uk/2018/07/11/hackerone_bug_bounty_sitrep/

2. “Mattermost Security Researcher Mug,” Mattermost, accessed January 11, 2019,
https://forum.mattermost.org/t/mattermost-security-researcher-mug/1318

3. Nicole Miller, "Inside Buffer's Community Delight Headquarters:How and Why We Send Swag and What It All Costs," Buffer, last updated June 2, 2015,
https://open.buffer.com/community-delight/

4. Psychestudy. (2018). Yerkes - Dodson Law - Psychestudy. [online] Available at:
https://www.psychestudy.com/general/motivation-emotion/yerkes-dodson-law [Accessed 30 Nov. 2018]

5. Gordon-Levitt, interview

6. Everett, N. (2018). The Story of Twitpic. [online] Medium. Available at:
https://medium.com/@noaheverett/the-story-of-twitpic-3c3a81157c6c [Accessed 30 Mar. 2019]

7. Noah Everett, email interview with Jono Bacon, October 22, 2018

8. Reddit.com. (2015). Could someone explain how the reddit karma system works? : firstdayontheinternet. [online] Available at:
https://www.reddit.com/r/firstdayontheinternet/comments/30b44n/could_someone_explain_how_the_reddit_karma_system/ [Accessed 30 Mar. 2019]

9. Jono Bacon, "First Ubuntu Accomplishments Release," Jono Bacon, May 1, 2012,
https://www.jonobacon.com/2012/05/01/first-ubuntu-accomplishments-release/

第9章

1. SCOREcast, "12th Annual SCOREcast NAMM Meetup," Facebook,

January 27, 2018,
https://www.facebook.com/events/326049557801853/

2. "Community Leadership Summit," accessed January 11, 2019, http://www.communityleadershipsummit.com/

3. CasinoCoin, "Community Q&A with John Caldwell—CasinoCoin Director of Advocacy," 27:41, YouTube video, August 15, 2018, https://www.youtube.com/watch?v=b9B5pNN3nu8

4. Jono Bacon, "Dealing with Disrespect: How to Handle Your Critics,No Matter What They Throw at You," 44:20, YouTube video, November 1, 2014,
https://www.youtube.com/watch?v=N5zDHqrFh-M
Jono Bacon, "10 Avoidable Career Mistakes (and How to ConquerThem)," 29:21, YouTube video, October 19, 2018,
https://www.youtube.com/watch?v=woEuqMxmJvw

5. Adobe, "Photoshop Magic Minute," YouTube videos, updatedFebruary 26, 2019,
https://www.youtube.com/playlist?list=PLXw7EK7EUaUHcijd8lwc9VP6zC7HaGwTg

6. Internet Archive, "Ubuntu Developer Summit," Ubuntu, accessed January 12, 2019,
https://web.archive.org/web/20121103153904/http://uds.ubuntu.com/

7. Jono Bacon, "Keep On Rocking in the Free World," 1:13, YouTube video, November 12, 2011,
https://www.youtube.com/watch?v=dox2nQ3eabg

第10章

1. Whitehurst, interview.

2. “Understanding Discourse Trust Levels,” Discourse, June 25, 2018, https://blog.discourse.org/2018/06/understanding-discourse-trust-levels/

お問い合わせについて

本書に関するご質問については、本書に記載されている内容に関するもののみ受付をいたします。本書の内容と関係のないご質問につきましては一切お答えできませんので、あらかじめご承知置きください。また、電話でのご質問は受け付けておりませんので、ファックスか封書などの書面かWebにて、下記までお送りください。

なおご質問の際には、書名と該当ページ、返信先を明記してくださいますよう、お願いいたします。特に電子メールのアドレスが間違っていますと回答をお送りすることができなくなりますので、十分にお気をつけください.

お送りいただいたご質問には，できる限り迅速にお答えできるよう努力いたしておりますが、場合によってはお答えするまでに時間がかかることがあります。また、回答の期日をご指定なさっても、ご希望にお応えできるとは限りません。あらかじめご了承くださいますよう、お願いいたします。

【問い合わせ先】

＜ファックスの場合＞
03-3513-6183

＜封書の場合＞
〒162-0846　東京都新宿区市谷左内町21-13
株式会社 技術評論社　書籍編集部
『遠くへ行きたければ、みんなで行け』係

＜Webの場合＞
https://gihyo.jp/site/inquiry/book

カバー・本文デザイン　**小口翔平＋後藤司（tobufune）**
DTP　**Seagrape**
企画　**傳智之**
編集　**村瀬光**

遠くへ行きたければ、みんなで行け

～「ビジネス」「ブランド」「チーム」を変革するコミュニティの原則

2022年5月4日　初版　第1刷発行

著者	ジョノ・ベーコン
訳者	高須正和
監訳者	山形浩生
解説	関治之
発行者	片岡 巌
発行所	株式会社技術評論社 電話　03-3513-6150(販売促進部) 03-3513-6166(書籍編集部)
印刷／製本	日経印刷株式会社

定価はカバーに表示してあります。

造本には細心の注意を払っておりますが、万一乱丁（ページの乱れ）や落丁（ページの抜け）がございましたら、小社販売促進部までお送りください。送料小社負担にてお取り替えいたします。

ISBN978-4-297-12769-5 C0036

Printed in Japan